RELIEFS

Collection dirigée par
Anne-Marie Villeneuve

À QUI LA FAUTE ?

Catalogage avant publication de Bibliothèque et Archives nationales
du Québec et Bibliothèque et Archives Canada

Brouillet, Chrystine
À qui la faute ? : une enquête de Maud Graham
(Reliefs)

ISBN 978-2-89711-341-4
I. Titre. II. Collection : Reliefs.
PS8553.R684A62 2017   C843'.54   C2017-940651-5
PS9553.R684A62 2017

Direction littéraire : Anne-Marie Villeneuve
Édition : Luc Roberge et Anne-Marie Villeneuve
Assistance à l'édition : Elisanne Crevier
Révision linguistique : Lise Duquette et Line Nadeau
Assistance à la révision linguistique : Antidote 9
Maquette intérieure : Anne Tremblay
Mise en pages et versions numériques : Studio C1C4
Conception graphique de la couverture : Anne Tremblay
Photographie en couverture : kovop58 (Shutterstock)
Photographies de l'auteure : Maxyme G. Delisle
Diffusion : Druide informatique
Relations de presse : RuGicomm

Les Éditions Druide remercient le Conseil des arts du Canada
et la SODEC de leur soutien.

Gouvernement du Québec — Programme de crédit d'impôt
pour l'édition de livres — Gestion SODEC.

Ce projet a été rendu possible en partie grâce au gouvernement du Canada.

Canadä

ISBN PAPIER : 978-2-89711-341-4
ISBN EPUB : 978-2-89711-342-1
ISBN PDF : 978-2-89711-343-8

Éditions Druide inc.
1435, rue Saint-Alexandre, bureau 1040
Montréal (Québec) H3A 2G4
Téléphone : 514-484-4998

Dépôt légal : 2e trimestre 2017
Bibliothèque nationale du Québec
Bibliothèque nationale du Canada

Imprimé au Canada

Chrystine Brouillet

À QUI LA FAUTE ?

Une enquête de Maud Graham

Druide

*À Marie-Ève Sévigny,
marraine de Maud*

1

Québec, novembre 2015

Sa mère avait changé d'idée. Elle n'était pas d'accord pour qu'on lui offre un appareil qui valait aussi cher, mais maintenant que Mylène l'avait photographiée avec son Nikon, elle ne la jugeait plus trop jeune pour en avoir un. Elle s'était trouvée belle sur les photos. Pendant un instant, elle avait regardé sa fille autrement. Mylène avait dit qu'elle aimerait faire de la photo sous-marine. Cristelle avait aussitôt décidé que toute la famille partirait dans le Sud pour les vacances de Noël. Ils pourraient tous en profiter pour s'améliorer au tennis. Elle-même s'y remettrait.

« Penses-tu vraiment que je vais avoir le goût de jouer avec toi ? s'était dit Mylène. Si je veux descendre au fond de l'eau, c'est pour avoir la paix. Pour ne plus t'entendre. »

Sur les photos, même celles prises avec son téléobjectif, il lui semblait que la voix de sa mère lui parvenait encore.

Elle aimait bien le téléobjectif qui lui permettait de voir sans être vue. D'être là sans y être.

C'était très instructif.

: :

11

Québec, juillet 2016

Croyait-elle que Mylène ne savait pas comment sa mère la regardait ? Qu'elle n'avait pas compris que Cristelle était rassurée de ne pas avoir engendré une beauté, une Blanche-Neige qui aurait pu devenir une rivale ? Pas de danger. Mylène ressemblait à son père. Elle avait seulement hérité des yeux et de la chevelure de Cristelle. Mais il faudrait que cette crinière noire cache davantage ses traits, qu'on ne voie pas son menton trop carré, sa bouche trop mince, son nez trop large. « Miroir, miroir, dis-moi qui est la plus belle. Mais c'est toi, Cristelle, la magnifique. Ne t'inquiète pas, maman, jamais je ne te ferai concurrence. En même temps, tu es déçue, non ? Tu aurais voulu un clone, une mini-Cristelle, une poupée à ton image qui t'aurait remplie d'orgueil. C'est raté. Tu dois l'avoir compris assez vite. Quand Lucas a eu trois ans. Il était si beau. C'était clair pour tout le monde. Ou quand tu as vu Jasmine. Première journée d'école. Jasmine à l'ossature d'une gazelle. Jasmine si gracieuse. Jasmine aux pommettes aussi hautes que les tiennes, bien dessinées. Pas des joues de bébé comme les miennes. Déjà un port royal. Tu avais détaillé sa mère en te demandant comment une femme aussi ordinaire avait pu avoir une fillette aussi parfaite. La fillette dont tu rêvais. »

Mylène avait essayé. Vraiment essayé de lui ressembler. Elle s'était collée à Jasmine. Avait tout fait comme Jasmine. Joué avec Jasmine. Suivi les mêmes cours que Jasmine. Ri avec Jasmine, mangé avec Jasmine, dormi chez Jasmine. Jasmine qui disait souvent qu'elles étaient comme des sœurs. Pourquoi pas ? Mylène aurait tellement voulu vivre chez elle.

: :

Québec, octobre 2016

Il pleuvait beaucoup, ce matin-là, et le chauffeur de l'autobus prit la peine de ralentir bien avant d'arriver à l'arrêt afin de ne pas éclabousser les usagers qui l'attendaient. Martin Potvin salua le facteur qui monta à bord et s'installa sur le premier banc pour discuter avec lui de la prochaine saison de hockey, sourit à la blonde qui, comme chaque matin, commentait la météo, puis soupira en reconnaissant Lucas Bouchard-Lenoir. Ce gamin mettait toujours un temps fou à trouver sa carte d'usager, à croire qu'il faisait exprès pour fouiller le plus lentement possible dans les poches de son coupe-vent. Potvin aurait pu démarrer pendant que Lucas cherchait sa carte, mais il s'y refusait : en négligeant de vérifier les cartes des abonnés, il donnerait l'impression qu'il se foutait qu'on respecte ou non le règlement.

— Tu devrais toujours la mettre dans la même poche, dit-il à Lucas. Ça irait plus vite.

Lucas fixa le chauffeur durant quelques secondes avant de hausser les épaules.

— Ce n'est pas la première fois que je te le dis, insista Potvin.

Lucas garda le silence en présentant sa carte. Il repéra Étienne et Matis, assis sur le dernier banc, et se dirigea vers eux en laissant traîner son sac à dos sur le plancher.

Martin Potvin soupira avant d'échanger un regard avec Hubert Huot qui secoua la tête.

— Moi, les enfants rois…

— C'est sûr qu'il ne se prend pas pour de la merde.

— Je ne pourrais pas faire ta job, répondit le facteur. J'aime mieux geler dehors à livrer le courrier, plutôt qu'endurer une bande de jeunes. Le matin, ce n'est pas si pire, mais quand ils sortent de l'école à la fin de l'après-midi, ils ne sont pas tenables !

— On s'habitue, fit Potvin. La plupart d'entre eux sont corrects, mais ce petit maudit-là se prend pour le nombril du monde. Si mes garçons me regardaient comme il me regarde, je te jure que je les replacerais assez vite ! Par chance, ils ne sont pas prétentieux. Même mon plus vieux, qui a été repêché par le Rouge et Or, ne se prend pas au sérieux.

— Il doit être content !

— C'est sûr. Et je peux te dire que le début de saison des Canadiens nous met de bonne humeur à la maison. Penses-tu que Price jouera aussi bien, cette année ?

Huot hocha la tête avec enthousiasme. C'était l'un des meilleurs joueurs de la ligue, il leur réservait certainement de belles surprises. Le facteur rappela les exploits du gardien de but qui les avait éblouis l'année précédente. Tous les espoirs étaient permis. Le début de saison était vraiment prometteur.

— C'est certain, fit Martin Potvin tout en jetant un coup d'œil dans son rétroviseur.

Les jeunes chahutaient au fond de l'autobus. Il vit le blond s'emparer de la casquette de Lucas, la lancer à un autre élève. Lucas se leva, mais le blond en s'interposant perdit l'équilibre et tomba sur une passagère à moitié endormie qui protesta. Potvin ralentit, se tourna vers l'arrière, cria aux jeunes de se calmer.

— On est dans un autobus, pas dans une garderie. Je ne sais pas comment tu fais pour les endurer, répéta Huot.

— On arrive à l'école. Ils vont descendre dans deux minutes.

— Je plains les profs d'avoir à les supporter toute la journée.

— Ils ne sont pas si pires. Le blond et le petit maigre sont toujours polis avec moi. L'autre aussi, le rouquin, il est bien élevé. Et sa mère est plutôt *cute*.

— Ah oui ? Raconte-moi ça…

— Une autre fois. Tu es arrivé. Bonne journée.

— À toi aussi. À demain.

: :

— Je t'ai redonné ta casquette, dit Simon à Lucas dans la cour du collège. Arrête de m'achaler avec ça.

— Elle est sale, grogna Lucas.

— Même pas vrai !

— Oui, c'est vrai. Tu as toujours les mains collantes.

— Tu es fatigant.

— Bon, on joue? demanda Matis.

— C'est moi qui commence, déclara Lucas.

— Pourquoi ce serait toi? fit Étienne.

— C'est moi qui ai marqué le but gagnant au hockey, protesta Lucas. Si je n'avais pas été là…

— Laissez-le faire, dit Matis. Il faut toujours qu'il soit le premier.

— Lance-le donc! intima Simon à Lucas. On n'a pas toute la journée!

Lucas saisit le ballon, dribla tout autour des garçons avant de s'approcher du panier, s'arrêta, hésita, tapa à nouveau sur le ballon, le souleva et le projeta de toutes ses forces vers le filet. Le ballon rebondit, tomba devant Matis qui le dirigea vers Simon qui l'attrapa et visa à son tour le panier. Le ballon s'y glissa. Simon cria, sourit d'un air victorieux en regardant Lucas. Celui-ci marmonna qu'il avait eu de la chance.

— Ah oui?

— Parce que tu as…

— On joue! rappela Étienne en s'appropriant le ballon pour le projeter vers Matis, qui le lança à Lucas qui trébucha, mais parvint le prendre et à s'approcher du panier.

Le ballon s'éleva par-dessus le panier et entra dans le filet. Lucas leva les bras en rugissant de satisfaction et Simon profita de cet instant pour récupérer le ballon, le lancer à son tour vers le panier. Mais il rebondit sur les bords, revint vers Étienne qui tenta de le saisir en même temps que Lucas. Celui-ci le poussa d'un coup d'épaule, Étienne lui donna un coup de coude, Lucas trébucha, tandis que le ballon roulait vers Matis qui le récupéra.

— Tu as triché, dit Lucas à Étienne.

— Comment ça?

— Tu m'as donné un coup!

— Toi aussi ! Tu es vraiment pénible, Lucas, un vrai bébé.

— Je ne suis pas un bébé !

— On joue juste pour le plaisir, plaida Matis. Tu as plaqué Étienne, il t'a repoussé avec son coude. C'était normal qu'il réagisse !

— Il faut toujours que tu chiales, dit Étienne.

— Mais vous êtes bien contents de venir vous baigner chez nous, rétorqua Lucas.

— Sais-tu quoi ? Je suis tanné de jouer, dit Simon. Je rentre chez nous.

Sans qu'il ait besoin de leur parler, Matis et Étienne lui emboîtèrent le pas. Lucas saisit le ballon et le lança vers eux.

— C'était une blague ! cria Lucas.

Le trio ne prit même pas la peine de se retourner. Lucas projeta le ballon contre le mur de la cour avec rage. Il fallait toujours que Simon joue au *king*. Il s'imaginait sûrement qu'il serait capitaine de l'équipe de soccer le printemps prochain. Mais pourquoi ce serait lui ? Parce que son père était un ancien champion ? Ça faisait longtemps. Et il habitait au bout du monde.

: :

Montréal, octobre 2016

Mary White sortit de la salle de bain en boutonnant son chemisier, puis elle s'approcha de la table de chevet pour récupérer ses créoles.

— Tu es si pressée ? s'enquit Jean-René Frappier en tentant d'attraper son poignet.

— Je dois prendre le train de 16 h 10. S'il y a beaucoup de circulation…

— Mais ça fait tellement longtemps que nous n'avons pas été ensemble.

— Il faut que je sois à la maison à 20 h. Matis soupe chez Simon, Jasmine est chez ma mère, mais je dois être rentrée à 20 h. Je ne peux pas me permettre de rater le train.

— Dis-moi qu'on va se revoir bientôt !

— C'est compliqué, chéri, tu le sais.

— Je le sais, mais je voudrais te voir tous les jours.

Mary caressa le front de son amant en soupirant. Elle aussi aurait aimé voir Jean-René plus souvent, mais c'était beaucoup trop risqué. Elle s'étonnait encore d'avoir cédé à ses fantasmes. Elle ne s'était jamais imaginée en femme infidèle, n'avait jamais envisagé de mentir à son mari, de franchir la porte d'un hôtel pour y retrouver un autre homme. Mais le désir de Jean-René était si impérieux ! Quand il lui avait avoué qu'il avait envie d'elle, elle avait protesté. C'était impossible, il était marié, elle aussi. Leurs enfants allaient à la même école. À quoi pensait-il ? Il avait hoché la tête, elle avait raison. Mais cela ne changeait rien au fait qu'il rêvait d'elle, qu'il voulait l'embrasser, la caresser, lui donner du plaisir. Il était aussi stupéfait qu'elle de la puissance de cette attirance ; c'était un fait, il n'y pouvait rien.

— Je ne sais pas si c'est parce qu'on s'est connus quand on était jeunes, lui avait-il dit. Te retrouver des années plus tard… Je trippais déjà sur toi au secondaire.

— Tais-toi, avait-elle murmuré.

— Je me retiens depuis des mois de t'en parler !

— Je ne sais pas quoi te dire.

— Je vais t'attendre, Mary White, avait juré Jean-René.

— Ce sera long, avait-elle prédit.

Elle s'était trompée. Elle avait accepté de retrouver Jean-René à l'hôtel un mois plus tard. Il y avait treize mois de cela. Un an, un mois et cinq jours. Comment pouvait-elle s'abandonner ainsi ? Surtout comment s'en priver ? Sentir son regard sur elle, lorsqu'ils assistaient aux entraînements ou aux matchs de leurs fils, était tout aussi enivrant que réconfortant. Elle avait l'impression d'être belle. Ce qu'elle n'avait pas ressenti depuis des années. Ian ne la voyait plus, même quand ils faisaient l'amour. Surtout quand ils faisaient l'amour. Elle n'était plus que la mère de Matis et de Jasmine. Il ne l'écoutait que lorsqu'elle parlait des enfants. Il était un père attentionné, il l'avait toujours été et il le serait toujours. C'était une des raisons pour lesquelles elle l'avait épousé. Elle voulait un homme fiable, responsable. Et Ian l'était. Il s'impliquait bien davantage dans la vie familiale que plusieurs des maris de ses clientes. Pourquoi ne parvenait-elle pas à se satisfaire de cette situation somme toute enviable ? Ian était d'humeur égale, respectait ses horaires compliqués, ne lui imposait pas de l'accompagner à tous ces événements auxquels il participait pour entretenir de bons rapports avec ses clients les plus importants. Ian employait deux fois plus de monde qu'au moment où Mary l'avait rencontré et les décisions qu'il devait prendre étaient sûrement stressantes, mais il savait laisser les problèmes au bureau. Quels qu'ils soient. Quand il était à la maison, il s'occupait de Jasmine et Matis, jouait les chauffeurs de taxi pour les emmener à l'aréna, à la piscine, aux cours de tennis, à la danse irlandaise sans jamais montrer de lassitude. Il s'était même mis récemment à la cuisine et préparait les soupers de la fin de semaine.

Quand Mary regardait Ian faire des crêpes à leurs enfants, elle se répétait qu'elle devait cesser de voir Jean-René, se jurait de rompre à leur prochaine rencontre. Ils se retrouveraient pour la dernière fois. Il devrait l'accepter. Ils ne pouvaient ni l'un ni l'autre se permettre d'avoir cette liaison : si leurs conjoints découvraient tout ? Ils devaient penser aux conséquences, se montrer raisonnables et étouffer cette passion.

Elle avait pourtant rejoint Jean-René à l'hôtel Le Saint-Sulpice sans évoquer leur rupture. Elle ne lui avait pas dit que tout serait terminé, lorsqu'il avait parlé des jardins de l'hôtel où il serait si agréable de dîner quand il ferait beau. Elle s'était contentée de sourire avant de l'embrasser de nouveau. Personne n'embrassait aussi bien que Jean-René ; aucun des amoureux qu'elle avait eus avant d'épouser Ian ne l'avait embrassée comme Jean-René savait le faire.

— Il faut que je me sauve, répéta-t-elle. Je ne peux pas manquer le train.

— Tu devrais revenir avec moi. Ça serait bien moins compliqué et on pourrait jaser durant le voyage. C'est long, la 20, quand on est tout seul.

— C'est trop risqué, protesta Mary, on en a déjà discuté.

— Je pourrais te laisser à la gare, s'entêta Jean-René. De là, tu n'aurais qu'à prendre un taxi pour rentrer chez toi.

— Et si je rencontre quelqu'un qui me connaît ou qui connaît Ian, à la gare ? Si on remarquait que je ne suis pas descendue du train ?

— Je ne pense pas que Ian a des amis qui prennent le train. Ils ont tous leur voiture ou des chauffeurs privés.

— Tu exagères ! dit Mary. Ian adore conduire. C'est plutôt Evelyne qui apprécierait ça, parce que…

Mary se tut, échangea un regard avec son amant ; ils avaient convenu de ne jamais parler de leurs conjoints respectifs. Jean-René qui devina son malaise prit son visage entre ses mains.

— Écoute, c'est normal qu'on parle d'eux. On ne peut pas faire comme s'ils n'existaient pas. On se retrouve souvent tous ensemble avec nos familles à cause du sport, on se…

— Je ne comprends pas que ni Ian ni Evelyne ne se rendent compte de ce qui se passe, murmura Mary.

— Ce n'est pas écrit sur nos fronts !

— Tu ne te sens pas mal à l'aise d'acheter une voiture chez mon mari ?

— C'est le contraire qui serait bizarre et qui l'intriguerait. Je dois changer d'auto. Ian est concessionnaire, un des plus importants de Québec. On se connaît depuis un bon bout de temps. Si je vais ailleurs, il se posera des questions. Il t'en parlera sûrement, ce qui ne serait pas une bonne chose. Il vient chez moi acheter des articles de sport depuis des années. On ne peut pas changer tout ça, ce serait trop étrange.

— Mais moi, insista Mary, même si tu es derrière moi, dans les gradins de l'aréna, je le sais que tu m'observes ! Je sens ton regard qui coule sur mes épaules, qui m'enveloppe. Il me semble que tout le monde doit s'en apercevoir… que Ian va…

— C'est vrai que je te regarde, admit Jean-René. Je ne peux pas m'en empêcher. Mais personne n'est au courant, arrête de t'en faire avec ça. Oublie ton train, rentre avec moi.

— Non, c'est trop stressant. Si jamais Ian m'appelle et veut venir me chercher à la gare ?

— Tu m'as déjà dit que tu prends toujours un taxi pour rentrer chez toi.

Mary soupira, hésita, mais finit par secouer la tête. Elle s'éloigna du lit, prit le sac à main qu'elle avait déposé sur le fauteuil en arrivant dans la chambre.

— Il faut que je parte.

Jean-René sortit du lit, vint vers elle. Elle sourit à son aisance. La nudité ne le gênait pas, alors que Ian s'empressait toujours d'enfiler un caleçon après avoir fait l'amour, comme si son sexe l'embarrassait. Comme si c'était un outil qu'il fallait ranger après usage.

— Qu'est-ce qui te fait sourire ?

— Toi. Tout.

Elle l'embrassa, il tenta de la ramener vers le lit, elle résista, s'arracha à son étreinte et fuit vers la porte, s'arrêta un instant pour le regarder, fixer cette image de lui, puis sortit. Alors qu'elle atteignait les ascenseurs, elle faillit rebrousser chemin, retourner à la chambre. Mais les portes s'ouvrirent, une jeune femme lui sourit et elle s'élança dans la cabine avant de changer d'idée. Elle devait se rendre à la gare Centrale. Monter à bord du train. En descendre seule à Québec. C'est ce qui était décidé. Si elle s'en tenait à son plan initial, si elle continuait à prendre ses précautions, tout irait bien.

Elle ferma les yeux quelques secondes. Tout irait bien? Vraiment? Qui croyait-elle leurrer? Elle ne connaîtrait plus jamais la sérénité entre sa crainte que Ian ne découvre sa liaison et cette impression d'être toujours en manque de Jean-René. Comme une junkie. Elle ne se reconnaissait plus. Mais ne pouvait faire marche arrière. L'air frais de la rue la surprit. Elle remonta le col de son manteau, demeura immobile, tentée, tellement tentée de reprendre l'ascenseur, d'aller se jeter dans les bras de Jean-René pour qu'il la réchauffe.

— Un taxi, madame? fit le portier du Saint-Sulpice.

Mary White dévisagea le jeune homme, se demanda s'il était amoureux, puis hocha la tête. Oui, un taxi. Qui la mènerait à la gare avant qu'elle change d'idée. Elle sentait sa volonté s'amenuiser de minute en minute et fut presque soulagée d'entendre claquer la portière de la voiture. Un bruit sec, net, franc qui tranchait d'un coup son indécision, qui balayait ses hésitations.

— À la gare Centrale, indiqua-t-elle au chauffeur de taxi.

Sa voix l'étonna, lui semblant plus grave qu'à l'accoutumée. Jean-René la changeait, métamorphosait même sa voix. Pourquoi cet homme lui faisait-il autant d'effet? Pourquoi n'était-elle pas plus méfiante? Elle savait bien qu'elle n'était pas la première femme avec qui Jean-René trompait Evelyne. Il ne lui avait rien caché quand elle l'avait interrogé. Oui, il avait eu des aventures, mais il n'avait jamais été amoureux comme il l'était maintenant. Sans Étienne, il aurait déjà divorcé. Il y pensait de plus en plus sérieusement, mais son fils était fragile.

— J'ai mis du temps à l'admettre, avait-il confié à Mary. Il est tellement différent de moi, si réservé. Je n'arrive pas à savoir ce qu'il pense. Quand je lui pose des questions sur l'école ou sur ses amis, je sens qu'il ne me dit pas tout.

— Il est secret, je le comprends.

— Toi, tu n'es pas secrète, l'avait corrigée Jean-René. Tu es mystérieuse. Tandis qu'Étienne est trop discret. C'est peut-être parce que je suis moi-même un moulin à paroles que je trouve qu'il ne s'exprime pas assez.

— Pas tant que ça, avait protesté Mary. Quand il vient jouer chez nous avec Matis, ils discutent aussi fort l'un que l'autre.

— Ils s'entendent bien.

— S'il fallait qu'ils sachent pour nous deux…

— Tais-toi ! Ils ne le savent pas et ne le sauront jamais. Comment veux-tu qu'ils s'en doutent ? Nous avons été les premiers surpris ! On se connaissait depuis longtemps, puis tout à coup… Je ne sais pas ce qui s'est passé.

— Moi non plus.

— Mais je sais que je t'aime pour vrai. Que ça ne peut pas être une mauvaise chose.

Vraiment ?

Mary voulait tellement le croire !

: :

Québec 26 octobre 2016

— Que faites-vous pour l'Halloween ? demanda Cristelle Bouchard à Francine Mathieu en sortant du restaurant où elles s'étaient retrouvées pour dîner.

— Dans notre quartier, à Toronto, c'est plutôt discret. Il n'y a pas beaucoup de familles. Benjamin et Tommy inviteront deux ou trois de leurs amis. Et toi ? Tu fêtes toujours autant ? Tu étais la reine des costumes !

Cristelle sourit à Francine, fière qu'elle se rappelle ses talents.

— Je me souviens de ton déguisement de princesse des Mille et Une Nuits. Tu étais la plus belle. Tu n'as pas changé, tu t'es gardée en forme…

— Je n'ai pas de mérite, protesta Cristelle qui s'entraînait pourtant avec constance, j'ai de bons gènes.

— Moi, j'ai démissionné après la naissance des jumeaux, fit Francine en tapotant son ventre. Je me dis toujours que je vais me remettre à faire de l'exercice, mais j'ai des horaires complètement fous. Le bureau d'avocats… tu sais ce que c'est, ton mari doit travailler autant que moi. On est des esclaves de notre boulot.

— C'est certain, approuva Cristelle.

Elle pensait que Francine aurait pu faire des efforts pour garder la forme. David jouait au golf deux fois par semaine et skiait durant l'hiver. Elle n'aurait pas accepté qu'il se laisse aller et il le savait parfaitement. Mais Teddy, le mari de Francine, lui-même bedonnant, devait porter moins attention à l'apparence de son épouse. Cependant, il était si important de faire bonne impression. En toute circonstance.

— Alors, l'Halloween ? reprit Francine.

— On organise une grosse fête. J'ai déjà commencé les décorations.

— Tu as toujours eu le sens de la fête ! Moi, j'ai démissionné. C'est long, préparer tout ça…

— Cela m'amuse, répondit Cristelle. C'est dommage que tu repartes si vite, tu vas rater la soirée.

— Je n'ai pas le choix. Mais tu devrais venir me voir à Noël avec ta famille.

— Peut-être une autre année. J'ai inscrit Lucas à des cours de ski pour les vacances et je…

Cristelle s'interrompit, leva la main pour héler un homme qui regagnait son véhicule de l'autre côté de l'avenue Cartier. Il se tourna, sourit en la reconnaissant et se dirigea vers elle. Ne lui avait-elle pas dit qu'elle songeait à acheter une voiture ?

Cristelle présenta Ian à Francine, en précisant qu'il était le plus important concessionnaire de la région. Et qu'elle ne tarderait pas à aller le voir.

— Tu veux toujours changer ta voiture pour un gros modèle ?

— Avec Lucas et ses entraînements, le ski, l'équipement de hockey, les patins de Mylène, ça nous prend plus de place. Tu sais que je ramène assez souvent ses amis. On a besoin d'un gros véhicule. Au diable l'élégance, on va privilégier le côté pratique. De toute manière, David conserve sa BMW.

— Vous venez me voir quand vous voulez, fit-il en s'étonnant un peu du regard fixe de l'amie de Cristelle. Bon, je me sauve, j'ai rendez-vous avec Jean-René.

— Jean-René ?

— Oui, il veut lui aussi changer de voiture. Pour les mêmes raisons que toi.

— Mais Étienne n'est pas gardien de but, remarqua Cristelle. Son équipement ne prend pas tant de place que ça. Je pense que Jean-René a plutôt envie de se faire plaisir avec un nouveau jouet.

Ian Boisvert éclata de rire, dit qu'il n'allait sûrement pas contrarier Jean-René qui était venu essayer un BMW X3.

— Chez nous, le client est roi. Je te promets de te faire un bon prix.

— Je l'espère bien ! Mais je t'avertis, je m'y connais dans ce domaine. Je pense au BMW X6.

— Bonne idée, approuva Ian. Tu sembles déjà bien renseignée. Viens me voir quand tu veux.

Ian effleura la joue de Cristelle d'un baiser, serra la main de Francine et retraversa la rue. Cette dernière garda le silence jusqu'à ce que Ian disparaisse.

— Tu m'as dit qu'il s'appelle Ian ?

— Oui, Ian Boisvert.

— Ian Boisvert, répéta Francine.

Cristelle fronça les sourcils, s'étonnant de l'attitude de Francine.

— C'est qu'il ressemble comme deux gouttes d'eau à quelqu'un que j'ai connu à Vancouver.

— Quand tu étudiais ? Ça fait longtemps...

— Quasiment vingt ans. C'est son sosie en plus vieux.

— Mais il ne t'a pas reconnue, commença Cristelle qui se mordit les lèvres pour ravaler ces paroles qui pouvaient blesser Francine.

— Écoute, j'ai engraissé de vingt kilos, j'ai les cheveux gris, des lunettes, c'est normal qu'il n'ait pas réagi.

— Mais pourquoi tu ne lui as pas dit que vous vous connaissiez ? Francine poussa un soupir.

— C'est une histoire compliquée. Et je peux me tromper. Toi, tu le connais bien, ce Ian ?

Cristelle expliqua qu'ils avaient été voisins quand leurs enfants étaient petits.

— Maintenant, on se voit surtout au centre sportif. Nos filles suivent des cours de tennis et de danse irlandaise ensemble et nos gars jouent au hockey dans la même équipe. Mary a une boutique de vêtements où je trouve des trucs sympas. Et on achète nos voitures chez Ian. Il nous fait de bons prix. Disons que ce ne sont pas des amis, mais de bonnes relations.

— Tant mieux.

— Qu'est-ce qu'il y a ? Quel est ton problème avec Ian ?

— Je dois me tromper. Il ressemble tellement à… je ne me souviens pas du nom de ce type… seulement que c'était un athlète. Mais, comme tu le sais, je n'ai jamais été très sportive.

— Il n'était pas dans tes cours ?

— Non, mais sur le même campus. Puis il a disparu du jour au lendemain. En plein trimestre. La rumeur disait qu'il avait été arrêté par la police.

— Ian Boisvert ? s'exclama Cristelle. Tu en es certaine ?

— Oui. Non. Je ne sais plus. C'est son portrait tout craché. Sais-tu s'il a un frère ?

Cristelle secoua la tête. Elle l'ignorait, mais se renseignerait.

— J'ai de la difficulté à te croire, mais j'aime savoir avec qui je fais affaire.

— Il paraît qu'on a tous un sosie sur terre. Et c'était il y a long-temps, je dois me tromper. D'autant plus que je le connaissais très peu. C'était un ami d'amis de mon cousin.

— Essaie de retrouver son nom, souffla Cristelle.

: :

Québec 28 octobre

Étienne entra dans la maison, enleva ses bottes, mais garda son manteau pour se rendre à la cuisine où il fit réchauffer un muffin. Il avait froid, car il avait dû attendre l'autobus durant dix-huit minutes. Il regarda distraitement la pâtisserie tourner dans le four à micro-ondes, se demandant s'il allait boire un café au lait. Ses parents le lui interdisaient. Mais ses parents n'étaient pas là. Comme d'habi-tude. Il n'avait qu'à laver la tasse et à la remettre dans l'armoire et ils n'en sauraient rien. Peut-être que le café lui éclaircirait les idées ? Il ne savait pas s'il voulait aller à la fête chez Lucas Lenoir. Simon n'irait pas. Mais Matis oui. Et d'autres gars de l'équipe de hockey. La seule chose qui lui plaisait dans cette soirée était de se déguiser, mais Matis avait dit qu'il ne ferait pas d'efforts particuliers. Il porterait un costume de fantôme et l'enlèverait dès qu'ils auraient fait le tour du quartier pour récolter des friandises. Les autres gars de l'équipe avaient adopté l'idée : tout le monde s'habillerait en fantôme.

En fantôme. Étienne avait déjà l'impression d'être un fantôme. De ne pas exister. D'être invisible. Il aurait aimé, pour une fois, porter le costume de Batman, avoir une nouvelle apparence, res-ter dans l'ombre, oui, mais être plus fort. Avoir la sensation d'être quelqu'un d'autre. Oublier qui il était. Oublier sa vie. Cesser de faire semblant. Semblant de s'amuser avec Matis et Simon. Semblant d'être content de partir à l'école. D'aller faire du ski à Jay Peak. De partager des rondelles d'oignon frit avec son père. De jouer au hoc-key. Il n'aimait plus le hockey depuis l'arrivée du nouvel entraîneur.

La seule chose qu'il aimait encore, c'était la lecture. Il aurait passé tout son temps à la bibliothèque du collège, s'il n'avait craint de s'attirer les moqueries des élèves. Certains le traitaient déjà de *nerd* et ils auraient sûrement ri de lui, s'il n'était pas l'ami de Simon. Mais Simon serait-il son ami encore longtemps? Ce n'est pas parce qu'ils se connaissaient depuis la garderie que rien ne changerait jamais. Il l'avait choisi comme partenaire pour le travail d'équipe en français, mais c'était probablement parce qu'il était bon dans cette matière. Il l'avait toujours été, tandis que Simon peinait à lire deux livres par année. C'était surprenant qu'il n'aime pas la lecture, car il avait beaucoup d'imagination. Quand il parlait de science-fiction, on pensait vraiment qu'il avait voyagé dans d'autres galaxies. Ils en discutaient souvent ensemble et croyaient tous les deux à une vie sur d'autres planètes.

Est-ce que c'était mieux là-haut? Est-ce que les extraterrestres avaient des sentiments comme eux? Est-ce qu'il y en avait qui se sentaient seuls? Abandonnés?

Étienne aurait pu se déguiser en extraterrestre, mais il y renoncerait et se contenterait d'un drap blanc. Disparaîtrait encore, s'effacerait. Il n'y avait que le nouvel instructeur qui semblait tenir compte de sa présence: pourquoi était-il toujours sur son dos? Étienne n'était ni meilleur ni pire au hockey que l'an dernier. Qu'est-ce qu'il lui voulait, à la fin? Simon lui avait dit que c'était juste pour l'aider à s'améliorer, qu'il faisait la même chose avec lui, mais Étienne en doutait. Pourquoi l'entraîneur était-il toujours en train de lui pousser dans le dos?

: :

Québec 29 octobre

Cristelle Bouchard lissa sa tunique lamée après avoir remonté son soutien-gorge et se regarda une dernière fois dans le miroir avant de quitter la chambre. Des images de Néfertiti et de Cléopâtre l'avaient aidée à reproduire le maquillage de ces anciennes reines d'Égypte et elle était plutôt satisfaite du résultat. Elle avait été horrifiée en lisant que les femmes utilisaient alors des produits à base d'oxyde de fer, de plomb, de céruse qui étaient toxiques et vieillissaient prématurément leurs victimes. Elle avait souri en apprenant que les hommes se fardaient aussi. Impossible d'imaginer son mari les yeux soulignés de khôl. Il serait ridicule. Comme il était inconcevable qu'il se déguise, Cristelle avait décidé qu'il mettrait son pull Lanvin qui lui conférait une certaine élégance. Il ne pouvait pas porter un de ses vestons Armani, c'eût été trop habillé pour une soirée d'Halloween, mais c'était pourtant la tenue qui lui allait le mieux. Elle aurait aimé qu'il revête sa toge, mais il lui avait opposé un non définitif. Comment pouvait-elle même avoir eu cette idée saugrenue ? Pas moins saugrenue que sa proposition, l'année précédente, de déménager à Montréal. Tout ça parce qu'il devait s'y rendre fréquemment. Cristelle avait refusé tout net d'aller vivre là-bas. Son réseau de contacts était ici à Québec. Lucas et Mylène y suivaient leurs cours, y avaient leurs amis. David lui-même ne tenait-il pas à Francis et à Daniel avec qui il avait étudié ? Ils seraient à la fête ce soir, comme chaque année. Daniel arriverait avec une nouvelle conquête. Comme chaque année. David et Francis le taquineraient.

Cristelle fit défiler mentalement la liste des invités. Il y aurait beaucoup plus de jeunes, cette fois-ci. Mylène avait convié plusieurs copines et Lucas était certain que ses coéquipiers de hockey viendraient tous. Avait-elle prévu assez de jus et de boissons gazeuses ? Mais oui, sûrement. Et, ma foi, quand la source de ces trucs trop sucrés serait tarie, ils n'auraient qu'à boire de l'eau. Elle était déjà bien bonne d'avoir cédé aux demandes de ses enfants et accepté d'acheter des croustilles, des crottes au fromage et autres saloperies chimiques. Une fois n'était pas coutume ! La maison serait pleine de rires, de cris, de mouvement d'ici une heure. Une pièce au sous-sol avait été aménagée expressément pour les tout-petits : ils s'amuseraient sous la surveillance de Lydia qui avait été la nounou de Lucas et Mylène et qui revenait les garder lorsque les parents s'absentaient.

En descendant les marches de l'escalier qui menait au grand salon, Cristelle se demanda si beaucoup d'invités se déguiseraient. Elle suggérait l'idée, mais n'obligeait évidemment personne à y souscrire. Il y a des gens qui n'ont pas le sens de la fête. Evelyne, la femme de Jean-René, porterait son éternel pantalon noir et un cachemire crème décolleté en V. Elle n'avait aucune fantaisie vestimentaire. C'était étonnant : si elle avait eu un boulot qui l'avait obligée à porter des tailleurs stricts toute la semaine, Cristelle aurait plutôt eu envie d'échapper à cette sévérité dans ses moments de loisir, elle aurait opté pour la couleur, pour des robes plus joyeuses, confortables, sensuelles. Mais bon, la sensualité n'était pas ce qui définissait le mieux Evelyne Marchand. Mary White, elle, revêtirait probablement le costume de danseuse de flamenco qu'elle avait rapporté de Barcelone trois ans plus tôt, même si elle n'allait plus aussi régulièrement aux cours de danse qu'elle avait entrepris en revenant d'Espagne. «Pas le temps», avait-elle expliqué à Cristelle, alors qu'elles étaient assises sur les gradins du centre sportif et regardaient jouer Mylène et Jasmine en double contre les sœurs Royer.

— La boutique m'accapare, la paperasse, les achats. Je ne peux pas confier ça à ma vendeuse.

— As-tu déjà fait tes choix pour le printemps ?

Mary White avait souri en hochant la tête. Elle était satisfaite de ses achats pour la prochaine saison.

— Le rose domine, c'est frais. Avec ton teint, ce sera splendide.

— Pas rose pâle, toujours ?

— Non, non, des roses assez soutenus. J'ai une robe dans une nouvelle collection que tu vas adorer.

— Une robe ?

— Moulante. Courte. Elle n'irait pas à n'importe qui, mais sur toi elle sera parfaite. Tu es chanceuse d'être grande. Et toujours aussi mince.

Cristelle allait répondre quand elle avait vu sa fille Mylène heurter Jasmine, perdre l'équilibre et tenter de se redresser en agrippant le filet du court sans succès.

— Qu'est-ce qui se passe? avait demandé Mary en se levant pour mieux voir.

— Je ne sais pas, avait dit Cristelle.

Pourquoi Mylène restait-elle par terre? S'il fallait qu'elle se soit foulé la cheville… La semaine précédente, elle avait remporté toutes les parties avec une aisance qui prouvait que les cours particuliers avaient du bon. Qu'est-ce qui l'avait distraite?

Les joueuses s'étaient vite relevées et avaient repris leur position, tenaient leur raquette fermement, prêtes à affronter leurs adversaires. Dans les secondes qui suivirent, Mylène parvint à renvoyer la balle à deux reprises.

— Bon, j'aime mieux ça, avait dit Cristelle.

— Oui, elles ne se sont pas fait mal, s'était réjouie Mary. Les sœurs Royer sont bonnes, mais nos filles ont du répondant.

— Il y a encore beaucoup de travail à faire, avait déclaré Cristelle.

— L'important, c'est qu'elles aient du plaisir.

Cristelle s'était retenue de répliquer que ce n'était pas suffisant d'aimer le tennis pour atteindre un certain niveau. Il fallait une vraie motivation, être prêt aux sacrifices. Elle-même s'était soumise à un régime strict et avait passé des heures devant les miroirs du studio de ballet. Elle n'aurait jamais réussi à assimiler ces postures qui avaient retenu l'attention des jurys si elle n'avait pas fait preuve de persévérance. Mais se lever aux aurores avait été payant. Elle avait été élue Miss Ontario, avait attiré le regard de Fred Flannegan et s'était retrouvée sur les podiums new-yorkais. Qu'elle n'ait pas connu le même succès à Paris et à Milan demeurait humiliant – même après toutes ces années –, mais elle avait appris à chasser cette question quand elle revenait à son esprit. Elle aurait sûrement fini par percer dans ce milieu si sévère s'il n'y avait pas eu cet incident avec un autre mannequin, et si elle n'avait pas rencontré David et mis fin à sa carrière pour l'épouser. Elle avait cru, jusqu'à ce que Mylène ait quatre ou cinq ans, que celle-ci pourrait prendre la relève, mais elle avait dû se résoudre à changer de rêve: si sa fille était longue et mince comme elle, elle avait une ossature trop lourde. Et elle était vraiment moins jolie. Elle avait hérité du front trop large de David, de sa mâchoire carrée. Elle avait heureusement ses yeux à elle, mais ce n'était pas suffisant pour devenir la petite chérie des agences de mannequins. Mylène avait en revanche une souplesse et une endurance qui pouvaient lui servir au tennis. De toute façon, le monde de la danse était trop marginal. Cristelle avait donc persuadé Mylène d'opter pour le tennis. Elle deviendrait peut-être une vedette si elle travaillait très fort.

— Maman? Maman?

— Je suis ici, dit Cristelle à Lucas. Qu'est-ce que tu veux?

— Je ne trouve plus mon casque.

— Tu ne vas pas faire du vélo maintenant. Les gens vont arriver. Tes amis…

Lucas haussa les épaules.

— Simon ne viendra pas. Il dit qu'il va chez son cousin, mais je suis sûr que ce n'est pas vrai.

— Pourquoi?

— Ça ne me dérange pas qu'il aille ailleurs. Il m'énerve.

— Je pensais que vous étiez amis. Vous êtes dans la même équipe…

— Je ne suis pas l'ami de tout le monde, tu sauras, répliqua Lucas.

— Mais Lulu, tu…

— Arrête de m'appeler comme ça! Je ne suis pas un bébé!

Cristelle tenta de passer la main dans les cheveux de son fils, mais il s'esquiva en protestant.

— T'es fatigante ! Je viens d'avoir douze ans ! Je n'ai plus l'âge de…

Il lui tourna le dos subitement, se dirigea vers la cuisine, la traversa et sortit par la porte arrière. Cristelle avait pensé à le retenir pour qu'il s'explique, y avait renoncé : son garçon grandissait, devenait un adolescent. C'était normal qu'il soit plus insolent. Elle ne tolérerait pas qu'il lui réponde trop souvent sur ce ton, mais elle savait qu'elle devait le laisser s'exprimer. Et elle croyait deviner que Simon l'agaçait parce qu'il avait mieux joué que lui à la dernière partie de hockey. Si Lucas se sentait *challengé,* il ferait plus d'efforts. Cristelle n'avait rien contre la compétition. Lucas devait travailler plus fort et ne semblait pas le comprendre, même si elle le lui répétait régulièrement. Il devait augmenter sa vitesse de réaction et sa concentration ! Lors du dernier match, Cristelle avait eu l'impression que son fils était dans la lune, qu'il avait oublié qu'il devait attraper la rondelle, la renvoyer, échapper aux adversaires. Il avait eu l'air étonné quand il avait reçu une passe d'un de ses coéquipiers. Elle en avait discuté avec l'entraîneur qui avait dit que les jeunes ont tous des moments où ils sont moins attentifs, que c'était normal. D'où venait cet entraîneur ? avait demandé Cristelle à son mari quand elle était rentrée à la maison après le match. David l'ignorait.

— Mais c'est toi qui as inscrit Lucas. Tu ne t'es pas informé ?

— J'ai supposé que Gilbert Cloutier avait été choisi pour ses compétences, avait répondu David. Attends de voir…

— Voir ! C'est justement le problème. Cloutier ne voit rien de ce que fait ou ne fait pas Lucas. Il n'est pas assez exigeant. Il laisse passer des fautes…

— Attendons un peu, avait proposé David. Ou parlons-en avec les autres parents.

— Cloutier n'est pas le seul entraîneur au monde !

Cristelle savait très bien que David répéterait qu'il fallait démontrer plus de patience. Peut-être que la patience était une vertu dans son travail, peut-être que s'attacher au moindre détail lui était utile, mais il n'était pas question ici de litiges, ni de jurés qui n'arrivaient pas à un consensus, ni de clauses compliquées qui requéraient de mûres réflexions. Il s'agissait du choix d'un bon entraîneur. David l'exaspérait de plus en plus souvent avec ses constantes hésitations. Elle avait peine à croire qu'il serait nommé juge. C'était pourtant ce que lui avait appris Jean-Michel Turmel, un de ses collègues, lors de la soirée-bénéfice au golf. Quand elle avait abordé le sujet, David s'était contenté de sourire. Et de dire qu'il fallait attendre que ce soit officiel avant d'en parler à qui que ce soit.

Juge! Son mari serait juge d'ici quelques semaines. Elle aurait aimé l'annoncer durant la soirée d'Halloween, mais elle se tairait comme elle l'avait promis à David. Il lui avait dit que, concrètement, cela ne changerait pas grand-chose à leur vie quotidienne, mais elle serait tout de même la femme d'un juge. La fille de Saint-Henri s'était plutôt bien débrouillée. Elle songeait rarement à son enfance à Montréal et, lorsque cela lui arrivait, c'était uniquement pour se féliciter du chemin parcouru depuis qu'elle avait quitté le quartier où elle était née pour aller tenter sa chance en Ontario. Elle ne retournerait jamais à Saint-Henri. Ses parents étaient morts, heureusement, et elle n'avait pas eu à leur présenter David. Quant à son frère et ses sœurs, elle leur avait bien fait comprendre de rester à distance. Et d'oublier Ginette. Elle s'appelait maintenant Cristelle et elle ne voulait rien savoir de leurs combines. Ce n'était pas dans leur intérêt de s'approcher d'elle, de venir la voir à Québec. Ils devaient toujours garder en tête que son mari était avocat et qu'il avait des contacts avec les représentants de la justice.

Quand Cristelle rejoignit David dans le grand salon, il était encore plongé dans une biographie de Churchill. Il leva les yeux vers elle, haussa les sourcils et émit un sifflement admiratif.

— Tu ressembles à une déesse. D'ailleurs, Cléopâtre était considérée comme telle. On ne l'imaginait pas mortelle.

— J'ai lu qu'elle était assez petite. Ça ne l'a pas empêchée de s'imposer.

— Comme toi. Tu éclipseras toutes les invitées.

— Penses-tu ?

Cristelle souriait. Pour une fois, David lui avait dit exactement ce qu'elle voulait entendre.

— J'espère que j'ai bien fait de changer de traiteur, s'inquiéta-t-elle. S'il fallait que…

— Il a été très apprécié à la soirée-bénéfice du tournoi de golf, l'assura David. Tout ira bien. Ce sera un succès, comme chaque année…

Une sonnerie l'interrompit. Cristelle fronça les sourcils.

— Pas déjà ? J'avais dit 18 h.

— Ce n'est pas grave, commença David, on…

— Ce n'est pas difficile d'être à l'heure, protesta Cristelle. Je déteste que les gens arrivent en avance.

— Mais tout est prêt. Vingt minutes plus tôt, ce…

— Ce n'est pas toi qui as tout organisé ! Je ne veux pas de surprises. J'aime pouvoir tout vérifier, dit-elle en se dirigeant vers la porte d'entrée.

Elle l'ouvrit, mais ne vit personne. Comprit qu'on avait sonné à la porte de la cuisine. David s'y était rendu et accueillait Lydia qui s'excusait de son retard.

— J'aurais dû être ici plus tôt, mais le bus a passé tout droit devant l'arrêt au coin de Belvédère.

— Tout est beau, la rassura David. Et on te paiera le taxi pour rentrer chez toi.

— Attendez-vous autant de monde que l'an dernier ? C'était fou !

Cristelle hocha la tête en notant que Lydia avait eu la bonne idée de se déguiser en tigre. Les enfants l'apprécieraient sûrement, même si la queue qui pendait sous le manteau était un peu miteuse.

— Où sont Mylène et Lucas? s'informa Lydia.

— Lucas est parti faire du vélo. Mylène doit être encore en train de se pomponner.

— C'est ça, l'adolescence, dit Lydia en souriant. On passe bien du temps devant le miroir.

— Je ne sais pas si les filles sont toutes comme ça à cet âge, marmonna David, mais j'espère qu'elle ne deviendra pas prétentieuse. Avec Jasmine, elles se prennent en photo constamment et…

— Voyons, David, c'est l'époque, le coupa Cristelle. Tout le monde aime les selfies.

— Je trouve cette manie ridicule. Surtout que mon frère lui a offert un Nikon.

Cristelle dévisagea David durant quelques secondes: il devenait de plus en plus strict avec l'âge.

— Ses amies sont comme elles, rétorqua-t-elle. Elles se pomponnent et c'est très bien qu'elles soient féminines. Mais c'est certain que, pour ce qui est de comprendre les femmes, tu n'es pas le meilleur.

— Je peux aller la chercher, proposa Lydia.

Elle n'aimait pas la tension qu'elle sentait monter entre ses anciens employeurs qui échangeaient des regards chargés de reproches. Elle en conclut que leur relation s'était encore détériorée depuis la dernière fois qu'elle s'était occupée des enfants.

— En quoi Mylène s'est-elle déguisée? demanda-t-elle d'une voix trop enjouée.

— Elle n'a pas voulu me le dire, avoua Cristelle.

Ils entendirent alors la porte de la chambre de Mylène s'ouvrir et ils la virent s'avancer vers l'escalier. Interdite, Cristelle regarda sa fille descendre les marches et dut se retenir de protester: pourquoi s'était-elle travestie en sorcière? C'était tellement banal!

Tellement quelconque! Elle lui avait pourtant alloué un budget plus que suffisant pour qu'elle choisisse une tenue qui la mettrait en valeur. Une sorcière? Elle ne serait sûrement pas la seule de la soirée… Et cette toile d'araignée qu'elle avait dessinée sur sa joue? Quelle idée! Elle lui avait bien dit qu'on pouvait camoufler son bouton avec du maquillage. Bien sûr, on ne le voyait plus, caché sous une sorte de mouche noire, mais rien de tout cela n'avantageait Mylène. Son corps se perdait dans cette robe informe!

— Tu es une adorable petite sorcière, dit David en souriant à Mylène, vraiment soulagé qu'elle n'ait pas choisi un déguisement trop sexy. Il ne te manque qu'un chat noir.

— Depuis le temps que j'en veux un, fit Mylène en fixant sa mère.

— Je ne changerai pas d'idée, rétorqua celle-ci. C'est moi qui serais obligée de m'en occuper. Je vous connais.

— On n'est plus des bébés.

— Vous n'êtes jamais à la maison, opposa Cristelle. Tu ne le verrais même pas.

— J'ai faim, lança Mylène. Je peux prendre un panini?

— Non, dit Cristelle. On attend les invités. Je vais d'ailleurs vérifier qu'il ne manque rien à la cuisine.

— Cela fait dix fois que tu y vas, soupira David.

— Que fait Lucas? s'impatienta Cristelle sans relever la remarque de son époux. Je l'étripe s'il n'est pas ici à 18 h.

— Il sera en retard, prédit Mylène. Il est toujours en retard. Il aurait pu se déguiser en tortue ou en escargot tellement il est lent.

— Tu exagères, la reprit David. Chacun a son rythme. Est-ce que toutes tes copines ont accepté l'invitation?

— La plupart. Pas Dotty qui est chez son père. Ni Éléonore.

— Pourquoi? s'étonna Cristelle.

— Je ne sais pas, mentit Mylène en s'éloignant vers la cuisine où elle grignoterait une carotte.

Elle savait parfaitement qu'Éléonore était furieuse parce que Toby s'intéressait à elle. Ce n'était tout de même pas sa faute s'ils s'entendaient bien. Elle aurait aimé l'inviter parce qu'il était gentil – pas parce qu'il lui plaisait, même si elle ne l'avait pas dit à Éléonore –, mais elle connaissait trop bien sa mère. Celle-ci lui aurait posé un million de questions auxquelles elle n'avait pas envie de répondre. Sa mère aurait pu travailler dans la police, elle voulait toujours tout savoir. C'était pénible. Elle sourit en revoyant la tête de Cristelle qui la découvrait déguisée en sorcière. Sa mère aurait sûrement préféré qu'elle se travestisse en princesse, avec un paquet de bijoux, du maquillage, du parfum. Archi-superficielle. Elle l'aurait fait parader devant ses amis. C'était fini, ce temps où elle la montrait comme une poupée. Elle avait vraiment eu une bonne idée de mettre cette vieille robe noire. Elle aurait bien voulu avoir un balai pour s'envoler loin de la maison, fuir sa mère et ses interrogatoires. La mère de Jasmine était tellement plus *cool*. Elle n'était pas constamment sur le dos de son amie, ne l'achalait pas avec sa tenue. Jasmine était toujours en jean, même si Mary avait une boutique de vêtements. Parce qu'elle n'avait pas le temps de l'asticoter. Elle travaillait, elle. C'était navrant que sa mère préfère rester à la maison pour s'occuper de son frère et elle. Si Cristelle avait été prise ailleurs, elle n'aurait pas toujours voulu tout contrôler. Dans un monde idéal, il aurait fallu que son père soit là plus souvent et sa mère, beaucoup moins. Ça ne risquait pas d'arriver quand son père serait nommé juge. Il travaillerait davantage. Il irait peut-être plus souvent à Montréal pour des réunions. Elle aurait bien aimé le suivre.

Comme elle avait hâte d'avoir dix-huit ans ! Elle ferait tout ce qu'elle voudrait ! Elle arrêterait ses cours de musique, c'est sûr ! Ni sa mère ni son père ne jouaient d'un instrument, pourquoi la forçaient-ils à suivre des cours ? Ils n'obligeaient pas Lucas à le faire, c'était injuste. Mais Lucas s'arrangeait toujours pour obtenir ce qu'il voulait de leur mère. Elle ne se rendait même pas compte qu'il la manipulait.

Encore trois ans à attendre avant de quitter la maison ! Comment arriverait-elle à supporter sa famille durant tout ce temps ? Elle était découragée juste à l'idée de devoir partir avec eux en Floride pour le congé de Pâques. Elle savait que sa mère tenterait de convaincre son père de lui payer des cours particuliers avec Andrew Castlin qui avait été l'entraîneur de deux stars du tennis. Mais elle ne voulait pas devenir une célèbre joueuse ! Et elle l'aurait dit à ses parents, au début de l'année, si elle n'avait pas tant de plaisir à jouer avec Jasmine – à gagner contre elle – et à aller souper chez elle ensuite. Un jour de tennis sur deux, quand les parents de son amie venaient les chercher. Ils l'invitaient systématiquement à souper après avoir demandé si elles avaient eu du plaisir au tennis. Cristelle, elle, voulait seulement connaître les résultats, discourait sur la persévérance, les efforts à faire pour se hisser aux meilleurs rangs. Pourquoi Cristelle avait-elle de pareilles idées ? Pourquoi sa mère ne ressemblait-elle pas à celle de Jasmine ? Elle aurait tant aimé être à la place de son amie, qui ne semblait même pas consciente de sa chance ! En plus, ses parents s'aimaient. Ian Boisvert était aux petits soins avec sa femme. Mais bon, Jasmine avait la tête ailleurs. Elle rêvait à un garçon entrevu dans un café deux semaines plus tôt. « Il a les plus beaux yeux noirs du monde, avait-elle confié à Mylène. Il m'a fait un clin d'œil avant de sortir. » Évidemment ! Personne ne résistait au charme de Jasmine, à son sourire. « Il faut que tu retournes à ce café », avait dit Mylène avant de s'inquiéter. Se verraient-elles moins si son amie avait un amoureux ? Jasmine avait juré que cela ne changerait rien : Mylène serait toujours sa confidente préférée ! Elles se connaissaient depuis leur première année d'école, elles étaient ensemble pour la vie. Jasmine lui avait répété que des sœurs comme elles ne se séparent pas. Mylène lui avait souri en espérant qu'elle ne la décevrait pas. Elle ne pourrait pas accepter d'être évincée de sa vie, de sa famille.

Elle avait hâte que Jasmine arrive. Elle serait aussi déguisée en sorcière. Elle avait dit que ce serait amusant. Peut-être qu'on les confondrait! Ah oui? Qui serait aveugle à ce point? Elle était tellement ordinaire, alors que Jasmine semblait tout droit sortie d'un magazine. «On mettra notre photo sur Instagram.» Oui. Bien sûr. Jasmine paraîtrait encore plus belle à côté d'elle, mais Mylène s'en moquait: l'important était que tout le monde sache qu'elle était la meilleure amie de la fille la plus *hot* du collège. Elle prendrait plusieurs photos. D'elles, de Jasmine, de Mary, de Ian et de Matis. Elle en avait déjà beaucoup, mais celles-ci seraient plus récentes. Les dernières remontaient au barbecue de la fin d'été. Mary riait aux éclats. Ça ne la gênait pas malgré sa dentition imparfaite. Mylène avait entendu sa mère dire à son père qu'elle ne comprenait pas que Mary n'ait pas fait corriger sa dentition. Mais elle, tout ce qu'elle voyait, c'était une femme qui savait s'amuser au lieu d'arborer un sourire figé pour ne pas avoir de rides.

2

Ian Boisvert regardait dormir Mary. Elle ronflait rarement, mais elle avait trop bu la veille au party d'Halloween. C'était une chance que Jasmine ait passé la nuit chez Anaïs et que Matis soit chez Jérôme : Mary pourrait émerger lentement, traîner à la maison pour une fois. Et lui en profiterait pour travailler à son cellier. La construction était plus compliquée qu'il ne l'avait cru, mais il y mettrait simplement plus de temps, rien ne pressait. Et le cellier serait exactement comme il l'imaginait. Contrairement à David Lenoir qui n'était pas complètement satisfait de celui qu'il avait acheté. À prix d'or sûrement, vu la grandeur. Avait-il besoin d'un aussi gros cellier ? Peut-être que oui. Après tout, les Lenoir devaient recevoir souvent, avec les obligations sociales d'un avocat. Eux-mêmes recevaient à l'occasion et, chaque fois, Ian était impressionné par les qualités d'hôtesse de Mary. Elle répétait qu'elle n'aimait pas trop cuisiner, mais elle réalisait des plats dignes des grands restaurants. Elle avait le mérite de les pré-parer elle-même, contrairement à Cristelle qui était abonnée aux services de traiteurs. Alors qu'elle avait le loisir de se mettre aux fourneaux puisqu'elle ne travaillait pas à l'extérieur. Il n'arri-vait pas à cerner cette femme et, la veille, elle l'avait carrément intrigué : il avait senti qu'elle le fixait régulièrement durant la soirée. Pourquoi? Aurait-il dû le lui demander? Elle lui souriait pourtant. S'il avait dit quelque chose qui lui avait déplu, il l'aurait su. Cristelle n'avait pas la langue dans sa poche. Elle avait même eu un hochement de tête satisfait quand elle avait constaté qu'il s'était déguisé en Robin des Bois.

— Enfin! Un homme qui n'a pas peur d'emprunter une autre identité! s'était-elle exclamée.

— C'est Mary qui a décidé pour moi, avait-il répondu en jetant un coup d'œil aux invités rassemblés dans le salon.

En effet, plus de femmes que d'hommes portaient un déguisement. N'était-il pas un peu ridicule?

— Tu es *game*, avait assuré Cristelle. Mon mari n'a même pas voulu mettre sa toge.

— Ce n'est pas un déguisement, avait maugréé David. Je te l'ai expliqué cent fois. La toge a une signification…

— Tu es tellement *straight*, l'avait coupé Cristelle avant d'embrasser Mary sur les deux joues et d'indiquer une table près de la salle à manger où Ian pouvait déposer les bouteilles de vin qu'ils avaient apportées.

— Il n'y a déjà plus de place dans le cellier, avait dit David. Il me semble qu'il ne contient pas autant que je l'aurais cru.

— Montre-moi ça, avait répondu Ian avant de lui expliquer qu'il en construisait un.

Il se souvenait maintenant de l'air étonné de David. Était-il surpris parce qu'il ne pouvait concevoir de fabriquer lui-même un cellier ou parce qu'il pensait que Mary et lui n'étaient pas du genre à acheter des vins qui méritaient un meilleur entreposage que le fond d'une armoire? Ian ne parvenait pas à cerner David non plus: était-il snob ou pas? Quand l'avocat lui posait des questions, Ian n'arrivait pas à savoir si c'était par réel intérêt ou par politesse. Chose certaine, sans leurs filles qui étaient amies, sans leurs garçons qui pratiquaient les mêmes sports, Mary n'aurait pas fréquenté les Lenoir qu'elle trouvait parvenus.

Et Ian aurait préféré éviter de croiser si souvent un représentant de la justice. Car même si personne ne connaissait son passé et ses ennuis à Vancouver, il tenait à rester loin de cet univers. Il avait été assez tendu lors de leurs premières rencontres à l'aréna et au barbecue organisé par Jean-René, mais Lenoir ne lui avait porté aucune attention particulière. Ce qui était normal, après tout : David Lenoir était avocat en droit commercial. Et au Québec. Pourquoi aurait-il entendu parler des problèmes qu'il avait eus près de vingt ans auparavant à Victoria ? Cette histoire de trafic était trop vieille. Sans intérêt. Oubliée. Lui seul s'en souvenait. Il n'avait rien à craindre de David Lenoir. Quand Mary lui avait confié qu'elle rechignait à se rendre à cette fête d'Halloween que Cristelle organisait pour être admirée, Ian lui avait rappelé que Jasmine et Mylène étaient inséparables et que, même si Lucas agaçait parfois Matis par ses jérémiades, ils s'entendaient assez bien. De toute façon, il y aurait plus de quarante personnes à ce party. Ils n'auraient pas à discuter longuement avec les Lenoir qui seraient très occupés avec tous les invités. Et Matis semblait content d'aller à cette fête d'Halloween où il retrouverait ses amis. Ian aimait bien Étienne et Simon. Simon qui lui paraissait plus mature que Matis. Il admirait Nathalie Hervieux d'avoir su si bien l'éduquer, devinant les sacrifices que cette mère monoparentale avait dû faire, et il était content d'avoir pu l'aider en lui offrant d'emmener Simon à l'aréna ; ça ne l'embêtait pas du tout de faire ce petit détour lorsqu'il conduisait Matis à l'entraînement. Il avait lu une réelle reconnaissance dans le regard de Nathalie quand il lui avait fait cette proposition. Il avait compris qu'elle aurait aimé assister à tous les entraînements, mais que son travail ne lui laissait pas assez de temps. Elle s'arrangeait néanmoins pour être toujours présente lors des matchs. Il était content que Mary et elle s'entendent bien, content que Mary ait engagé Nathalie pour faire les vitrines de sa boutique. Il ne connaissait rien à ce boulot, mais Mary était plus que satisfaite du résultat. Le décor tout en or et noir qu'elle avait conçu pour l'automne avait piqué la curiosité des passantes et avait amené de nouvelles clientes à la boutique. À la soirée chez les Lenoir, Mary avait trinqué avec Nathalie en disant qu'elle aurait dû retenir ses services bien avant. Et elle avait admiré son costume aux couleurs de l'automne, une création qui avait dû demander beaucoup d'heures de travail.

— Oui, avait reconnu Nathalie, coudre toutes ces feuilles en tissu a été long. J'ai commencé à y penser cet été. Au fond, ça prend juste une vieille robe, du fil et des aiguilles. Je suis une pro du recyclage.

— Tu as du mérite, avait insisté Mary. Moi, j'ai été paresseuse. J'ai remis ma robe de flamenco. Mais ça m'a donné le goût de recommencer à danser.

— Je ne savais pas que tu avais arrêté tes cours, avait dit Nathalie.

— Non, non, je n'ai pas arrêté, avait tout de suite protesté Mary, mais je me suis moins investie. Je manquais de concentration ces derniers temps. C'est une activité qui…

— Ça me tente d'essayer, avait avancé Cristelle.

— Tu… tu n'as jamais dansé le flamenco, avait bredouillé Mary. On ne serait pas dans le même groupe.

— Je te rappelle que j'ai fait du ballet durant des années. Je cours chaque soir après le souper, beau temps, mauvais temps. Je suis plus en forme que vous toutes !

Nathalie, qui avait compris que Mary était embêtée par la suggestion de Cristelle, s'était empressée de questionner cette dernière sur le nouveau centre sportif. Était-elle contente d'avoir changé de gym ? Suivait-elle toujours des cours de spinning ?

— Oui, avait répondu Cristelle. Vous devriez venir voir ce gym. Tout est neuf ! Je me suis aussi inscrite au cours de Pilates.

— J'y pense depuis un bout de temps, avait dit Nathalie. Ce serait bon pour mon dos, je suis toujours debout.

— Le prof est beau bonhomme, avait ajouté Cristelle.

— Il a quel âge ? Vingt, vingt-cinq ans ?

— Attends de le voir.

— Je manque déjà de temps avec mon boulot pour m'occuper de Simon, soupira Nathalie. Je n'ai pas de place pour un homme dans ma vie. Même un apollon. Et encore moins s'il est plus jeune que moi… J'ai déjà donné.

Ian qui se tenait en retrait n'avait pas été surpris par la réponse de Nathalie. Elle n'avait rien d'une écervelée qui se jetterait sur le premier venu.

— Je n'ai pas vu Simon, avait dit Mary qui devinait un certain agacement chez Nathalie.

— Il devait venir avec moi, mais son cousin Pierre l'a invité à un match des Canadiens. Il était tellement excité quand il est monté dans l'autocar pour Montréal !

— Ils jouent contre Toronto, avait dit Ian. C'est super !

— Oui, Simon était content d'aller retrouver son cousin, mais quand Pierre lui a appris hier soir qu'il l'emmenait voir une partie, il ne portait plus à terre !

— Il est chanceux d'avoir un grand cousin, avait dit Mary.

— C'est vraiment une figure masculine importante, avait acquiescé Nathalie.

— Mais son père lui parle souvent par Skype, non ? s'était enquis Cristelle.

— Il est loin. Trop loin.

Le ton sec de Nathalie avait dissuadé Cristelle de continuer à lui parler de son ex-mari. Elle aurait bien aimé en savoir davantage sur cet ancien champion olympique. Tout ce qu'elle avait pu glaner comme information depuis qu'elle voyait Nathalie aux matchs de hockey de leurs fils, c'était que Clive Harrison et elle s'étaient rencontrés quinze ans plus tôt à Londres et qu'ils s'étaient séparés six mois après la naissance de Simon.

— J'aimerais ça qu'Étienne ait un grand cousin, avait dit Evelyne qui les avait rejointes, une assiette contenant cinq rouleaux de printemps à la main. Mais il n'a que des petites cousines.

Elle prit un rouleau, le mordit et hocha la tête.

— Tu as vraiment choisi un excellent traiteur, Cristelle. Il faudra que tu me donnes ses coordonnées. Je dois recevoir mes collègues avant les fêtes.

— C'est vrai que tout est délicieux, avait approuvé Nathalie.

Elle regrettait d'avoir été aussi sèche avec Cristelle. Mais c'était plus fort qu'elle. Elle détestait qu'on lui parle de Clive. Cristelle semblait l'idolâtrer autant que Simon. Elle aurait aimé leur dire qui était réellement ce foutu champion. Mais, bien sûr, elle se taisait.

— La table des desserts est magnifique, avait renchéri Mary. Trop ! Moi qui voulais perdre du poids…

— Non, ce soir, on fait la fête ! avait déclaré Nathalie. On ne compte pas les calories.

— Oui, oublions la gym, le Pilates et le flamenco, avait dit Cristelle. On s'en reparlera plus tard.

Mary s'était efforcée d'opiner. En revenant à la maison, Ian, qui avait entendu Cristelle évoquer les cours de danse, avait taquiné sa femme. Cristelle semblait déterminée à se joindre à elle pour les cours de flamenco. Elle aurait de la difficulté à l'éviter. Mary avait mis un moment avant de marmonner que Cristelle ferait mieux de se mêler de ses affaires. Il y avait une telle note d'agressivité dans sa voix que Ian s'en était étonné : Cristelle agaçait-elle à ce point sa femme ?

Alors qu'il se demandait en se levant s'il avait irrité Cristelle par mégarde, pourquoi elle le regardait si fréquemment, il repensait à la réaction de Mary et s'interrogeait maintenant sur ce que Cristelle pouvait lui avoir dit pour l'insupporter. Il soupira en se disant qu'ils avaient tous trop bu. Lui moins que les autres, mais tout de même trop. Il avait besoin d'un café avant de s'attaquer à la liste des éléments qui lui manquaient pour la construction du cellier. En examinant celui de David, il avait décidé de modifier l'aspect de la porte du haut. Il devait prendre de nouvelles mesures. Ce serait plus long, oui, mais ce cellier était là pour durer. Et Mary lui avait dit qu'elle achèterait un grand bordeaux pour l'inaugurer quand il l'aurait terminé.

— On le boira au mariage de Jasmine, avait-il suggéré.

— Je vais m'assurer que le vin pourra vieillir longtemps, avait répondu Mary.

Il avait été surpris par cette remarque ; pourquoi pensait-elle que Jasmine mettrait du temps à rencontrer quelqu'un ? Elle était jolie, gentille, intelligente.

— Elle a la vie devant elle. Tu penses à ses noces, alors qu'elle a à peine seize ans. Laisse-la vieillir.

— Tu verras que ça arrivera vite. Elle va finir ses études, nous quitter, puis nous présenter quelqu'un.

— On n'est pas pressés, avait murmuré Mary et Ian s'était dit qu'elle ne voulait pas imaginer la maison sans les enfants.

Et lui non plus, avait-il pensé. Il aimait par-dessus tout cette vie familiale qu'il avait bien failli ne jamais connaître. Le quotidien qui lassait tant de gens lui plaisait vraiment. Les lunchs à préparer, les courses, les nombreux va-et-vient de la maison au centre sportif, à l'aréna, à l'école de musique, l'horaire aimanté sur le réfrigérateur que les enfants respectaient plutôt bien, les samedis consacrés à la fabrication du souper, les sourires de Mary quand elle goûtait ses plats, le camping dans les plus beaux sites du Québec, les vacances au chalet qu'il réservait chaque hiver dans les Laurentides, il aimait tout. Même les réveils toujours désordonnés, la voix de sa femme qui devenait plus aiguë quand elle criait aux enfants de se dépêcher pour ne pas manquer l'autobus, le visage boudeur de Jasmine qui mettait du temps à émerger, la distraction de Matis qui oubliait son lunch un jour sur trois. Ian aimait cette routine qui garantissait son équilibre, qui lui permettait de reléguer son passé au plus profond de sa mémoire.

Ian finissait de dresser la liste de tout ce qu'il devait acheter à la quincaillerie quand il entendit les pas de Mary dans leur chambre, au-dessus du salon. Il se rendit à la cuisine pour lui préparer un cappuccino, elle en aurait sûrement besoin. Ils avaient bien fait d'investir dans cette machine à café même si elle était chère. L'onctuosité d'un expresso ou d'un moka le réjouissait chaque jour.

::

Maud Graham humait les effluves du Gyokuro Okabe en observant Églantine qui se dirigeait vers la chambre de Maxime, déterminée à miauler jusqu'à ce qu'il se lève et vienne lui ouvrir la porte.

— Attends un peu, laisse-le dormir, chuchota Maud. Il s'est couché tard, hier soir. Il a fêté avec ses amis.

Églantine poussa un miaulement sonore pour manifester sa désapprobation et Maud s'avança vers elle, la souleva pour l'installer sur son épaule.

— Encore une heure et tu pourras le réveiller, promit-elle. On va préparer le petit déjeuner pour Alain et lui. Maxime ne doit pas manger des crêpes tous les jours, à l'école de police.

— Moi non plus, fit Alain qui sortait de la douche. Fais-en double recette, Maxime mange encore plus qu'avant.

— Je ne sais pas où il met tout ça. Hier, au souper, il a pris deux fois du cassoulet avant de s'empiffrer dans les fromages. Et de bouffer le quart du gâteau.

— Il en profite pendant qu'il est à la maison.

— Je n'aurais jamais pu aller boire un verre après avoir tant mangé, affirma Maud.

— Il est jeune. Il était content de fêter l'Halloween avec ses amis. Et moi, j'étais ravi d'avoir cette soirée avec toi. C'est notre première fin de semaine en paix depuis nos vacances au lac Mistassini.

— Cela me paraît bien loin, soupira Maud. La plage, le kayak, la chaloupe, le soleil, l'apéro sur notre balcon.

— Si on retournait au Ripplecove durant les vacances d'hiver ? On en profiterait pour voir s'il y a des chalets à louer dans le coin pour l'été prochain.

— Nous ne sommes qu'à l'Halloween et tu penses déjà à juillet !

— Si on veut un chalet à notre goût, il faut s'y prendre à l'avance…

— C'est bizarre que personne ne m'ait appelée, marmonna Graham. Il se passe toujours quelque chose la fin de semaine de l'Halloween. Peut-être que McEwen ou Bouthillier n'ont pas osé me téléphoner, je devrais…

— S'il y avait un vrai problème, tu l'aurais su, la coupa Alain. Va préparer les crêpes et cesse de toujours imaginer le pire !

Il la poussa vers la cuisine et, avant d'aller s'habiller, il ouvrit doucement la porte de la chambre de Maxime afin qu'Églantine puisse le réveiller. La chatte dressa les oreilles en entendant grincer la porte et se faufila aussitôt vers le lit en ronronnant de satisfaction. Il n'y avait rien de plus agaçant qu'une porte close.

Quinze minutes plus tard, Maxime étonnait Maud et Alain en se présentant à la cuisine douché et habillé.

— Qu'est-ce qui se passe ? Tu as un rendez-vous ?

— L'habitude.

— Ils ont réussi à te faire sortir tôt du lit à Nicolet ! Incroyable, mais vrai !

— Je vais rejoindre Coralie, expliqua Maxime. J'aurais dû rester avec elle, hier soir. Mais il fallait qu'elle se lève à 5 h, ce matin pour son boulot de réceptionniste…

— Elle était fâchée que tu ne dormes pas chez elle ?

— Non, non, c'est elle-même qui a insisté pour que je sorte avec la gang, mais si je…

— Vous êtes donc bien compliqués ce matin, déclara Alain. Mange tes crêpes, Max, au lieu de t'en faire pour tout, sinon tu vas ressembler à ta mère en vieillissant.

Maxime haussa les épaules, sourit à Maud avant de dire qu'il avait entendu parler d'elle, à l'école de police, par le directeur.

— Tu as une bonne réputation.

Maud rougit avant d'expliquer qu'ils avaient étudié ensemble.

— Tu ne me l'avais pas dit, nota Maxime.

— Tu sais bien que Biscuit est obsédée par la peur de se mêler de tes affaires, rappela Alain. Pas question qu'elle t'informe de quoi que ce soit concernant ta vie à Nicolet.

— Je ne suis pas obsédée. Je veux seulement cloisonner les…

— On te taquine, Biscuit, rigola Maxime. Je me débrouille tout seul comme un grand.

— Tu aimes ça, c'est le principal, dit Alain.

— C'est différent de ce que j'imaginais. Mais, oui, j'aime l'école. La gang. Et toi, ta conférence s'est bien déroulée? On n'en a pas parlé, hier soir.

— Oui, j'avais des auditeurs attentifs, mais j'ai peur que, même avec les recommandations du coroner, les choses ne changent pas vraiment. Il y aura encore des victimes de commotions cérébrales subies au hockey.

— Imagine dans l'ancien temps, reprit Maxime, quand les joueurs ne portaient même pas de casque!

— Peut-être qu'ils respectaient mieux les règles, avança Graham. Ce jeune-là s'est jeté sciemment sur son adversaire pour le plaquer dans la bande. Ce n'était pas un accident.

— Sûrement pas, confirma Alain. Le pire, c'est qu'il y a des gens assez stupides pour défendre le jeune.

— Oui, fit Maud, j'ai entendu tellement de conneries à la radio… Les gens sont-ils de plus en plus agressifs ou c'est moi qui vieillis?

— Ta vieillesse! s'esclaffa Maxime. Ça faisait longtemps que tu ne nous avais pas parlé de ton obsession.

— Il me semble que c'est pire qu'avant, continua Graham après avoir esquissé une grimace à l'intention de son fils. Qu'est-ce qui a tant changé?

— Les enjeux, répondit Alain. Trop d'argent. Il y a trop d'argent dans le monde du sport. Ou plutôt, il n'est pas distribué correctement. D'un côté, il y a beaucoup d'athlètes qui auraient besoin d'être soutenus et de l'autre, des vedettes qui reçoivent des salaires disproportionnés. Ou des types qui paient des milliers de dollars pour des casques de protection peints à la main.

— Mille dollars pour un casque? s'écria Maxime.

— Pour des gamins qui ont onze ou douze ans. Il y a des pères qui pensent que l'habit fait le moine. Si leur enfant a l'équipement le plus cher, le plus voyant, il sera meilleur joueur. Mais il sera peut-être juste plus imprudent. Et plus impudent.

— Les jeunes se croient déjà invulnérables, fit Maud. Je me souviens quand tu as sauté du toit du chalet des Mongrain. Tu aurais pu mourir!

— Mais non, Biscuit, je suis comme les chats, plaisanta Maxime. J'ai neuf vies et je…

Graham s'approcha de lui, mit la main sur sa bouche pour le faire taire.

— C'est précisément ce que je ne veux pas entendre! Tu ne dois pas penser que tu peux narguer la mort parce que tu y as échappé quand tu étais petit. Lorsque tu seras sur le terrain, tu verras que la réalité est différente d'un jeu vidéo. J'espère que tes instructeurs vous le font bien comprendre.

Une réelle inquiétude modifiait la voix de Graham et Maxime s'empressa de la rassurer; il ne commettrait pas d'imprudence. Promis.

— Je n'ai pas envie de prendre une autre balle. Ça fait longtemps, mais je m'en souviens bien. Je peux avoir une autre crêpe? Elles sont encore meilleures que d'habitude!

— Surtout quand tu les partages avec Églantine, dit Maud en désignant la siamoise qui mastiquait un bout de crêpe, assise sur les genoux de Maxime. Elle t'a cherché durant des jours après ton départ.

Maxime caressait la chatte lorsque son téléphone sonna. Il répondit aussitôt à Coralie et Maud échangea un sourire avec

Alain. La distance n'avait apparemment pas modifié les sentiments amoureux des jeunes gens. Tandis que Maxime quittait
la table pour enfiler son manteau, Maud répéta qu'elle s'en
réjouissait.

— On dirait que cela t'étonne, dit Alain.

— Ça ne durera probablement pas toute leur vie, mais je suis
contente que Maxime et Coralie soient toujours ensemble. S'il
fallait qu'elle le quitte, il aurait plus de mal à se concentrer sur ses
études. Il faut qu'il parte du bon pied.

— Pourquoi est-ce que cela ne durerait pas ? Tes parents, mes
parents sont ensemble depuis qu'ils se sont rencontrés.

— Éternel optimiste ! dit Graham en souriant.

Elle aurait aimé ressembler davantage à son amoureux, voir
naturellement le bon côté des choses, mais c'était plus fort qu'elle,
elle imaginait les pires scénarios. Tout en sachant que c'était parfaitement inutile. Penser ou non à un problème, ou même à un
drame éventuel, ne l'empêcherait pas d'arriver.

Elle n'éprouvait pas ce genre d'angoisse lorsqu'elle était plus
jeune. C'était la venue de Grégoire et de Maxime dans son existence qui avait tout changé. Elle s'était tellement inquiétée pour
eux ! Ils allaient très bien aujourd'hui, même mieux qu'elle ne
l'avait imaginé, mais elle continuait pourtant à redouter qu'ils
traversent de nouvelles épreuves. Elle ne pouvait faire autrement.

— Moi, je me dis qu'ils ont vécu des choses très difficiles et
qu'ils s'en sont sortis. Ce sont des résilients. S'il leur arrive un
truc moche, ils sauront y faire face. Et on sera là pour les aider.

Alain avait raison, évidemment. Comme toujours. Elle souleva Églantine qui venait de mettre ses pattes avant dans l'assiette
de Maxime pour voler le dernier morceau de crêpe, l'emmena
vers l'évier pour la nettoyer.

— Il y a du sirop d'érable sur tes coussinets, expliqua-t-elle à la
chatte qui protestait.

En essuyant les pattes d'Églantine, Maud jeta un coup d'œil à la cour, aux arbres dépouillés de leurs feuilles. Était-il possible que l'été soit déjà si loin ?

: :

Jeudi 3 novembre

Cristelle Bouchard fixait le chiffre indiqué sur le pèse-personne avec incrédulité. Elle en descendit, vérifia que l'aiguille revenait bien à zéro, remonta sur l'appareil en retenant son souffle. Le chiffre n'avait pas changé. Ce n'était pas possible qu'elle ait pris un kilo en si peu de temps ! Il y avait bien eu le party d'Halloween où elle avait bu plus d'alcool qu'à l'accoutumée, et ce souper pour David au Champlain, mais elle avait fait attention à tous les autres repas. Elle avait joggé chaque soir. Avait bu six verres d'eau par jour. C'était injuste. Elle se tourna pour s'observer de profil. Est-ce que son ventre paraissait gonflé ? Affaissé ? Elle crut entendre la voix de sa mère qui affirmait qu'il n'y a plus rien à sauver à partir de quarante ans. À son époque peut-être, mais pas aujourd'hui ! Même si elle avait eu deux enfants. Dans le groupe des mères qui couraient en promenant les poussettes après leur accouchement, elle était celle qui avait repris son poids initial la première.

C'était la faute de ce satané souper au Château Frontenac. Elle n'avait pas envie de manger du fromage, mais l'ancien professeur de David, Pierre Larochelle, maintenant juge à la Cour suprême, avait insisté : les fromages étaient remarquablement conservés au Champlain, il était impensable de se priver d'une mimolette, d'une pointe de Riopelle ou d'un brie parfaitement à point. Comme Suzie, la femme de Pierre, avait acquiescé avec enthousiasme, Cristelle avait renoncé à dire qu'elle n'avait plus faim.

Elle avait tout de même laissé tomber le dessert. Et malgré tout, elle avait pris un kilo. Si elle était restée à la maison, elle aurait préparé un poulet grillé et une salade, et elle ne serait pas là, dans cette salle de bain, sur ce fichu pèse-personne qu'elle aurait voulu fracasser contre ce miroir qui semblait la narguer. Elle avait pourtant dit à David qu'elle aimerait mieux demeurer à la maison, quitte à inviter Pierre et Suzie, mais il lui avait rappelé que c'étaient eux qui les conviaient au Château Frontenac. Il était impossible de refuser cette invitation. Pas avec sa nomination.

— Achète-toi une nouvelle robe, avait dit David pour l'amadouer.

Elle avait jeté son dévolu sur une robe en soie bleu saphir au dos très décolleté et avait savouré en traversant le restaurant les regards admiratifs des autres clients, les lueurs de jalousie des femmes. Elle s'était sentie vraiment belle. La plus belle de la place. Et elle avait baissé sa garde, avait succombé aux fromages. La prochaine fois que David voudrait l'emmener manger avec Pierre et Suzie, elle refuserait. D'autant plus qu'elle en avait marre de les écouter parler des litiges, des nominations des nouveaux membres, de la scission d'un gros cabinet, de la naissance d'un autre, d'un point de droit contestable, de l'évolution de la jurisprudence, et blablabla et blablabla. Si au moins ils avaient parlé des affaires qui pouvaient piquer sa curiosité, des affaires criminelles retentissantes… Mais non, les causes dont se chargeait David ne faisaient jamais la une des journaux. Pourquoi avait-il choisi le terne droit des affaires plutôt que le droit criminel ? Il lui répétait que, si elle tenait vraiment à en savoir plus, elle n'avait qu'à lire les journaux comme tout le monde. Il lui importait de séparer le travail de la vie familiale. En matière légale, il fallait que tout soit parfaitement étanche. Même s'il n'avait pas à frayer avec des assassins dans son domaine, il n'était pas question qu'il se laisse aller à des confidences reçues par des collègues dans les couloirs du palais de justice. Cristelle avait protesté au début, disant qu'elle s'intéressait à son travail, mais il avait répété qu'il admirait la discrétion. Cristelle lui en avait voulu de ce manque de confiance, mais elle avait dû admettre, après avoir assisté à un procès public, que le processus était bien plus fastidieux qu'elle ne l'avait cru. Voire ennuyant. Et quand David discutait de points de droit avec Francis, Peter ou n'importe lequel de ses collègues, les détails étaient rarement palpitants. Plutôt répétitifs. Et après cette soirée au Château Frontenac, elle avait aussi déchanté quant au futur. Elle avait bêtement imaginé que les nouvelles fonctions de David en tant que juge apporteraient quelque chose de neuf dans son quotidien, qu'il irait plus souvent à Montréal, à Ottawa, à Toronto. Qu'elle l'accompagnerait. Qu'il y aurait des conférences ou des réunions à l'étranger, qu'ils voyageraient un peu plus. Mais d'après Suzie, les juges se faisaient simplement déranger plus souvent à leur domicile et passaient plus de temps dans leur bureau à étudier des preuves ou à tenter de reformuler des lois caduques.

Cristelle se demanda si elle n'allait pas plutôt suivre des cours. Mais de quoi ? En quoi se distinguait-elle ? Elle monta une troisième fois sur le pèse-personne, secoua la tête, scruta son visage dans la glace. Elle perdrait ce kilo en moins de six jours, elle se le jurait ! Elle afficha la seconde suivante un large sourire : elle suivrait un cours de diététique. Comment n'y avait-elle pas songé avant ? Elle connaissait très bien ce sujet qui la passionnait depuis des années. Cette évidence apaisa automatiquement sa colère.

Diététicienne. Milieu plus scientifique, presque médical. Différent de l'univers de David. Ils auraient chacun leur domaine de compétence. Elle allait prendre tout de suite les informations nécessaires à la concrétisation de son projet. Et n'en parlerait à David qu'après avoir fait son inscription. Elle espérait que les cours se donnaient le jour, ce serait plus simple avec les enfants. D'un autre côté, ils répétaient constamment qu'ils étaient assez grands pour se débrouiller tout seuls. C'était l'occasion de le lui prouver.

Diététicienne. Oui, c'était une très bonne idée.

À condition qu'elle ne doive pas refaire tout son cégep. N'y avait-il pas des cours aux adultes à l'université ? Elle se voyait bien raconter à ses amies qu'elle s'était juré de retourner à l'université quand ses enfants seraient assez grands. Par contre, elle ne voulait pas non plus que ce cours s'étire pendant des années, elle n'avait jamais aimé étudier. Elle était prête à certaines concessions, bien sûr, mais ouvrir son propre cabinet de diététique était ce qui l'intéressait. Quelque chose de chic. Un endroit où elle-même aurait voulu aller consulter un spécialiste.

Elle descendit au salon pour utiliser l'ordinateur et espéra que ses recherches sur les cours offerts en diététique seraient plus fructueuses que celles qu'elle avait menées sur le passé de Ian Boisvert. Au moment où Francine et elle avaient croisé ce dernier, son amie n'avait pu se souvenir du nom qu'il portait lorsqu'il fréquentait le campus de l'université. Mais, de retour à Toronto, elle en avait parlé à son mari qui lui avait suggéré de consulter les journaux étudiants qu'elle avait conservés puisqu'elle y tenait une chronique littéraire. En cherchant les articles sur les performances sportives, elle tomberait peut-être sur cet athlète qui intéressait Cristelle. Teddy avait raison, Francine avait appelé Cristelle pour lui révéler que le sosie de Ian Boisvert se nommait Yvan Nelson. Et que Teddy pensait qu'il avait été arrêté pour une histoire de fraude ou de trafic de stéroïdes. Cristelle avait suivi cette piste, mais elle n'avait déniché que deux articles sur cette arrestation et la photo qui illustrait le reportage du *Victoria Sun* était floue. Trop floue pour qu'elle soit certaine qu'il s'agissait bien de Ian Boisvert. Vingt ans de moins, imberbe, photographié de trois quarts. Elle avait néanmoins appris que ce sosie de Ian avait effectivement été impliqué dans un trafic de stéroïdes auprès des athlètes qu'il côtoyait. Et qu'on le soupçonnait d'avoir gagné ainsi beaucoup d'argent, mais que les enquêteurs n'avaient pas pu découvrir où Nelson conservait les fruits de son trafic. Il avait été condamné à quelques années de prison. Puis il s'était évanoui dans la nature.

Avant de refaire surface à Québec? Elle s'était rendue au palais de justice pour consulter le plumitif, mais les informations étaient restreintes à la province. Aucune trace d'un Yvan Nelson au Québec.

Était-ce Ian Boisvert ou non? Francine avait promis d'essayer de trouver des étudiants qui se souvenaient de lui, peut-être même des victimes de ses trafics.

Cristelle avait observé Ian Boisvert durant la soirée d'Halloween sans arriver à savoir s'il était Yvan ou non. Elle avait failli en parler à David, qui aurait sûrement suggéré de confier tout ça à des enquêteurs, mais elle s'était tue. Elle n'avait pas envie de partager trop vite cette information avec lui. Elle aimait être la seule à détenir un secret qui échappait à son mari. C'était peut-être lui le grand spécialiste de la justice, mais c'était elle qui savait quelque chose de très particulier sur une de leurs connaissances. Elle lui aurait évidemment révélé ce qu'elle avait appris si Yvan-Ian avait été condamné pour un délit sexuel ou, pire, pour pédophilie. Elle n'aurait pas voulu qu'il s'approche des enfants. Mais ce trafic de stéroïdes l'intriguait plus qu'il ne l'inquiétait. Et mettait un peu de piquant dans sa vie. Elle avait donc pris soin d'effacer les traces de ses recherches par précaution, car il arrivait que David utilise l'ordinateur familial lorsqu'il oubliait le sien à son bureau. Elle rappellerait plutôt Francine pour savoir si elle avait reparlé de Ian avec son mari, si des détails leur étaient revenus à l'esprit.

: :

Vendredi 4 novembre

— Tu es fou! dit Mary à Jean-René. Tu ne dois pas venir ici!
— J'avais trop envie de te voir. De t'inviter à dîner avec moi.
— Tu sais bien que c'est impossible.
— Il faut tout de même que tu manges, non?

— Pas avec toi, assura-t-elle en jetant un coup d'œil à l'extérieur de la boutique, redoutant qu'une de leurs connaissances aperçoive Jean-René en sa compagnie.

— Mais tu m'as dit hier au téléphone que Ian passait la journée avec son comptable.

— D'autres personnes peuvent nous voir ensemble.

— Je vais acheter un pull pour Evelyne. J'aurai un sac au nom de ta boutique. Si on rencontre quelqu'un, ce sera évident que je suis passé acheter un cadeau pour ma femme, puis qu'on a décidé de dîner ensemble. C'est normal entre gens qui se connaissent depuis autant d'années.

— Tu as bâti un beau scénario, convint Mary, mais c'est imprudent.

— Pas si on mange dans un resto où tu vas régulièrement, avec une ou l'autre de tes amies. Comme si j'étais aussi un ami. Un vieil ami.

Mary regarda les tempes de Jean-René qui commençaient à grisonner, eut envie de les caresser, mais se contenta de protester. Il n'était pas vieux.

— Ou alors je le suis aussi.

— Toi ? Jamais ! s'écria Jean-René. Tu n'as pas changé depuis le secondaire. Non, c'est faux ! Tu es encore plus jolie.

— Arrête de dire n'importe quoi.

— C'est la vérité ! Et maintenant, trouve-moi un truc pour Evelyne. Je l'achète, puis je t'emmène dîner.

Elle aurait dû s'entêter, rester sur ses positions, mais le regard brûlant de Jean-René la privait de volonté. Son désir était si fort qu'il n'avait même pas besoin de la toucher pour qu'elle sente ses lèvres, ses mains sur son corps. Elle le dévisagea durant quelques secondes avant de se diriger vers le fond de la boutique d'où elle revint avec un chandail en mérinos gris éléphant qui conviendrait à Evelyne. Après tout, Jean-René avait raison : si elle lunchait avec lui en public, dans un resto où tout le monde la connaissait, c'est qu'elle n'avait rien à cacher. Le visage de son amant s'éclaira d'un tel sourire lorsqu'elle lui montra le vêtement qu'elle avait choisi que tous ses doutes furent instantanément balayés. Ils iraient dîner au petit italien. Elle jaserait avec le patron comme elle le faisait habituellement. Ils éviteraient de trop s'attarder.

— On dîne, on boit un café et je reviens ici aussitôt.

— Je t'aime, répondit-il.

Elle esquissa un baiser avant de plier le chandail, de le déposer dans une boîte garnie de papier de soie blanc qu'elle glissa dans un sac noir, où le nom de la boutique était imprimé dans des tons argentés. Elle tendit le tout à Jean-René avant d'aller récupérer son manteau dans l'arrière-boutique. Pendant quelques instants, elle espéra que son amant viendrait la rejoindre, puis soupira : elle était folle. Folle de lui. Folle de ses baisers. De son rire généreux. Elle aimait tout de cet homme. Et c'était mieux de passer une heure avec Jean-René, même s'il y avait du monde autour d'eux, que d'attendre encore deux semaines pour le retrouver à Montréal.

3

Dimanche 6 novembre

— Taisez-vous, dit Simon à Matis et à Étienne en voyant Lucas se diriger vers eux au fond de la cour de l'école où ils s'exerçaient à lancer le ballon dans le panier. Je n'ai pas envie qu'il vienne avec nous. On se retrouve dans une demi-heure. Je l'ai dit aussi à Rémi et à Sydney.

Matis hocha la tête dans un signe de connivence. Étienne l'imita. Il fallait réussir à fausser compagnie à Lucas, sinon il les suivrait à l'aréna.

— Vous parlez de quoi ? demanda Lucas en s'approchant du trio.

— De rien, répondit Matis alors qu'Étienne évoquait le match de hockey diffusé la veille.

— On a écrasé les Flyers, se réjouit Simon. On devrait se rendre à la coupe Stanley.

— En tout cas, moi, je serais vraiment gêné, si j'étais Mike Condon, fit Lucas.

— Pourquoi ? C'est un bon joueur.

— Pas tant que ça ! Tu parles d'un nom, Condon. Moi, à sa place, je le changerais. Je ne voudrais pas qu'on pense à une capote quand on me voit.

Lucas ricana, content de sa plaisanterie, persuadé que les autres l'imiteraient, mais Simon se moqua plutôt de lui.

— C'est parce que tu le prononces mal. *If you speak correctly, it sounds different. You know what I mean?*

— T'es pénible avec ton anglais, Simon Harrison, marmonna Lucas. Tu sauras que je vais aller dans un camp de vacances dans le Maine, l'été prochain. Moi aussi, je serai bilingue.

— Qu'est-ce que tu veux que ça me fasse?

— Toi, tu vas aller où?

— Pourquoi tu nous parles des vacances d'été? s'impatienta Étienne. On n'est même pas rendus aux vacances de Noël.

— Qu'est-ce qu'on fait aujourd'hui? demanda Lucas au lieu de répondre à Étienne.

Simon haussa les épaules, prétendit qu'il devait rentrer chez lui pour finir son travail de français.

— C'est pareil pour moi, dit Matis.

Il n'aimait pas mentir, mais, dans ce cas précis, ce n'était pas vraiment un mensonge puisqu'il devait effectivement rédiger ce maudit devoir. Il n'avait pas imaginé qu'entrer au secondaire serait aussi exigeant. Il aimait son nouveau collège, mais beaucoup moins les travaux que lui donnaient tous les enseignants. Sa sœur Jasmine prétendait qu'il s'habituerait. Il en doutait. Il n'avait pas encore écrit une ligne de ce travail de français.

— Mais il fait beau, protesta Lucas. On pourrait aller sur les Plaines.

— C'est trop froid, grimaça Étienne.

— Pas tant que ça, insista Lucas. On a chaud quand on joue.

— Ça ne me tente pas, laissa tomber Étienne.

— Toi, il n'y a jamais rien qui te tente. Et vous autres?

— Moi, je rentre, dit Simon en ramassant son ballon.

— Vous n'allez pas étudier tout l'après-midi! Vous me niaisez! déclara Lucas. Pour vrai, qu'est-ce qu'on fait?

— On se verra demain, dit Simon.

Il se dirigea vers la porte grillagée de la cour de leur école primaire où ils avaient obtenu l'autorisation de jouer en dehors des heures de cours. Matis et Étienne lui emboîtèrent le pas. Lucas mit quelques secondes avant de réagir.

— Voyons donc! On est en congé!

— On n'est pas obligés d'être tout le temps collés tous les quatre ensemble, répondit Étienne. On n'est pas des mousquetaires.

— C'est quoi le rapport avec les mousquetaires?

— *Tous pour un et un pour tous*, cita Étienne. C'était leur devise.

— C'est quoi le rapport? répéta Lucas.

— Laisse tomber, dit Simon à Étienne. Ça serait trop long de lui expliquer.

— Veux-tu dire que je suis un épais?

— Je n'ai pas dit ça, fit Simon en poussant la porte.

Après l'avoir refermée, il marmonna «à demain» et se dirigea vers la gauche, comme s'il se rendait chez lui. Il évita de se retourner pour voir ce que faisait Lucas. Si par malheur il le suivait et le voyait à l'arrêt du bus, il devrait inventer quelque chose pour se justifier. Il dirait que sa mère l'avait appelé pour lui demander d'aller au supermarché.

Mais pourquoi fallait-il toujours que Lucas vienne se mêler de leurs affaires? Ça ne le dérangeait pas qu'ils soient dans la même équipe de hockey. Lucas Lenoir était un bon joueur, mais il n'était pas son ami. Pas comme Matis. Ou Étienne. Même si Étienne était bien différent de lui avec cette passion pour la lecture. Il avait lu *Le seigneur des anneaux* jusqu'à la fin. Et la série *Hunger games*. Il trouvait même que les livres étaient mieux que les films! Par chance, il aimait aussi le hockey. Il connaissait le nom des joueurs de toutes les équipes de la Ligue nationale et se rappelait leur pointage. Évidemment, il entendait beaucoup parler des matchs à la maison, puisque son père avait un magasin d'articles de sport et l'emmenait deux fois par année au Centre Bell. C'était normal qu'il soit au courant de l'actualité. Mais ce qui était bien avec Étienne, c'était qu'il ne se vantait pas. Il avait même l'air gêné quand il étrennait de nouvelles chaussures ou un bâton de hockey. Ou s'il arrivait sur le terrain avec un ballon neuf. Il disait qu'il les testait pour son père, pour les clients du magasin. Il était vraiment *cool*. Et son père aussi : il avait accordé 50 % de rabais à sa mère quand elle lui avait acheté un casque de vélo l'été dernier. Il aurait aimé avoir un père qui ressemble à Jean-René. Qui soupait presque tous les soirs avec sa famille. Qui n'habitait pas en Australie. Le père de Matis aussi mangeait avec sa famille, et même plus souvent que sa mère qui était très prise par sa boutique de vêtements. Ian emmenait Matis et Jasmine souper au restaurant au moins deux fois par mois. Ils allaient retrouver Ian à son magasin et ils partaient manger une pizza tous ensemble. Les deux dernières fois, Matis avait invité Simon à les accompagner.

— Jasmine emmène une de ses amies. Mon père aime ça quand on est plusieurs autour de la table. Ça lui rappelle sa jeunesse avec ses frères.

— Tu as plusieurs oncles ?

— Deux, mais on ne les voit jamais.

— Ils habitent loin ?

Matis avait secoué la tête. Son père et ses frères s'étaient disputés et ne se parlaient plus depuis des années. Lui-même ne les avait jamais rencontrés.

— Pourquoi est-ce qu'ils se sont chicanés ?

Matis avait haussé les épaules. Il l'ignorait. Quand il avait questionné son père, celui-ci lui avait répondu qu'il lui expliquerait plus tard ce qui s'était passé.

— J'ai demandé aussi à maman, mais elle m'a dit de ne pas faire de peine à papa en lui parlant de sa famille. De ne pas m'en mêler.

— C'est bizarre.

— Oui. Je sais seulement qu'ils habitent loin.

— Vous allez peut-être les voir un jour, s'ils se réconcilient…

— J'aimerais ça. Je ne sais même pas si j'ai des cousins. Tu es chanceux d'avoir ton cousin Pierre.

Simon songea qu'il aurait préféré que son cousin demeure à Québec afin de le voir plus souvent. Il repensait à leur soirée au Centre Bell, aux cris qu'ils avaient poussés quand les Canadiens avaient remporté la victoire, c'était vraiment une soirée magique ! Il n'avait pas regretté une minute de ne pas être allé au party d'Halloween chez Lucas. Même s'il y avait eu des prix de présence durant la soirée, des billets pour la Coupe Rogers. De toute façon, il ne les aurait pas gagnés. Il était même content que ce soit Julien qui les ait obtenus. Il avait dit qu'il irait à Montréal avec son père. Sa mère et ses trois sœurs resteraient à la maison. Ce devait être étrange de vivre avec trois filles. Est-ce que c'était mieux que d'être enfant unique ? Peut-être que Julien et son père pourraient lui donner un *lift* pour Montréal. Il profiterait de l'occasion pour voir son cousin.

Une neige fine se mit à tomber et Simon s'en réjouit. Il voulait qu'il y ait de la neige pour Noël. Il voulait aller skier avec Pierre. Son cousin viendrait à Québec avec ses parents pour le Nouvel An. Plus il y aurait de neige, mieux ce serait ! D'un autre côté, si la neige continuait à tomber, la patinoire serait vite recouverte. Non, pas si vite que ça. Il aurait le temps de jouer une partie avant que la neige soit gênante. Ce n'était tout de même pas une tempête ! Alors qu'il montait dans le bus, il crut voir la silhouette de Lucas sur sa gauche. L'avait-il suivi ?

: :

Il était tombé trois à quatre centimètres de neige quand Ian Boisvert quitta la maison. Il ne travaillait pas souvent le dimanche, mais Serge Martineau l'avait appelé la veille pour lui demander si lui et son conjoint pouvaient le rencontrer.

— Matthew part en tournée et j'aimerais ça qu'on achète la voiture avant. C'est moi qui m'en servirai le plus, mais il faut quand même qu'il l'aime.

— Pas de problème, on se retrouve à l'heure que vous voulez. Avez-vous une idée de ce qui vous tente ?

— Beaucoup trop de choses. Il va falloir que tu nous aides à faire un choix. 11 h 30, c'est bon ?

— Je serai là.

Ian avait glissé son téléphone dans la poche de son jean, ravi de cette vente assurée. Puis il avait prévenu Mary qui sirotait un café qu'il ne pourrait pas aller chercher Jasmine chez sa copine comme il s'y était engagé.

— Je vais m'en occuper, chéri, ne t'en fais pas. Tu devais la prendre chez Anaïs à quelle heure ?

— 13 h. J'aurais préféré rester à la maison, mais Serge est un excellent client. Comme son chum part à l'étranger demain, ils ne peuvent venir qu'aujourd'hui.

— Pas de problème. Moi, je vais passer la journée plongée dans les comptes de la boutique.

— Matis est venu chercher ses patins et il est ressorti aussitôt. Il m'a dit que la mère de Jérôme les conduirait à l'aréna. C'est un vrai sportif !

— Oui, mais qui devra tout de même faire son travail de français. Je lui en ai parlé trois fois.

— Je prendrai le relais quand il reviendra. Ce sera réglé avant le souper.

— Il attend toujours à la dernière minute pour faire ses travaux. Tout le contraire de Jasmine. J'étais plutôt comme elle, je me débarrassais des corvées le vendredi soir pour ne plus y penser et savourer ma fin de semaine. On a au moins ce point-là en commun.

— Vous vous ressemblez plus que tu ne sembles le croire, protesta Ian.

Mary lui sourit en secouant la tête.

— C'est ta fille tout craché. Elle n'a rien de moi, ni le physique ni le caractère. C'est aussi bien. Elle est plus décidée, plus fonceuse, plus active. À son âge, je passais des heures à feuilleter des magazines de mode.

— Parce que tu savais déjà que ce domaine t'intéressait. C'est une chance. Notre fille ne sait pas du tout ce qu'elle veut faire plus tard.

— Toi, tu le savais à seize ans?

Ian haussa les épaules. Il rêvait d'être coureur automobile. Ou de briller dans une équipe de hockey.

— Je n'aurais pas épousé un coureur automobile, dit Mary. J'aurais eu trop peur que tu aies un accident.

— C'est gentil, chérie, répondit Ian en souriant. Je vais donc me contenter de vendre de belles voitures.

Il ouvrit le garde-robe, prit son manteau, jeta un coup d'œil par la fenêtre, mais s'entêta à ne pas mettre ses bottes. Il n'aurait que quelques mètres à faire dans la neige.

Dès qu'elle entendit l'auto de Ian démarrer, Mary saisit son téléphone pour envoyer un texto à Jean-René, puis y renonça, se souvenant que son amant allait bruncher pour célébrer l'anniversaire de sa belle-sœur. Elle soupira. Elle aurait aimé entendre la voix de Jean-René, pouvoir lui parler sans s'inquiéter que Ian, Jasmine ou Matis soient dans les parages. C'était si rare qu'elle soit seule à la maison. Bien sûr, Jean-René lui téléphonait à son travail. Elle s'enfermait alors dans son bureau, au fond de l'arrière-boutique, mais elle aurait voulu bavarder avec lui bien calée dans son fauteuil préféré.

Ou peut-être que non. Murmurer des mots d'amour à Jean-René tandis qu'elle était chez elle? Dans cette maison que Ian et elle avaient achetée ensemble lorsqu'elle était enceinte de Jasmine? Pour la centième fois, elle se répéta qu'elle n'était pas faite pour vivre une liaison.

Elle se prépara un café en tentant de se convaincre qu'elle serait capable de se concentrer sur les livres de comptes.

: :

— Ça ne va pas ? demanda David à Cristelle qui n'avait pas mangé la moitié de la salade qu'elle s'était préparée après avoir mis le pâté chinois au four pour David et les enfants.

— Non, mentit Cristelle, je suis un peu fatiguée. Et je n'ai pas vraiment faim le midi.

— Il est plus d'une heure, la corrigea David. Je pense que tu forces sur l'entraînement. Il ne faut pas exagérer…

— Qu'est-ce que tu y connais ? l'interrompit Cristelle. Je n'ai pas le choix d'aller au gym. À mon âge, on engraisse si on ne fait rien.

— Tu es parfaite comme tu es, assura-t-il.

— Parce que je fais des efforts constants, que je me prive de tout. Penses-tu que c'est facile de vous servir un pâté chinois tandis que je mange de la laitue ?

— Tu n'es pas obligée…

— Oui, je suis obligée si je veux entrer dans mes robes.

David Lenoir faillit répliquer, mais s'en abstint, devinant qu'aucun des arguments qu'il avancerait ne satisferait Cristelle. Elle cherchait l'affrontement, et cela depuis quelques jours : lorsqu'il lui avait demandé la veille si elle avait des soucis ou s'il avait fait quelque chose qui lui avait déplu, elle avait pris un air excédé et il n'avait pas insisté. Mais il espérait que ce climat orageux était passager. Il n'avait aucune envie de gérer des crises familiales avec son discours à préparer.

— Tu ne dis rien ? reprit Cristelle. Parce que tu sais très bien que tu ne voudrais pas sortir avec une grosse bonne femme…

— Ce n'est pas la question, dit malgré lui David.

— Ce n'est jamais la question. Tu ne vois rien, tu ne comprends rien.

— À quoi ?

— Laisse tomber, je me comprends.

David soupira en fixant Cristelle. Elle pouvait être vraiment exaspérante ! Il savait qu'il aurait dû lui demander de s'expliquer, mais il battit en retraite, préférant s'enfermer dans son bureau.

En s'installant devant son ordinateur, il songea que plus Cristelle et lui vieillissaient, moins ils étaient assortis. Heureusement que les enfants avaient quitté la table après avoir terminé leur repas ; ils n'avaient pas à entendre ce genre de conversation. Il se demanda ce qui rendait sa femme si irritable et pourquoi elle ne lui disait pas carrément ce qui l'incommodait. Elle avait toujours eu du caractère, mais depuis quelques semaines elle passait d'une humeur à une autre sans qu'il puisse y comprendre quoi que ce soit. Les jours précédant la soirée d'Halloween, elle avait affiché une mine réjouie qui l'avait intrigué, mais quand il l'avait interrogée à ce sujet, elle avait haussé les épaules. Non, il n'y avait rien de spécial. Elle avait pourtant un regard satisfait, comme si elle avait appris une bonne nouvelle ou si elle était contente d'elle-même. Pour quel motif ? Il avait l'impression que Cristelle lui cachait quelque chose. Quelque chose qui s'était modifié et qui ulcérait maintenant sa femme. Qu'est-ce qui l'avait déçue à ce point ? Et pourquoi se taisait-elle ? David se plongea dans la lecture d'un dossier en espérant que Cristelle change d'attitude. Il devait se concentrer sur la rédaction de son discours, pas sur des crises domestiques. Après avoir épousé Cristelle, il ne l'avait jamais poussée à travailler, mais il le regrettait : si elle avait dû composer avec les contraintes d'un boulot, elle aurait peut-être apprécié davantage la vie très confortable qu'il lui offrait.

À l'étage, Cristelle s'était assise devant la coiffeuse, avait allumé la rampe d'ampoules entourant le miroir qui diffusait un éclairage digne de celui d'un maquilleur professionnel. Elle avait saisi un boîtier Dior, l'avait ouvert, avait regardé les fards à paupières, l'avait refermé. Pourquoi se donnerait-elle la peine de se maquiller ? Qui s'en souciait ? David encore enfermé dans son bureau à rédiger son discours ou d'obscurs amendements à des articles de loi dont personne n'avait jamais entendu parler ? Ses enfants étaient partis rejoindre leurs amis dès qu'ils avaient fini leur déjeuner. Allait-elle se farder pour rester devant la télé ? Elle s'était toujours fait un point d'honneur de se présenter sous un jour impeccable, refusant le moindre laisser-aller pour donner un bon exemple à Mylène et à Lucas, mais s'en rendaient-ils compte ?

Elle n'irait pas courir non plus, aujourd'hui. Elle n'en avait pas envie. Elle n'avait envie de rien. Depuis qu'elle avait reçu la documentation sur les exigences du cours de diététique, elle avait la sensation d'avoir avalé de la cendre. Celle de ce rêve réduit à néant. Le cursus était beaucoup trop complexe, le processus trop long. Elle n'avait pas envie de passer les prochaines années sur les bancs de l'université. Pas envie de suivre les cours obligatoires avant d'arriver enfin à ceux qui l'intéressaient. Pas envie d'être assise à côté de toutes ces jeunes filles qui lui rappelleraient chaque jour leur différence d'âge.

Elle se pinça le ventre avec rage. Même si Mary lui avait encore dit qu'elle lui enviait sa taille, elle voyait toujours ses bourrelets. Ils la dégoûtaient. Tout la dégoûtait. Elle lança le coffret Dior de toutes ses forces contre le mur de la chambre.

: :

Les projecteurs dessinaient des formes fantomatiques sur les voitures alignées chez Boisvert Autos et Ian se demanda pour la centième fois s'il avait raison de dépenser cette énergie pour un éclairage permanent dans les salles d'exposition. Ce n'était pas tant le prix qui l'agaçait que l'idée de cette débauche de lumière pas très écologique. Est-ce que des clients pouvaient s'en soucier ? Préférer choisir un autre concessionnaire pour cette raison ?

Non. Probablement que non. Il s'en faisait pour rien. Sauf qu'il savait qu'il avait réussi parce qu'il ne négligeait jamais aucun détail. Il avait appris dans l'urgence à ne rien laisser au hasard et n'avait pas oublié la leçon. La moindre négligence pouvait avoir des conséquences inattendues.

Il referma l'ordinateur où avait été enregistrée la transaction qu'il venait de réaliser. Serge et Matthew semblaient vraiment ravis de leur acquisition. Il avait bien fait de se déplacer en personne pour leur présenter toutes les options qui s'offraient à eux. Ils avaient mis du temps à se décider, mais avaient fini par choisir une voiture plus luxueuse qu'ils ne l'avaient envisagé au départ. Matthew semblait même regretter de partir en tournée et d'être obligé d'attendre son retour pour jouir de la nouvelle berline.

— Mais, au moins, je serai rassuré, avait-il dit à Serge. Elle tiendra la route, même dans les pires tempêtes de neige. Je ne m'inquiéterai plus que tu aies un accident. Tu dois aller si souvent à Montréal.

— C'est provisoire, avait répondu Serge, le temps qu'on finalise le contrat.

— Mary aussi va souvent à Montréal pour les achats de la boutique, mais elle prend le train. Elle dit que la voiture serait un embarras, car c'est compliqué de trouver un stationnement.

— Elle a raison, avait affirmé Serge. Mais je pourrai lui offrir de partir avec moi la prochaine fois, si nos horaires coïncident. En tout cas, elle a toujours l'air aussi jeune. Je n'en reviens jamais quand je la vois. La semaine dernière, au resto avec Jean-René, elle était vraiment ravissante. Si tout le monde avait autant de goût que ta femme! J'ai des collègues qui devraient s'habiller à sa boutique…

— N'hésite pas à lui faire de la publicité, avait répondu Ian.

Il se demandait quand Mary avait lunché avec Jean-René. Il était certain qu'elle ne lui en avait pas parlé. Puis il avait souri en devinant le motif de leur rencontre: ils devaient préparer son anniversaire, la fête de ses quarante ans. Il avait bien dit qu'il voulait célébrer cela dans l'intimité, mais Jean-René et Cristelle avaient protesté quand il en avait parlé à l'aréna. Quarante ans, ça se fête en grand !

— Elle a ouvert cette boutique avec peu de moyens, je m'en souviens, avait repris Matthew. Ma sœur Jenny a été l'une de ses premières clientes. Puis elle a racheté le local mitoyen et conçu un lieu vraiment élégant. Vous avez le sens des affaires dans votre famille ! Est-ce que les enfants vont suivre vos traces ?

Ian avait haussé les épaules. Ils étaient encore jeunes.

— Oui, mais aujourd'hui, avait fait remarquer Serge, ils doivent choisir de plus en plus tôt leur voie, les études sont plus pointues. Mais tous les ados ne savent pas déjà ce qu'ils veulent faire plus tard… Savais-tu à quinze ans que tu te destinerais au commerce ?

Ian s'était contenté de faire une moue pour éviter de répondre qu'il avait déjà commencé à vendre des stéroïdes.

— Je savais que je voulais faire du théâtre, avait dit Matthew.

— Moi, je n'avais aucune idée de mon avenir, avait confié Serge.

— Mais tu étais bon dans tout, tu pouvais choisir.

— C'est le cas pour Jasmine, avait dit Ian. Elle est douée pour un tas de trucs. Les langues, les sciences, la littérature, le sport. Elle aime l'histoire, la géographie. Elle rêve de voyager.

— Elle sera peut-être journaliste comme toi ? avait suggéré Matthew en se tournant vers Serge.

— L'important, c'est qu'elle soit heureuse dans ce qu'elle choisira, avait conclu Serge.

Ian les avait regardés s'éloigner avec un sentiment de satisfaction. Il aimait bien Matthew et Serge, et si Jasmine décidait de devenir journaliste, ce dernier pourrait sûrement la guider. Il jeta un coup d'œil à la photo de famille qu'il avait fait encadrer, se dit que la vie de ses enfants était bien différente de la sienne à cet âge.

Et que Jasmine et Matis ne commettraient pas les mêmes erreurs que lui. Il était là pour y veiller. Pour protéger les siens. Il avait réussi à se construire une nouvelle existence, rien ni personne ne viendrait troubler cet ordre. Il se demandait parfois s'il aurait dû rester à Toronto, si l'anonymat d'une grande ville aurait été préférable. Mais Vancouver était loin. Il n'avait jamais revu ses frères, leurs parents étaient morts. Personne ne viendrait le relancer dans la jolie ville de Québec.

: :

— Qu'est-ce qui t'est arrivé ? demanda Cristelle à Lucas. Comment as-tu pu déchirer ton anorak ? Je viens de l'acheter !

— Ce n'est pas ma faute ! Ce n'est pas moi qui ai commencé !

— Ce n'est jamais sa faute, marmonna Mylène qui mettait ses bottes au moment où son cadet était rentré.

— C'est Simon, avec Matis et Étienne. Moi, je voulais juste jouer avec eux.

— Qu'est-ce qui s'est passé ? fit Cristelle en saisissant l'anorak de son fils pour examiner de plus près la déchirure.

Lucas répéta qu'il voulait simplement s'amuser. Que Simon, Matis et Étienne lui avaient menti. Ils avaient dit qu'ils rentraient chez eux, mais c'était faux. Ils s'étaient retrouvés à l'aréna. Lui y était allé de son côté parce qu'il espérait que Jason serait là.

— Jason ? dit Cristelle.

— Je pensais qu'il te tapait sur les nerfs, remarqua Mylène.

— Quand je suis arrivé à l'aréna, les gars étaient dans le vestiaire. J'ai demandé à Simon pourquoi il ne m'avait pas dit qu'il serait là. Il a répondu qu'il n'était pas obligé de me tenir au courant de tout ce qu'il fait.

Lucas soupira, raconta qu'il avait traité Simon de menteur, que celui-ci avait ri. Comme Matis et Étienne. Il s'était jeté sur Simon qui l'avait évité, il était tombé, s'était relevé, mais la poche de son anorak s'était accrochée au bord du banc et elle s'était déchirée. Il se lamenta en répétant que ce n'était pas sa faute. Qu'il en avait marre qu'on le mette toujours de côté.

— Qu'est-ce que tu veux dire ?

— Ils sont toujours ensemble. Ils rient de moi.

— Ils rient de toi ?

— Ils disent que non, inventa Lucas, mais je sais qu'ils racontent toutes sortes d'affaires sur moi. J'en ai assez. Je ne veux plus les voir.

Cristelle lui passa une main dans les cheveux en lui proposant un chocolat chaud. Il allait tout lui répéter calmement. Peut-être qu'il y avait un malentendu ? Elle s'efforçait de conserver un ton uni malgré la colère qui montait en elle. Comment ces gamins qui étaient venus si souvent à la maison pouvaient-ils être aussi odieux avec son fils ? Ils étaient ravis de profiter de la piscine intérieure et ne se faisaient pas prier pour dévorer les sandwichs qu'elle leur préparait. Et ils étaient bien contents qu'elle les ramène chez eux après les entraînements, plutôt que d'attendre le bus. Evelyne et Nathalie s'offraient rarement pour leur rendre ce service. Mary se chargeait parfois d'aller chercher les filles, mais personne ne se dévouait pour les garçons autant qu'elle. Mary et Evelyne se disaient peut-être que ça la distrayait, puisqu'elle ne travaillait pas à l'extérieur. Mais ce n'était pas parce qu'elle avait préféré rester au foyer pour mieux s'occuper de ses enfants qu'elle n'avait rien à faire ! Et en apprenant comment se comportaient les garçons, elle voyait qu'elle avait eu raison de se consacrer à sa famille : Simon, Étienne et Matis feraient preuve de plus de savoir-vivre si leurs mères étaient plus vigilantes. Et ça durait depuis combien de temps, ce manège ?

— Je ne sais pas, répondit Lucas.

— Tu les as invités au party d'Halloween.

— Je ne voulais pas qu'ils soient fâchés contre moi. Ce sont mes amis…

— Non, des amis ne se conduisent pas comme ça! déclara Cristelle. Tu n'as pas à supporter ça.

— Ce n'est pas grave, dit Lucas qui avait noté que le ton de sa mère s'était durci.

Il avait réussi à se faire plaindre. C'était ce qu'il fallait pour qu'elle croie à sa version des faits et ne lui reproche plus d'avoir abîmé son anorak. Il n'allait tout de même pas lui dire qu'il s'était jeté sur Simon dès qu'il l'avait vu. Que celui-ci avait riposté, qu'ils s'étaient battus, que Simon s'était frappé la tête contre le sol, qu'il saignait du nez quand Étienne et Matis l'avaient aidé à se relever. Ce dernier lui avait demandé ce qui lui avait pris de sauter ainsi sur Simon.

— Es-tu fou?

— Il m'a raconté des niaiseries. C'était même pas vrai qu'il rentrait chez lui. Puis toi non plus. Vous êtes juste des maudits hypocrites!

— On n'est pas obligés d'être toujours ensemble, avait dit Étienne. On n'est pas mariés avec toi.

Matis avait échangé un clin d'œil de connivence avec Étienne, tandis que Simon fouillait dans ses poches pour trouver un autre mouchoir.

— À cause de toi, Simon va être obligé d'arrêter de jouer, avait dit Matis.

— Tant pis pour lui.

C'est à ce moment-là qu'ils avaient entendu une voix provenant de l'autre bout de la patinoire. Ils s'étaient retournés, avaient reconnu Gilbert Cloutier. Qu'est-ce que leur entraîneur faisait à l'aréna à cette heure-ci? Ils l'avaient vu s'approcher d'eux, montrer de l'étonnement en remarquant le sang sur l'anorak de Simon.

— Qu'est-ce qui s'est passé?

— Je suis tombé, avait répondu Simon.

— Tu saignes beaucoup. Je peux…

— C'est correct. Ça m'arrive de saigner du nez.

— Je peux te ramener chez vous, si tu veux.

— Pas nécessaire.

Gilbert Cloutier avait insisté pour raccompagner Simon qui avait fini par accepter. Il leur avait offert à tous de profiter de ce *lift*. Il y avait de la place pour les quatre garçons dans son véhicule. Simon s'était assis à l'avant, Étienne, Matis et Lucas à l'arrière. Ils étaient restés si silencieux que Cloutier leur avait demandé ce qui n'allait pas. Simon l'avait assuré que tout allait bien, mais Lucas était certain qu'il raconterait tout à l'entraîneur plus tard. Ou à sa mère. Qui appellerait la sienne. Ou son père.

— Je vais téléphoner à Nathalie, dit Cristelle.

— Non, protesta Lucas. Ce n'est pas si pire.

— Je ne laisserai pas mon fils se faire ridiculiser.

— Ce n'est pas si pire, répéta Lucas en voyant Cristelle plisser les yeux de colère.

— J'imagine que ça dure depuis un moment ?

— Tu m'avais dit que tu me préparerais un chocolat chaud, rappela Lucas pour calmer Cristelle, soucieux d'éviter qu'elle téléphone à la mère de Simon.

Cristelle lui sourit, lui dit d'enlever ses vêtements de sport tandis qu'elle préparerait sa boisson chaude. Elle ajouterait exceptionnellement de la crème fouettée au chocolat. Le sourire éclatant de Lucas la rasséréna, mais elle n'oublierait pas l'affront qu'on lui avait fait.

— C'est le meilleur au monde, déclara Lucas en se barbouillant la lèvre supérieure d'une moustache de crème chantilly.

Cristelle hocha la tête en regardant son fils. Cette moustache de crème lui permit d'imaginer à quoi ressemblerait Lucas lorsqu'il serait plus vieux. Ce serait un bel homme. Il avait heureusement hérité de ses traits sans toutefois paraître féminin, car il avait aussi la mâchoire virile de son père. Et il aurait sûrement sa stature. Que deviendrait-il ? Suivrait-il les traces de David ou brillerait-il dans un domaine complètement différent ? David considérait qu'il était doué pour l'argumentation lorsqu'il voulait obtenir quelque chose, mais qu'il manquait de jugement et de maturité. Qu'il était trop impulsif. Cristelle trouvait que c'était une bonne chose qu'il soit plus fougueux que David, dont le calme l'exaspérait. Rien ne semblait jamais le déranger, il prenait toujours le temps de peser le pour et le contre, n'en finissait pas d'évaluer une situation, même la plus banale. Peut-être que c'était un atout au travail, mais dans leur vie quotidienne c'était plutôt agaçant.

Leur vie. Est-ce qu'ils avaient vraiment une vie quotidienne? Ce n'était pas David qui était là à l'instant pour consoler Lucas, c'était elle, évidemment, puisque son mari était enfermé dans son bureau. Comme toujours.

Elle regrettait de s'être chargée de la décoration, d'avoir créé pour lui un lieu si agréable. D'avoir mis tant de soin à choisir le canapé. Combien d'heures avait-elle navigué sur Internet pour trouver le meuble parfait? Il était maintenant recouvert de dossiers. De toute façon, David ne l'invitait jamais à s'asseoir dans le bureau. Il y allait pour se recueillir, réfléchir en paix.

Est-ce qu'elle le dérangeait à ce point? lui avait-elle demandé. Il avait protesté, il avait simplement besoin de silence pour travailler. Elle pouvait comprendre cela? Oui, avait-elle répondu. Elle lui ficherait une paix royale.

— Ce n'est pas ce que je voulais dire, avait-il répliqué.

C'était étonnant, avait-elle ironisé, qu'un homme qui pesait soigneusement ses mots lui répète si souvent qu'il ne voulait pas lui dire ce qu'il venait de lui dire. La discussion s'était éteinte sur un haussement d'épaules de David. Comme toujours. Il était tellement prévisible, tellement ennuyant.

— Maman, dit Lucas, est-ce que je peux inviter Jason et Samuel à venir se baigner?

— Samuel? Tu m'as déjà parlé de lui?

— Oui, il est dans mes cours. Le problème, c'est qu'il habite loin. À Boischatel. Il faudrait qu'on aille le chercher.

— Ses parents viendraient le prendre ?

— Je vérifie avec lui.

— Et Jason ?

— Son père peut venir le reconduire.

Cristelle avait failli refuser de jouer encore les chauffeurs de taxi, mais qu'aurait-elle fait de plus de sa journée, hormis préparer le souper ? Elle détestait les dimanches où ses amies restaient en famille. Elle aurait pu téléphoner à Sonia qui venait de se séparer de Marco, mais elle n'avait pas envie de l'entendre se plaindre, même si elle avait de bonnes raisons. Elle retourna s'asseoir au salon, ouvrit le roman qu'elle avait commencé des semaines plus tôt, en lut quelques pages, le referma en se demandant ce que Nathalie et Mary avaient trouvé d'amusant dans cette histoire qui ne tenait pas debout. Elle aurait dû acheter le roman de Marc Levy qui lui semblait bien meilleur.

Nathalie et Mary. Elle leur dirait à la première occasion que leurs fils se moquaient de Lucas. Et à Evelyne. Qui n'en savait sûrement rien, puisqu'elle n'était jamais chez elle. Encore moins que Nathalie et Mary. Pourquoi avaient-elles mis des enfants au monde, si elles ne voulaient pas s'en occuper ? Au fond, c'était une bonne chose qu'elle renonce à ce cours de diététique. Mylène et Lucas avaient encore besoin d'elle. D'une mère qui prenait ce rôle au sérieux. D'autant plus que Mylène semblait traverser sa crise d'adolescence. Alors qu'elle avait été une enfant sans problème, voilà qu'elle remettait tout en question, la défiait constamment. Puisque David finissait toujours par prendre le parti de leur fille, elle devrait se montrer ferme pour deux.

Elle repensa à Mary qui lui avait paru très distraite lorsqu'elle était allée récupérer la robe qu'elle avait fait raccourcir. Elle avait tenté de l'interroger subtilement sur le passé de Ian en parlant de son prochain anniversaire : ne souhaiterait-il pas que des amis qu'il n'avait pas vus depuis longtemps soient présents pour ses quarante ans ? Qu'avait-elle prévu pour cet événement ? Avait-elle besoin d'aide pour tout organiser? Mary l'avait remerciée après un moment d'hésitation.

— Rien n'est encore décidé. Ian voit tellement de gens dans une journée qu'il aime bien retrouver le calme à la maison. On fêtera en famille.

— Avec ses frères, ses sœurs? Où habitent-ils?

— Non, juste les enfants et moi. On ira peut-être passer un week-end à New York.

— Ce n'est pas là qu'il goûtera au calme.

— On verra, avait dit Mary.

— C'est certain que venir de Vancouver pour fêter, ça fait loin…

— De Vancouver?

Mary l'avait dévisagée, visiblement étonnée. Cristelle avait insisté, la famille de Ian n'habitait-elle pas à Vancouver?

— C'est ce que j'avais cru comprendre.

— Non, ses frères vivent en Alberta. Mais on ne les voit jamais.

— J'ai confondu. Ian a étudié à Vancouver, mais il n'est pas né là-bas, évidemment…

La surprise perdurait sur le visage de Mary. Cristelle s'était demandé si elle simulait l'incompréhension, quand l'arrivée d'une cliente avait interrompu leur échange. Elle s'était contentée de remercier Mary avant de repartir avec sa nouvelle robe.

Mary avait-elle fait semblant d'ignorer que Ian avait étudié à Vancouver? Soit elle avait joué la comédie pour éviter de parler du passé peu glorieux de Ian, soit Ian le lui avait caché… Plus elle y repensait, plus Cristelle se demandait ce que Mary savait exactement de la jeunesse de son mari. Ce couple en apparence si merveilleux n'était-il pas un leurre? Elle jeta un coup d'œil en direction du bureau de David. Ce serait si simple si elle lui faisait part de ses hypothèses. Il saurait sûrement comment en apprendre plus sur Ian Boisvert, il avait des antennes partout au Canada. Il passerait quelques appels et hop, des enquêteurs s'intéresseraient à Ian Boisvert, compareraient des empreintes digitales, fouille-raient son passé. Mais non ! Cristelle se débrouillerait sans son mari. Et quand elle saurait tout ce qu'elle devait savoir sur Ian, elle déballerait ces informations d'un coup. David comprendrait qu'elle était plus intelligente qu'il ne l'imaginait.

En attendant d'aller à Boischatel avec Lucas, Cristelle ouvrit l'ordinateur pour retrouver la photo d'Yvan Nelson, se rappela qu'elle avait effacé le dossier. Devait-elle le récupérer ? Était-ce Ian Boisvert ou non ? Si elle imprimait cette photo et la montrait à Mary ? Que se passerait-il ?

Et si elle la montrait plutôt à Ian Boisvert ? La supplierait-il de garder son secret ?

Cristelle sentit son énergie renaître. Ce mystère était tout compte fait palpitant.

Elle imaginait Ian l'implorant de respecter son silence. Lui offrant… Lui offrant quoi ? Que pourrait-elle exiger de lui ?

Elle aimait cette sensation de pouvoir. Elle referma l'ordina-teur. Elle devait continuer ses recherches à partir d'un lieu public, ne rien laisser traîner dans l'ordinateur familial qui pourrait atti-rer l'attention de David ou celle des enfants.

4

Ian Boisvert déballa son dernier cadeau d'anniversaire en souriant à Jasmine qui expliquait qu'elle avait demandé à Serge de se charger d'acheter son présent et qu'elle espérait qu'il avait fait un bon choix. Ian sortit la bouteille de bordeaux de la boîte de carton en disant qu'il n'avait aucune inquiétude quant au jugement de Serge en matière de vin. Il lut l'étiquette à voix haute, s'approcha de Jasmine pour l'embrasser. Cette bouteille aurait une place privilégiée dans le nouveau cellier. En étreignant sa fille, il adressa un clin d'œil à Serge : il savait parfaitement qu'il avait « arrondi » la somme que lui avait remise Jasmine pour acheter ce grand cru. Ian avait été un peu étonné par la présence de Serge et de son ami Matthew à son souper d'anniversaire, mais il était content qu'ils soient là. Et il s'était réjoui de retrouver Marine et François, leurs anciens voisins qui avaient fait la route depuis Rimouski pour fêter ses quarante ans. Et bien sûr, Mary avait convié Julien Faucher, son associé, et sa nouvelle épouse Paola qu'il avait rencontrée à Chicago lors de leur dernier voyage d'affaires. Le moins qu'on puisse dire, c'est qu'ils avaient décidé très rapidement de se marier. À peine trois mois après leur premier tête-à-tête. Mais ils semblaient heureux ensemble. Julien avait le sourire d'un homme qui ne croit pas à sa bonne fortune. Il regardait Paola comme si elle était la huitième merveille du monde. Et elle n'en était pas loin, il fallait le reconnaître ; sa chevelure rousse qui dansait sur ses épaules, ses grands yeux verts, sa bouche pulpeuse attiraient les regards tout comme sa démarche féline, sa taille élancée. Elle était grande, mais ne projetait pas la même image que Cristelle qui avait une attitude plus imposante, plus forte. Cristelle Bouchard. Pourquoi pensait-il à elle à cet instant, pendant cette soirée d'anniversaire ? Alors qu'il était bien évident que Mary ne l'aurait jamais invitée à se joindre à eux. Parce qu'il l'avait croisée trois fois au cours de la semaine ? Et que ces coïncidences l'avaient d'abord étonné, puis alerté ? Car il ne croyait pas aux coïncidences. Il avait eu beau se creuser la tête, il n'y avait aucune explication à la présence de Cristelle à la banque, à la pharmacie et au supermarché en même temps que lui. Elle lui avait souri à chacune de ces rencontres, lui avait redit combien elle était contente de sa nouvelle voiture, mais Ian sentait qu'un truc clochait. Et alors que Serge remplissait son verre de Deutz et s'excusait parce que le champagne débordait de la flûte, Ian comprit ce qui lui semblait étrange : Cristelle n'avait jamais eu l'air surprise de le rencontrer. Cette soudaine évidence le perturba, mais Marine et François lui tendaient leur cadeau en s'excusant de l'avoir si mal emballé.

— On a manqué de papier, confessa Marine. On espère que tu ne l'as pas déjà, mais Mary nous a dit qu'elle n'en avait pas vu dans ton atelier…

Ian déchirait le papier, ouvrait la boîte, découvrait la perceuse électrique dont rêvait tout bricoleur.

— Vous êtes fous ! C'est exagéré !

— Tu nous feras un beau berceau quand tu maîtriseras l'outil, fit François en posant sa main sur le ventre de sa femme.

Il y eut quelques secondes de silence, puis Mary poussa un cri de joie, suivie de Ian et des autres convives.

— On attendait une bonne occasion pour vous annoncer que Marine est enceinte, ajouta François.

— Je lève mon verre à cette excellente nouvelle, dit aussitôt Ian. Et merci à vous tous d'être ici.

Il se tourna vers Mary, inclina la tête en signe de gratitude.

— Je suis vraiment content de vous avoir avec nous et c'est grâce à Mary qui a tout organisé !

— Je n'ai pas tant de mérite, protesta-t-elle. Je n'ai pas tout fait. J'ai acheté les bouchées chez un traiteur…

— Je sais ce que je dis. J'ai la meilleure des épouses !

Mary continua à secouer la tête tandis que Ian portait un toast à sa santé. Elle lui sourit avant de se diriger vers la cuisine pour vérifier la cuisson des feuilletés. Marine offrit son aide, mais Mary la refusa.

— Je n'ai rien à préparer, tout est prêt.

Quelques minutes plus tard, Ian la rejoignit et s'étonna de découvrir Mary en larmes.

— Qu'est-ce qu'il y a ?

— Je ne sais pas, fit-elle en s'essuyant les yeux. C'est de voir que le temps passe si vite. Ce sera mon tour l'année prochaine d'avoir quarante ans… Je suis ridicule, non ?

— Non, tu es un peu émotive, c'est le champagne, décréta Ian. Tu devrais être aussi contente que moi, c'est vraiment une bonne soirée. Et Marine qui est enceinte, je suis ravi pour eux. Je me souviens quand tu attendais Jasmine. Tu étais tellement belle.

— Elle ne semble pas nous en vouloir d'avoir refusé que Mylène soit là ce soir, fit remarquer Mary. Mais si Mylène était venue, on aurait été obligés d'inviter ses parents. Cristelle a bien essayé de m'y forcer, mais ça n'a pas fonctionné.

— Que veux-tu dire ?

— Cristelle est venue acheter une robe et m'a posé des questions sur cette soirée, sur nos invités, sur ta famille.

— Ma… ma famille ?

— Si ta famille allait venir pour ton anniversaire, si on faisait une grosse fête, s'il y avait beaucoup d'invités. Tu vois le genre…

Elle a toujours été fouineuse. Et Matis s'éloigne de plus en plus de Lucas. Il dit qu'il est trop immature.

— Immature ? C'est notre gars qui dit cela ? plaisanta Ian en s'efforçant de parler d'une voix naturelle. Notre fils qui oublie son lunch une journée sur deux ? Notre fils qui sautait sur mes genoux l'an dernier ?

— Quand je pense à ce qui est arrivé à son ami Jérôme à l'aréna, soupira Mary d'un ton si chargé d'émotion qu'il incita Ian à changer de sujet pour éviter de nouvelles larmes.

— Je n'en reviens pas d'avoir eu la fameuse perceuse. Je suppose que c'est Jean-René qui t'a fait la suggestion quand vous avez dîné ensemble.

— Jean-René ? répéta Mary en se penchant brusquement vers la porte du four.

— Je lui en avais parlé quand il est venu faire laver son auto en revenant de la chasse. Il ne t'a pas dit qu'il a heurté un chevreuil et…

Mary poussa un petit gémissement en posant sa main sur le bas de son dos.

— Oh non ! Pas encore ! fit-elle.

— Ton nerf sciatique ?

— C'est ça, friser la quarantaine, dit Mary en se redressant lentement. Je te laisse apporter les feuilletés au fromage à nos invités.

Tout en prenant le plateau d'amuse-gueule, Ian confia à Mary qu'il était surpris de ne pas voir Jean-René et Evelyne. Elle geignit de nouveau en se massant les reins avant de hausser les épaules. On ne pouvait pas inviter tout le monde. De toute façon, Evelyne refusait une fois sur deux.

— Apporte le plateau avant que les feuilletés refroidissent. Je te suis avec les asperges au prosciutto.

— Ça sent bon, fit Ian en sortant de la cuisine.

Il s'arrêta sur le seuil de la porte, se tourna vers Mary.

— Merci, merci vraiment d'avoir tout organisé. C'est une belle fête ! J'espère que Jean-René et Evelyne ne seront pas vexés qu'on ne les ait pas invités.

Mary battit des paupières, sentit son pouls s'accélérer, ses doigts se crisper sur un rouleau d'asperges au jambon. Pourquoi Ian lui reparlait-il encore de Jean-René ?

— Je sais que tu as dîné avec lui.

Que devait-elle répondre ? Elle se frotta de nouveau le bas des reins. Finit par dire que Jean-René était venu acheter un chandail pour Evelyne.

— C'était l'heure du lunch, on a mangé une bouchée à côté de la boutique. Tu étais dans le coin ? Pourquoi tu n'es pas entré dans le restaurant ?

— C'est Serge qui vous a vus. Je suppose que c'est à ce moment-là que Jean-René t'a conseillée pour la perceuse.

— C'est certain que je n'aurais jamais pu choisir un outil sans demander l'aide de Jean-René, fit Mary d'un ton plus assuré. Va porter les feuilletés !

— Ça va ? Tu es toute rouge…

— C'est l'alcool, dit Mary. Je suppose que je le supporte moins en vieillissant. Occupe-toi de nos amis. Je vous rejoins tout de suite.

Des exclamations gourmandes saluèrent Ian quand il déposa le plateau de feuilletés sur la grande table du salon. Au lieu de s'asseoir avec les convives, il retourna à la cuisine. Mary fixait l'assiette de rouleaux d'asperges.

— Ça ne va pas mieux ?

— Non, oui. J'arrive.

— Je vais apporter l'assiette. Ne marche pas trop vite, ménage ton dos.

— Je prendrai un anti-inflammatoire avant de me coucher.

Ian ouvrit la porte de la cuisine et dit à Mary qu'il s'occuperait de faire le service pour la soirée.

— Mais c'est ta fête !

— Tu t'installes dans un fauteuil et tu ne bouges plus.

— Je ne te mérite pas, murmura Mary.

: :

Mardi 15 novembre

Toutes les lampes étaient allumées dans la salle de réunion, mais Maud Graham avait l'impression qu'il faisait toujours aussi sombre, que le ciel gris pénétrait dans les bureaux, teintait les murs, les corridors d'une couleur aussi incertaine que déprimante. La neige des derniers jours n'avait pas suffi à éclaircir la ville, il aurait fallu une bonne tempête. D'un autre côté, il était préférable que Maxime et Alain n'aient pas pris la route dans de mauvaises conditions. Elle les imaginait bien tous les deux, écoutant la musique à plein volume, s'arrêtant pour manger à Nicolet avant que Maxime réintègre l'école de police. Elle les voyait attablés devant une poutine, discutant de tout et de rien et s'émerveillait encore de la complicité qui les unissait. Dès qu'ils s'étaient rencontrés, ils s'étaient bien entendus. Maxime disait qu'Alain et elle n'avaient pas eu le choix : il était le seul enfant dans leur entourage. Les nièces de Graham ne comptaient pas, elles étaient grandes et habitaient à Ottawa. La première fois que Maxime les avait vues, au jour de l'An chez les parents de Maud, il les avait trouvées étranges : elles n'avaient pas voulu manger de ragoût ni de tourtière, s'étaient contentées de la salade d'épinards aux noix et des pommes de terre au four.

— Je ne comprends pas quelqu'un qui n'aime pas la tourtière ! avait dit Maxime à Maud. C'est le *top*. Et celle de ta mère est vraiment bonne. Pas comme celle de ma grand-mère, mais vraiment bonne.

— Maman cuisine le pâté à la viande, tandis que ta grand-mère fait la fameuse tourtière de votre région. C'est long à préparer un cipâte, elle est patiente.

— C'est sûr.

Graham s'était dit que cette grand-mère avait dû avoir besoin de beaucoup de patience pour élever seule le père de Maxime, le voir partir avec une bande de musiciens à peine plus âgés que lui, la laisser sans nouvelles, puis revenir lorsque les disputes avaient dissous le groupe. Quand avait-elle compris que Bruno se droguait? Qu'il était mêlé à toutes sortes de trafic? Graham avait connu Bruno des années auparavant et il était rapidement devenu son informateur. Elle n'avait jamais voulu définir le lien qui l'attachait à son indic. De l'intérêt teinté de pitié? Et d'angoisse quand, plus tard, Bruno et Maxime avaient été blessés par balles. Et de doute quand l'enfant était resté avec elle, tandis que Bruno était retourné vivre au Saguenay où il demeurait depuis. Elle avait craint longtemps qu'il lui reprenne Maxime. Ou que sa mère décide d'assumer son rôle. Mais après avoir vu Maxime de façon sporadique durant quelques années, celle-ci avait disparu avant de refaire surface récemment.

Et maintenant Maxime étudiait à Nicolet. Maxime qui avait été absolument franc sur le passé de son père lors de ses entretiens à l'école de police. Graham avait répété à Maxime combien elle était fière de lui. Il lui avait souri en lui disant qu'elle devait cesser de le complimenter, qu'il deviendrait prétentieux. Elle avait protesté, cela n'arriverait jamais. Elle avait peu de certitudes dans la vie, mais elle était persuadée que Maxime serait toujours aussi modeste et attachant. Plus grave sûrement quand le métier lui aurait fait voir ce qu'elle avait vu, plus sérieux, peut-être plus dur, mais Maxime resterait son Maxime.

Une odeur sucrée tira Maud Graham de ses réflexions. Elle se tourna vers McEwen et Bouthillier qui la rejoignaient pour le *briefing*. Ce dernier finissait de grignoter un muffin aux bleuets. Il tenait un sac en papier, le tendit vers elle.

— Il en reste un.

— Non, merci, répondit Graham en faisant appel à toute sa volonté pour résister à la pâtisserie.

— Certaine ? insista Pascal Bouthillier. Tu ne me prives pas.

— J'ai déjeuné avant de partir de la maison, dit-elle tandis que Joubert et Nguyen arrivaient à leur tour, suivis de deux autres enquêteurs.

La réunion pouvait commencer. Joubert se chargea de résumer l'activité des derniers jours, puis céda la parole à Tiffany McEwen qui souhaitait parler du dossier Poitras.

— Je ne sais pas quoi en penser, avoua-t-elle en tapotant les notes qu'elle avait déjà relues plus d'une fois. On n'hérite pas de ce genre d'affaire habituellement.

— C'est celle du petit jeune dans le coma ? vérifia Bouthillier. J'étais absent la semaine dernière.

— Oui. J'ai recueilli des témoignages qui ne concordent pas.

— Et on n'a pas de vidéo de l'incident, compléta Nguyen. Les caméras ne couvrent pas cet angle de la patinoire.

— Qu'est-ce qui vous dérange ? s'enquit Maud Graham.

— On a un ado entre la vie et la mort à Saint-François d'Assise, dit McEwen, et je n'arrive pas à savoir s'il a été victime d'un accident ou d'une agression. Mais ce qu'on sait, c'est que Jérôme Poitras et Jason Gascon se détestent et qu'ils étaient les derniers sur la patinoire quand ça s'est produit. D'après l'entraîneur et leur enseignant, ils s'étaient chamaillés plus tôt, mais il n'y a pas eu de problème durant l'entraînement. C'est après que tout s'est gâté.

— Ça me décourage, fit Nguyen. Jason Gascon a treize ans ! Qu'est-ce qui lui a pris d'envoyer sa rondelle en pleine face de Jérôme ? Il savait ce qu'il faisait ! Ce n'est pas un bébé !

— D'après le compte-rendu des témoignages, Jason soutient qu'il n'a pas voulu atteindre Jérôme, nota Graham qui écoutait Nguyen et McEwen tout en parcourant de nouveau le rapport d'incident. C'est peut-être vrai. Qu'est-ce qui vous pousse à douter de sa version ?

— Un autre jeune, William Germain, nous a dit que Jason avait juré de se venger de Jérôme.

— Se venger de quoi ?

— Ce n'est pas clair, dit McEwen. William pense que Jason en veut à Jérôme parce qu'il lui a piqué sa blonde. Mais Jérôme ne sort pas avec cette Mila.

Maud Graham observait Tiffany qui n'avait cessé de maltraiter une mèche de ses cheveux.

— Qu'est-ce qui t'irrite autant ?

— De ne pas avoir trouvé d'autres jeunes pour nous parler de la relation entre Jason et Jérôme. William a fait semblant d'aller aux toilettes et m'a parlé quand je suis sortie de la salle où on a rencontré les élèves. Il ne veut pas que les autres le prennent pour un *stool*. Il prétend qu'Étienne Frappier n'était pas encore rendu dans le vestiaire au moment où Jason s'en est pris à Jérôme et qu'il a sûrement vu quelque chose. Mais quand on a interrogé Étienne Frappier, il a juré qu'il ne savait rien.

— Il était cependant hyper mal à l'aise, rappela Nguyen. Incapable de me regarder dans les yeux.

— Et nous n'étions pas seul à seul avec les jeunes, mentionna McEwen. L'intervenant social du collège était présent. Je ne sais pas si cela nous aidait ou nous nuisait…

— On dirait qu'il y a une loi du silence dans ce groupe, reprit Nguyen. On doit en apprendre plus sur ce Jason.

— Tout le monde s'entend pour affirmer que c'est un excellent joueur, dit McEwen. Depuis le début de la saison, c'est celui qui a marqué le plus de buts.

— Tu sous-entends qu'il sait viser ? Que son tir était sciemment dirigé contre Jérôme ? demanda Joubert.

— C'est ce qu'on cherche à savoir.

— Et à prouver, soupira Nguyen. Peut-être qu'il est protégé parce que c'est le meilleur joueur.

— On voudrait ménager celui qui peut faire gagner l'équipe ? dit Graham. On fermerait les yeux sur son comportement ?

— Pas à ce niveau-là, tout de même! s'insurgea Joubert. Ce sont des enfants, pas des athlètes des ligues majeures!

— Jason Gascon a treize ans, répéta Nguyen. Je sais bien qu'on peut être malfaisant à tout âge, mais… Mon fils a douze ans, je ne l'imagine pas faire ce genre de choses. Ni personne de son groupe d'amis. Il me semble que…

Il se tut subitement, se rappelant que ses propres parents avaient autrefois été dénoncés par leur neveu de onze ans.

— Il faut qu'on retourne à l'école, dit McEwen. On a donné nos cartes à chacun des élèves interrogés, mais je doute qu'ils nous rappellent spontanément. On doit reparler aux enseignants.

— Ils ont sûrement repensé à des détails depuis votre visite, assura Maud Graham. Mon amie Léa finit toujours par être au courant de ce qui se passe dans son collège. Ce doit être la même chose pour celui-ci. Les profs finiront par nous apprendre un truc ou deux. Tout se sait toujours…

— Mais ça prend du temps! se lamenta McEwen.

— Peut-être que Jérôme se réveillera bientôt et pourra raconter ce qui s'est passé, l'encouragea Joubert. On saura si des accusations seront portées contre Jason.

— Les médecins ne peuvent pas se prononcer. Franchement, j'aime mieux avoir des pourris en face de moi plutôt que des gamins.

— J'ai une nouvelle qui va te changer les idées, reprit Graham. Il paraît que notre Pierrot national va prendre le chemin du pénitencier pour un bon bout de temps.

La nouvelle de l'arrestation du trafiquant fut aussitôt applaudie.

— J'aurais voulu l'arrêter moi-même, confessa Pascal Bouthillier. On a travaillé fort sur son dossier. Là, c'est l'équipe de…

— L'important, c'est qu'il ne soit plus dans le trafic, dit Graham.

Elle comprenait la frustration de Bouthillier. Elle aussi avait connu ce sentiment, plus jeune, lorsqu'une affaire lui échappait. Elle se souvenait du dépit qu'elle éprouvait alors et s'interrogea:

était-elle devenue si sage? Désabusée? Où étaient passées l'impatience et la fougue qui l'animaient auparavant? Avait-elle tant vieilli?

Elle jeta un coup d'œil à Michel Joubert qui buvait son café en souriant; il ne semblait pas vexé que les lauriers de l'arrestation ne leur reviennent pas. Il était pourtant plus jeune qu'elle, il aurait pu s'énerver, mais il restait calme. Cela n'avait rien à voir avec l'âge. Non. Elle avait simplement appris à orienter ses énergies vers les bons combats, à ne pas se mettre en colère inutilement, à reconnaître ce qui était important. Et là, ce qui comptait vraiment était que le gros Pierrot Desruisseaux soit condamné. La frustration serait cependant légitime s'il s'en tirait avec une peine trop légère. Mais ce n'était pas à l'ordre du jour.

— Qu'est-ce qu'on a de nouveau au sujet de la série de viols? s'informa-t-elle.

— Pas grand-chose, reconnut Nguyen.

— Le portrait-robot n'a pas donné les résultats escomptés, fit McEwen. Les témoignages de nos victimes divergent. Elles ont été attaquées par-derrière, il faisait sombre, elles n'ont pas bien vu le visage de l'homme. On n'était donc pas certains de montrer un portrait qui colle à la réalité quand on a fait le tour des bars, des commerces près du lieu des agressions. La seule constante, c'est ce petit lapin en peluche que deux des trois victimes ont vu, que l'agresseur semble avoir laissé sur place avant de s'enfuir.

— C'est vraiment dommage qu'aucune n'ait ramassé les lapins. On aurait peut-être eu…

— On a fait le tour des commerces, poursuivit Tiffany. Personne ne se souvient d'un type qui aurait acheté plus d'un lapin en peluche en une seule visite.

— Un lapin? dit Joubert. À quoi ça rime?

— Qu'il est chaud comme un lapin? suggéra Nguyen.

— Il se vanterait de ses prouesses? ajouta Graham. Il signerait ses crimes? Habituellement, c'est une caractéristique des tueurs. Des malades narcissiques. Je n'aime pas ça du tout.

— Si c'était un touriste ? réfléchit Joubert. Qui commet ses crimes sans s'inquiéter parce qu'il sait qu'il va quitter la région ?

— Quelqu'un qui serait venu vivre à Québec durant quelques semaines ? Oui, peut-être. Les agressions étaient préméditées.

— Préméditées ? releva McEwen. Il s'est jeté sur elles comme une bête. Comme s'il suivait une impulsion. Tu es certaine de ça ?

— Oui, affirma Graham, il savait parfaitement où entraîner ses proies. Il avait repéré le trajet de chacune d'elles, savait où il pouvait agir. Il connaît bien les parcs, les abords de la Saint-Charles, les rues plus sombres. Ce criminel semble sûr de lui.

— S'il était toujours à Québec, il aurait continué, non ? souligna McEwen. On ne nous a rien signalé depuis trois semaines, alors qu'il y a eu des agressions en septembre et en octobre.

— Et si c'était un étudiant étranger venu ici pour un trimestre ? reprit Joubert. Ses victimes sont plutôt jeunes. On en a deux qui sont en première année à l'université, une au cégep.

— On ferait mieux de l'arrêter avant qu'il rentre chez lui pour les fêtes, s'écria Bouthillier.

— Il ne doit pas habiter sur le campus, dit McEwen. Les viols ont tous eu lieu dans un rayon de cinq kilomètres autour de la rivière Saint-Charles.

— C'est peut-être un élève du cégep de Limoilou, proposa Bouthillier.

— Il y a aussi des étrangers qui viennent travailler à Québec, observa Joubert. Pas seulement des élèves.

— Les victimes ont dit que l'homme n'avait pas d'accent, dit Bouthillier. Ce n'est pas un étranger.

— Non, le corrigea Graham. Elles ont dit qu'il parlait comme un présentateur à la télé. Sans accent particulier. Tenons compte de cette nuance.

— Un français international, compléta McEwen.

— Et s'il venait à Québec seulement pour commettre ses agressions ? suggéra Graham. Elles ont toutes eu lieu un samedi.

— Tu penses qu'il se rendrait à Québec, par l'autocar de Montréal ou d'Ottawa, et qu'il repartirait ensuite ?

— Tout est possible, soupira Graham. Pour lui, ce serait un genre de tourisme sexuel, moins loin, moins cher que la Thaïlande. J'ai l'air cynique, je sais…

— Mais tu peux avoir raison, fit Michel Joubert.

— J'aimerais mieux me tromper.

Elle haussa les épaules en regardant ses collègues, puis s'efforça de montrer plus de dynamisme. On ferait le tour des hôtels, on s'informerait dans les hôpitaux pour savoir si des internes avaient fait des stages, si des médecins étaient venus donner des cours. Idem pour l'université.

— Et on refait le tour des bars. Les victimes revenaient toutes d'une soirée, quand elles ont été agressées. Pour l'instant, personne n'a reconnu le suspect du portrait-robot, mais on continue à montrer son image. Et on n'oublie pas Jeannot Lapin.

Bouthillier tira le muffin aux bleuets du sac de papier et Maud Graham regretta durant quelques secondes d'avoir refusé son offre. Il dégageait encore cet arôme caramélisé qui la fit saliver. Elle se leva subitement, elle devait boire un thé. Zéro calorie. Zéro culpabilité. Et tout de même un peu de plaisir. Elle aimait vraiment le Sencha Fukamushi.

Qui aurait accompagné parfaitement le muffin.

: :

Mercredi 16 novembre

C'était bien Victoria Enriquez qui souriait aux photographes. Victoria dans une robe en soie noire de Christian Lacroix. On apercevait le bout d'une chaussure. Louboutin, sûrement. Et les bijoux de chez Cartier ? Ou Chopard ? Victoria Enriquez qui allait épouser le magnat Frank Gordon. Beau, riche, célèbre. Cristelle lança le magazine de mode de toutes ses forces en hurlant. Elles avaient débuté ensemble ! Victoria avait autant de grâce qu'une autruche ! C'était elle, Cristelle, qui savait adopter cette démarche dansante qu'on disait si sensuelle. Et que Victoria avait copiée. Victoria qui avait emménagé à Paris après le défilé à New York. Le dernier gros défilé pour Cristelle et le début d'une carrière internationale pour Victoria. Cristelle avait souvent revu son ancienne rivale dans le *Vogue*, le *Harper's*, le *Marie Claire*, avec chaque fois un sentiment d'injustice. Puis il y avait eu le scandale qui avait terni l'image de Victoria et réjoui Cristelle.

Mais voilà qu'elle revenait sur la scène ! Pour épouser un milliardaire ! Qui s'installerait à Venise ou à Londres ou à Capri ! Cristelle se pencha pour récupérer le magazine, descendit au premier, se dirigea vers l'âtre, écarta les grilles du pare-feu, roula le magazine et le cala entre deux bûches, ajouta de fines lattes de bois, gratta une allumette qui embrasa le papier glacé. Les pages se recroquevillèrent, se désagrégèrent, les lattes prirent feu, les flammes les léchèrent, les consumèrent, puis diminuèrent en intensité, s'évanouirent. Les bords du magazine étaient calcinés, mais son cœur était intact. Cristelle saisit le tisonnier et se mit à piquer le magazine avec fureur.

Ce n'était pas juste ! Victoria avait été mêlée à l'accident qui avait coûté la vie à un vieillard et personne ne semblait s'en souvenir. Ce n'était pas elle qui conduisait, certes, mais elle n'avait pas empêché son compagnon de l'époque de prendre le volant alors qu'il était ivre. Et aussi drogué qu'elle. Pourquoi avait-elle droit à tout ce bonheur ? À cette vie de rêve ? Tandis qu'elle-même végétait à Québec. Et que plus personne ne se souvenait d'elle ni de sa beauté. Ce n'étaient pas les banals compliments de David ni les commentaires admiratifs de Mary, qui affirmait que personne ne mettait mieux qu'elle ses vêtements en valeur, qui pouvaient lui remonter le moral. De toute manière, Mary devait être gentille avec elle pour continuer à lui vendre des robes.

C'était dans son intérêt. Elle était simplement hypocrite. Toutes ses simagrées quand elle lui avait parlé de la famille de Ian en étaient la preuve. Et elle mentait lorsqu'elle lui avait dit que Matis avait retenu l'attention de l'entraîneur. Le nouvel ami de Lucas, Jason Gascon, était le meilleur joueur de l'équipe. Serait-il suspendu encore longtemps? C'était injuste qu'il soit puni. D'après Lucas, il avait accidentellement lancé sa rondelle vers Jérôme. Mais Gilbert Cloutier ne voulait rien comprendre. Devrait-elle tenter de discuter avec lui ou perdrait-elle son temps avec un type aussi borné?

::

Jeudi 17 novembre

Maud Graham avait lu les rapports de McEwen et Nguyen sur l'incident qui avait eu lieu à l'aréna sans réussir à déceler un élément qui lui aurait permis de se faire une meilleure idée de la situation. Elle soupira. Elle ne changerait jamais. Parviendrait-elle un jour à faire davantage confiance à ses collègues? Elle n'y arrivait qu'à moitié, ce qui était plutôt étrange puisqu'elle les estimait réellement. Avec le temps, elle aurait dû apprendre à déléguer. N'était-ce pas ainsi que Rouaix avait agi avec elle? Et Gagné avec Rouaix auparavant? Mais elle continuait à vouloir tout vérifier. Même si rien n'indiquait clairement qu'il y avait matière à poursuite criminelle, même si c'était le genre d'affaire dont on ne s'occupait plus à son niveau. Maxime lui avait dit un jour qu'elle aimait furieusement contrôler les choses et, même si elle était persuadée qu'il s'agissait des paroles d'un adolescent qui voulait plus de liberté, elles lui revenaient souvent à l'esprit. Elle enfila son Kanuk, attrapa son grand sac et se résigna à affronter le froid. Elle grimaça en poussant la porte, elle détestait l'humidité. Une rafale la décoiffa et elle pesta jusqu'à ce qu'elle soit assise dans sa voiture. Elle était de mauvaise foi : elle râlait alors qu'elle savait parfaitement que cette affaire lui servait de prétexte pour sortir du poste. Elle préférerait toujours être sur le terrain. Même les journées froides, même lorsque la nuit tombait comme maintenant avant la fin de l'après-midi. Jamais elle n'accepterait un rôle à la direction, comme l'avait suggéré Jean-Jacques Gagné. Pour rédiger encore plus de paperasses ? Non merci.

Elle écouta distraitement les informations en conduisant, se disant qu'elle ne devait pas oublier de réserver une table pour Léa et elle Chez Jules, où elles adoraient le service et où, chaque lundi, on servait des cuisses de grenouille frites absolument divines dont elles raffolaient toutes les deux. Léa corrigerait des copies au collège jusqu'à 18 h, puis elles se retrouveraient rue Sainte-Anne, se rappelleraient qu'elles allaient déguster de la fondue chinoise au Chalet suisse quand elles étaient plus jeunes. Elles demandaient toujours à être placées du côté de l'aquarium. Et elles savouraient le bouillon dans lequel Micheline cassait un œuf à la fin du repas. Graham saliva en se remémorant ces soupers avec sa meilleure amie. S'émerveilla encore une fois de la solidité de leur relation après toutes ces années. Quelle femme serait-elle devenue sans Léa ? Contrairement à cette dernière, elle n'avait pas d'amis en dehors du travail. Léa était son ouverture sur un autre monde. Sur une autre forme de relation. Une autre sorte de sécurité. Avec Rouaix, Joubert ou McEwen, cette confiance s'inscrivait au cœur même de leur travail. Ils devaient pouvoir compter les uns sur les autres, se connaître suffisamment pour anticiper une réaction, pénétrer l'esprit du partenaire, le suivre, faire corps avec lui, le protéger et être protégé. Des dangers réels, des démons intérieurs, des cauchemars. Alain la devinait souvent, mais discernait-il avec la même acuité tous les détails d'une scène de crime quand l'odeur de la violence est encore perceptible ? Pour Graham, elle était ferreuse, métallique. Même quand il n'y avait pas de sang. Poisseuse aussi. Elle portait toujours des gants quand elle s'approchait d'une victime, mais se lavait néanmoins les mains quand elle revenait au poste. Et elle respirait la manche gauche de son vêtement pour retrouver un parfum familier, mélange de celui qui régnait à la maison et d'un soupçon de Voyage. Les notes herbacées du parfum d'Hermès la réconfortaient toujours. C'était Léa qui le lui avait offert en espérant qu'il lui conviendrait. «Il sent un peu la coriandre et le persil, ce que tu aimes.» Il évoquait surtout leur amitié et l'effet apaisant que Léa avait sur elle. Léa qui ne la jugeait jamais. Qui avait plus de tolérance qu'elle-même pour ses erreurs.

Elle se gara devant l'entrée principale de l'aréna, glissa en sortant de la voiture, se rattrapa de justesse à la portière qu'elle claqua d'un geste sec. L'humidité, bien plus vive que celle de l'extérieur, la saisit dès qu'elle poussa la porte. Et l'écho des cris des jeunes, des rondelles qui rebondissaient sur la bande de la patinoire. Elle s'avança vers les gradins, monta quelques marches, s'assit en retrait des parents qui regardaient évoluer leurs enfants. Ils étaient peu nombreux en cette fin d'après-midi. L'entraîneur multipliait les coups de sifflet qui résonnaient sous l'immense voûte. Graham se souvenait des incroyables clameurs du public, lorsqu'elle assistait aux matchs de Maxime. Se souvenait qu'elle se levait à tous moments de son siège pour mieux l'encourager. Elle le trouvait si petit sur la glace.

Elle se releva pour longer le dernier rang des gradins, fit le tour de l'aréna, vérifia l'emplacement des caméras, puis revint s'asseoir pour observer la fin du jeu avant de s'entretenir avec l'entraîneur. Nguyen avait noté dans son rapport que Gilbert Cloutier semblait très dévoué, qu'il se levait à l'aube depuis des années pour retrouver les jeunes à l'aréna, qu'il connaissait Jason et Jérôme et tous les autres gamins des écoles avoisinantes qui débarquaient tour à tour à l'aréna avec leur enseignant. Plusieurs d'entre eux faisaient partie d'une équipe de hockey et lui étaient confiés, dont Jason et Jérôme. Oui, il avait flairé une certaine tension entre eux, mais ne croyait pas que Jason avait eu l'intention de blesser son coéquipier. «Des accidents, ça arrive fréquemment», avait-il déclaré.

Maud Graham voulait tout de même savoir depuis quand durait ce conflit entre les deux adolescents. Un coup de sifflet arrêta les joueurs cinq minutes avant la fin de l'entraînement et Gilbert Cloutier ordonna à un des jeunes de quitter la patinoire. L'adolescent rouspéta, mais Cloutier esquissa un geste pour le chasser vers le banc des joueurs. Graham entendit alors un cri à côté d'elle, vit une femme aux cheveux sombres se lever pour protester. Elle resta debout quelques secondes, mais finit par se rasseoir, tourna la tête vers un voisin pour le prendre à témoin : l'entraîneur avait puni son fils sans raison, non ? L'homme haussa les épaules, il n'avait pas vu ce qui s'était passé. La femme rejeta sa chevelure vers l'arrière d'un mouvement de tête excédé, puis ramena sa fourrure sur ses épaules avant de saisir son fourre-tout. Quand la sirène retentit, à la fin de la partie, elle avait déjà descendu les gradins. Graham paria qu'elle voulait discuter avec l'entraîneur et la suivit. Elle vit la femme attendre devant le vestiaire, appréhender Gilbert Cloutier lorsqu'il en sortit.

— Je ne comprends pas pourquoi vous avez puni Lucas, lança-t-elle d'un ton peu amène.

— Parce qu'il a donné un coup de coude à Matis. C'est interdit. Et il le sait.

— Je n'ai pas vu la même chose que vous ! protesta la femme.

— Madame Lenoir, commença l'entraîneur, il y a…

— C'est Bouchard, Cristelle Bouchard. Lenoir est le nom de mon mari, Maître Lenoir.

— Lucas doit se conformer au règlement comme tout le monde. Il était furieux parce que son équipe perdait la partie. Ça ne lui permet pas de taper sur un adversaire.

— Il l'a heurté involontairement.

— Ce n'est pas ce que j'ai vu. Et je ne tolère pas ce genre de comportement ici.

— Ça n'en restera pas là, assura Cristelle Bouchard.

— Il faudrait que Lucas apprenne à accepter la défaite. Ça fait partie du jeu.

Maud Graham choisit ce moment pour intervenir.

— Monsieur Cloutier?

Au soulagement qu'elle lut dans le regard de Gilbert Cloutier, Graham sut qu'elle venait de se faire un allié. Elle déclina son identité et son titre en tendant la main à l'entraîneur, obligeant ainsi Cristelle Bouchard à reculer de quelques pas. Graham sentit que la femme hésitait à se retirer, mais elle finit par se diriger vers la porte où elle attendit son fils.

— Merci, madame.

— Ils sont nombreux à contester vos décisions?

— Pas trop, heureusement. Certains parents devraient rester chez eux. Ils n'aident pas leur enfant. Vous êtes ici pour l'histoire entre Jérôme et Jason? J'ai déjà parlé à quelqu'un de votre service...

— Je sais, mais un autre œil, une autre oreille. Peut-être que vous penserez à un détail qui nous aidera.

— J'espère que Jérôme va sortir du coma. Il n'y a jamais eu d'accidents aussi graves depuis que je suis entraîneur. Et j'en ai vu défiler, des jeunes... Des Moustiques au Bantam. J'en ai même un qui a été repêché l'an dernier pour les ligues majeures.

— Avez-vous été surpris?

L'homme sourit avant de hocher la tête.

— Je devrais vous dire que non, que j'ai toujours su qu'Olivier avait un réel talent, mais je me méfie des plans sur la comète. C'est facile de dire qu'on a entraîné un surdoué quand il est enfin consacré, mais, au fond, on ne peut pas savoir ce qui va arriver. Personne ici ne savait qu'il réussirait aussi bien. Tous les entraîneurs l'ont vu grandir avec certains espoirs, moi le premier, mais on ne sait jamais ce qui peut arriver.

— Il doit pourtant y avoir des parents qui sont persuadés d'avoir engendré un joueur étoile.

— Oui, c'est sûr.

— Est-ce que c'est vrai que Jason Gascon est performant ?

Gilbert Cloutier hocha la tête.

— Il aurait marqué trois buts dans une même partie, c'est vrai, ça aussi ? Et on dit que ses lancers sont redoutables.

— Il a du talent. Et il le sait.

— Un bon ego ?

— J'ai une couple de petits coqs dans le groupe. Et Jason a toute une cour pour l'encenser.

— Et Jérôme ?

— Non, lui, c'est le contraire. Il joue pour l'équipe, pas pour lui. Ce n'est pas sans raison que je l'ai nommé capitaine.

— Ça n'a pas dû faire plaisir aux coqs.

— Non. Mais Jérôme est le bon candidat.

— Et maintenant ?

Gilbert Cloutier leva les yeux au ciel comme s'il espérait y trouver une réponse, soupira.

— Maintenant, on attend. Je n'ai nommé encore personne pour le remplacer. Par respect pour ses parents. Et parce que j'espère que le vent va tourner, qu'il va se réveiller et revenir jouer avec nous. Il est solide, Jérôme. Il me semble qu'il ne peut pas… S'il n'avait pas enlevé son casque aussi vite…

— Est-ce que Jason aurait pu vouloir blesser Jérôme par dépit ? Ou pour prendre sa place s'il était hors circuit ?

— Si je le savais… Si j'avais été là ! Je m'en veux tellement ! D'habitude, je suis le dernier à quitter la glace, mais j'avais un appel important à faire. Les jeunes ont traîné pour sortir de la patinoire. Le vendredi, ils sont toujours plus dissipés, vous demanderez à leur prof.

— Vous ne pouviez pas deviner, plaida Graham. Mais c'est dommage qu'aucune caméra n'ait filmé l'incident.

— Je vous jure que j'aurais voulu que l'accident soit filmé ! Mais dans l'angle où ça s'est passé, on ne voit pas grand-chose. Vous avez visionné la bande ?

— Je voudrais que vous vous placiez à l'endroit où c'est arrivé et que vous frappiez une rondelle.

Gilbert Cloutier la regarda durant moins d'une seconde avant de lui confier qu'il avait fait lui-même cet exercice après l'accident.

— Et qu'en avez-vous conclu?

— Que ce n'est pas facile de faire un lancer à partir d'un coin. On n'a pas d'espace.

— Pas facile?

— Mais pas impossible. Par contre, ça ne nous dit pas pourquoi Jason a frappé la rondelle. La *game* était finie.

— Jason a déclaré à l'agent Nguyen qu'il avait fait ça distraitement, pour le *fun*, sans y penser. Qu'il aurait tout aussi bien pu ramasser la rondelle que la lancer.

— Il n'est pourtant pas du genre à se ramasser, marmonna l'entraîneur.

— Que voulez-vous dire?

— Qu'il faut toujours lui répéter qu'il n'est pas tout seul dans le vestiaire. Il laisse traîner ses affaires. Comme Lucas Bouchard-Lenoir. Ils font la paire, ces deux-là. Ils se pensent au-dessus de tout le monde. Des gamins trop gâtés.

— Bouchard-Lenoir? Le fils de la femme qui vous a enguirlandé?

Gilbert Cloutier hocha la tête, avant de dire que Cristelle Bouchard avait aussi une très haute opinion d'elle-même.

— Parce qu'elle est mariée à un avocat ou un juge, quelque chose comme ça. Ce n'est pas la première fois qu'elle se plaint de mes décisions. Mais bon, je n'y peux rien.

Gilbert Cloutier garda le silence quelques instants, puis reprit la parole:

— C'est quand même difficile de viser à partir d'un coin.

— Et si Jason avait lancé la rondelle à bout de bras? avança Graham.

L'entraîneur eut un geste d'impuissance; il aurait voulu aider Maud Graham, mais il n'avait rien vu.

— Personne n'a rien vu.

— Comment sont les parents de Jason ?

— Vieux.

— Vieux ?

— Pas mal plus âgés que la plupart des parents des autres joueurs.

— Il a des frères et sœurs ?

— Ses profs pourraient vous le dire. Nous, on voit surtout les parents. Les autres membres de la famille ne viennent pas souvent aux matchs, sauf si on se rend en finale. Là, il y a plus de monde pour encourager les joueurs. Bon, suivez-moi, je vais vous montrer le lancer.

Gilbert Cloutier fit asseoir Maud Graham dans la première rangée, enfila des patins et exécuta le tir plusieurs fois avant qu'elle lui crie d'arrêter. Elle l'attendit hors de la patinoire en ramenant son écharpe contre son cou.

— Vous n'êtes pas frileux, observa-t-elle en désignant la veste en polar de l'entraîneur.

— J'ai passé ma vie dans les arénas. Je suis habitué.

— Votre vie ?

— J'ai la chance d'avoir une femme qui me comprend. On a eu deux filles, mais ni une ni l'autre n'aiment le hockey. Moi, j'en mange. J'ai joué quand j'étais jeune, puis j'ai été blessé, j'ai arrêté, puis je suis revenu comme entraîneur. J'aime voir les jeunes progresser, se surprendre à être meilleurs qu'ils le pensaient. Même ceux qui viennent ici à reculons finissent presque tous par aimer ça.

— À reculons ?

— Quand ce sont leurs parents qui décident.

— Il y en a beaucoup ? dit Maud.

Elle s'interrogeait. Avait-elle poussé Maxime contre son gré ? Avait-il fait semblant d'aimer le hockey ? Non. Non, Alain s'en serait aperçu.

— Pas trop, fit Cloutier. C'est mieux quand l'envie vient du jeune. J'essaie de motiver ceux qui sont obligés, je les pousse à bouger. Ce n'est pas toujours évident.

Maud Graham acquiesça en songeant que Gilbert Cloutier semblait bien être l'homme dévoué que Nguyen lui avait décrit.

— Et ce n'est pas évident non plus d'exécuter ce lancer en partant d'un coin, dit-elle avant de le remercier de lui avoir accordé tout ce temps.

— J'aurais aimé en faire plus. Tenez-moi au courant, je n'ose pas parler aux parents de Jérôme. J'ai peur qu'ils me tiennent pour responsable. Ils auraient raison, d'une certaine manière.

Maud Graham lui serra la main sans répondre. Elle ne pouvait pas lui promettre qu'elle prouverait que Jason avait lancé volontairement la rondelle vers Jérôme. Que ce n'était pas un accident, mais une agression.

À moins de trouver un témoin.

— Il faut que cette affaire-là se règle, reprit Gilbert Cloutier. L'ambiance n'est pas bonne dans l'équipe. Il y en a qui se rangent du côté de Jason, d'autres non. Il se raconte n'importe quoi. C'est pourri. Alors qu'on était si bien partis.

— On fait tout ce qu'on peut, conclut Graham.

5

Mardi 22 novembre

Ian Boisvert demeurait immobile devant la porte de la salle d'exposition, regardant la voiture de Cristelle Bouchard s'éloigner vers le boulevard. Il ne verrait bientôt plus que les phares, puis ils disparaîtraient, se mêleraient aux phares des autres voitures. Il ne pourrait plus distinguer le X6 de Cristelle Bouchard qui s'évanouirait au loin dans le noir. Il était à peine 17 h, mais il faisait sombre comme en pleine nuit. Il vit la camionnette de la compagnie d'entretien se diriger vers l'arrière du bâtiment, se ressaisit, verrouilla la porte et revint dans son bureau.

Comment Cristelle Bouchard avait-elle appris sa véritable identité? Alors qu'il vivait en paix à Québec depuis des années? Elle lui avait dit que David ignorait tout de cette découverte, qu'elle préférait partager ce secret avec lui seul pour le moment. Pourquoi? Pour combien de temps? Quelles étaient ses intentions? Que voulait-elle?

— Je ne sais pas, avait-elle répondu en souriant. On va y aller par étapes.

— Par étapes?

Par étapes vers quelle maudite destination?

— C'est une situation nouvelle pour moi comme pour toi. Aujourd'hui, je voulais simplement te mettre au courant.

Il avait failli lui proposer de l'argent, avait aussitôt balayé cette idée : Cristelle Bouchard n'en avait sûrement pas besoin. Quel but l'animait ? Il devait deviner rapidement ce qu'elle désirait, passer un marché avec elle et l'empêcher de divulguer dans l'immédiat ses informations. Dans l'immédiat ! Parce que Ian savait déjà qu'il n'y avait qu'une solution pour avoir la paix : Cristelle Bouchard devait disparaître.

: :

Mercredi 23 novembre

Mylène observait son reflet dans la glace. Le bleu de l'anorak qu'elle venait d'essayer lui allait vraiment bien, mais cette couleur ressemblait beaucoup au marine de celui de Jasmine : cela agacerait-il son amie qu'elle porte un vêtement semblable au sien ? Peut-être qu'au contraire cela lui plairait qu'elles aient des anoraks quasiment pareils. Quand Mylène s'était coiffée comme elle, Jasmine lui avait dit que relever ainsi ses cheveux mettait son visage en valeur. Elle n'avait pas du tout été fâchée. Mylène pensait même que Jasmine avait été flattée qu'elle l'imite. Et elle n'était pas la seule : Ariane et Flavie remontaient leurs cheveux comme Jasmine, s'habillaient avec les mêmes marques. Toutes les filles voulaient lui ressembler, c'était aussi simple que ça. Jasmine était charismatique, les gars voulaient sortir avec elle, les filles voulaient être son amie.

Mais sa meilleure amie, c'était elle, Mylène Bouchard-Lenoir. Elle avait eu raison de mettre les photos de la soirée d'Halloween sur Instagram. Tout le monde savait qu'elle était la *best* de Jasmine, même si elle était plus jeune qu'elle. On avait enfin arrêté de la traiter de bébé. Ce n'était pas sa faute si elle avait sauté une année scolaire. Elle n'avait jamais demandé à se faire remarquer. Pendant un moment, sa mère en avait parlé à tout le monde, sa fille était tellement brillante, elle était tellement en avance dans ses études. Puis Cristelle avait changé d'attitude : Mylène ne devait pas se croire plus fine qu'elle parce qu'elle était douée en classe. Les résultats scolaires n'étaient pas la seule preuve d'intelligence. Si elle avait su à quel point Mylène s'en foutait !

Le seul moyen d'avoir la paix avec sa mère, c'était de la prendre en photo. Ça fonctionnait à tous les coups. Elle l'avait compris depuis que son parrain lui avait offert un appareil. Sa mère bougeait différemment dès que l'objectif se dirigeait vers elle. L'ennui, c'est justement que ça ennuyait Mylène de photographier Cristelle. Elle lui avait servi de modèle quand elle apprenait à utiliser son Nikon, mais elle ne l'intéressait pas. Elle était tellement figée. Si peu naturelle. Tout le contraire de Mary. Tout le contraire de Jasmine. Jasmine ne s'était jamais recoiffée avant qu'elle prenne une photo. Elle demeurait elle-même. La fille qui pouvait parler à tout le monde, la fille qui n'était jamais embarrassée. Si Jasmine revoyait le gars aux yeux noirs, elle ne serait pas gênée de l'aborder. Ou peut-être que si, un peu, mais elle oserait, elle foncerait, elle lui parlerait. Elle ne resterait pas à ne rien faire dans son coin en espérant qu'on la remarque un jour.

En attendant, Jasmine était retournée deux fois au café où elle avait vu ce type sans tomber sur lui. Mais elle irait à nouveau. Jusqu'à ce qu'elle le revoie. Jasmine était tenace. C'était aussi une de ses qualités. Elle allait au bout de ce qu'elle entreprenait.

Mylène soupira : devait-elle ou non acheter cet anorak ? Elle entendit la voix de sa mère près de la cabine d'essayage qui la pressait de sortir, qui avait trouvé un anorak rouge qui, selon elle, conviendrait mieux à son teint.

Elle prendrait le bleu.

: :

Lundi 28 novembre

Après avoir jeté un coup d'œil par la fenêtre de leur chambre, Ian Boisvert proposa à sa femme de la conduire à la gare. Elle secoua la tête. C'était inutile, elle laisserait sa voiture au stationnement. Elle n'aurait qu'à la récupérer à son retour de Montréal.

— Il va neiger. Tu n'auras pas le goût de la déblayer quand tu débarqueras du train.

— Ce n'est pas une tempête, juste quelques centimètres, dit Mary.

— Je vais t'amener à la gare. On déjeune avec les enfants et on y va.

— Non, non, je suis déjà prête. Recouche-toi, tu as mal dormi, non ? Il me semble que tu t'es levé plus d'une fois.

— Juste pour boire un verre d'eau, mentit Ian.

Il était obsédé par la visite de Cristelle Bouchard. Il ignorait s'il devait prendre les devants, tenter de l'appeler, de la voir. Ou encore s'il devait la laisser mener le jeu. Oui, probablement. C'était une femme qui aimait le pouvoir. Il revoyait son sourire si satisfait, triomphant quand elle lui avait raconté son histoire, l'assurance avec laquelle elle avait posé sa main gantée sur son avant-bras. Comme s'il lui appartenait.

— Je pensais que ton train partait à 8 h 05, reprit-il. Il est tôt…

— Effectivement, répondit Mary en vérifiant le contenu de son sac à main pour éviter le regard de son mari.

Se doutait-il de quelque chose pour insister autant pour l'accompagner à la gare ? Elle ne pouvait pas envoyer un texto à Jean-René devant lui pour annuler ce voyage. C'est pourtant ce qu'il fallait faire ! Mais elle avait trop besoin de le voir, de le toucher.

— L'horaire a changé ? reprit Ian.

— Non, je dois rencontrer Diane. Elle voulait un chandail pour apporter en voyage, mais la boutique était fermée quand elle est passée hier. Je vais le lui remettre à la gare.

— Je ne pensais pas que les clientes t'appelaient à la maison.

— C'est rare, mais cela t'arrive à toi aussi. Je compte sur toi pour réveiller les enfants. Et assure-toi que Matis n'oublie pas son lunch.

Elle saisit son sac de voyage, esquissa un baiser en direction de Ian et quitta leur chambre en s'efforçant de marcher d'un pas mesuré, alors qu'elle avait l'impression que ses jambes tremblaient et la trahiraient. Elle n'aurait jamais dû accepter de rejoindre Jean-René dans cette auberge de l'île d'Orléans. C'était une folie. Mais il lui avait rappelé qu'en évitant de se rendre jusqu'à Montréal comme ils l'avaient fait précédemment, ils seraient ensemble pendant au moins six heures de plus. Avec les fêtes prochaines, ils n'auraient plus une telle occasion de quitter Québec.

Tandis qu'elle enfilait son manteau, Mary entendit Ian s'approcher d'elle. Que voulait-il encore ?

— Je vais m'occuper du souper. Tu m'as dit que tu revenais vers 19 h 30, c'est ça ?

— 19 h 40 si on n'a pas de retard. Quand on laisse passer les trains de marchandises, c'est plus long. Mais je devrais être ici vers 20 h.

— À moins que la tempête s'en mêle. Tu aurais dû reporter tes rendez-vous à Montréal.

— Ce n'est pas une tempête, dit Mary. Je file. À ce soir.

Elle eut l'impression de fuir la maison quand elle s'engouffra dans sa voiture.

Elle aurait dû se rendre directement à l'île d'Orléans, mais si Ian se méfiait ? S'il décidait de la suivre ? Il fallait qu'il la voie entrer dans la gare. Elle déglutit, elle avait du mal à respirer. Elle était ridicule. Pourquoi Ian la suivrait-il, alors qu'il devait réveiller les enfants et déjeuner avec eux ? Si seulement elle avait pu joindre Jean-René ! Mais Evelyne ne quitterait pas leur domicile avant 7 h 30.

Dans quarante-cinq minutes. Même si Jean-René affirmait que l'horaire de sa femme était réglé comme celui d'un ministre, Mary attendrait au moins jusqu'à 7 h 40 pour appeler Jean-René et l'informer qu'elle se trouvait à la gare du Palais et qu'elle le retrouverait à l'île d'Orléans comme convenu.

Elle sortit de la gare à 7 h 50, après être allée aux toilettes pour retoucher son maquillage. Puis elle regagna rapidement sa voiture, sans remarquer qu'une BMW gris métallisé venait de se garer devant l'entrée principale, sans voir son mari sortir de cette voiture, sans voir que Ian s'immobilisait en l'apercevant, sans voir qu'il allait l'appeler, mais qu'il se taisait tandis qu'elle fermait la portière de sa voiture. Elle ne remarqua pas non plus qu'il se rassoyait en laissant tomber l'iPad qu'elle avait oublié à la maison et qu'il s'empressait de lui apporter à la gare avant le départ du train. Et elle ne se rendit pas compte que Ian empruntait comme elle l'autoroute, la suivait alors qu'elle longeait le fleuve, ralentissait tandis qu'elle atteignait le pont de l'île d'Orléans, laissait quelques voitures devancer son BMW X5 avant de recommencer à la suivre.

: :

— Tu n'aurais pas dû en parler à maman, reprocha Mylène à son frère.

— Simon et Matis m'ont encore écœuré, riposta Lucas. Et Étienne aussi.

— Tu n'es pas obligé de leur parler.

— On est dans la même équipe.

— Ça te donnait quoi de mettre ce message sur Instagram ? Tu savais bien que Simon allait réagir ! Tu l'as traité de menteur.

— Il se vante que son père dirige une grosse entreprise en Australie, mais ce n'est pas vrai. J'ai entendu papa en parler avec maman. Le père de Simon gère une petite école de surf. Tout le monde trouve Simon très *hot*, mais il raconte n'importe quoi. Jason le déteste aussi.

— Jason ? Celui qui a blessé Jérôme Poitras ?

— C'était un accident. Ça arrive tout le temps au hockey. De quoi tu te mêles ? Tu n'étais pas là !

Mylène dévisagea son frère. Ne se rendait-il pas compte de la gravité de l'événement ?

— Il n'a pas fait exprès. Sur Instagram, on est une gang à prendre sa défense. Et ça ne serait pas arrivé si Jérôme n'avait pas enlevé son casque.

— Tu me décourages !

— J'aurais pu écrire quelque chose de pire. J'aurais pu dire qu'Étienne et Simon sont des tapettes.

Mylène fixa son cadet avant de lui demander d'où lui venait cette idée.

— C'est quelqu'un qui me l'a dit. Simon est toujours avec Étienne.

— Ils se connaissent depuis la maternelle, rétorqua Mylène. Vous vous connaissez depuis la maternelle.

— Jason est certain que Simon…

— Jason, encore Jason. Tu n'es pas capable de penser par toi-même ? C'est ça le problème avec toi, Lucas. Tu crois tout ce qu'on te raconte et tu le répètes comme un perroquet.

— Qu'est-ce que tu as contre Jason ? glapit Lucas. Tu ne le connais pas !

— Pas besoin, je…

Elle s'interrompit en entendant la porte de la cuisine s'ouvrir, quitta le salon pour gagner sa chambre, revint sur ses pas. Il valait mieux aller à la cuisine, échanger quelques mots avec sa mère, sinon celle-ci viendrait la relancer dans sa chambre et n'en décollerait plus.

— Qu'est-ce qu'on mange pour souper ? demanda-t-elle en ouvrant le réfrigérateur pour y prendre une orange.

— D'abord, bonjour, dit Cristelle d'un ton sec.

— Bonjour, marmonna Mylène.

— Où est ton frère ?

— Il vient de monter dans sa chambre.

— Tu lui as parlé ?

Mylène haussa les épaules en plantant ses ongles dans l'écorce de l'orange.

— C'est toi, l'aînée. Il me semble que tu pourrais le défendre…

— Le défendre de quoi ?

— Simon et sa petite bande ont entrepris de le ridiculiser. Tu ne vas pas rester les bras croisés…

— Tu veux que je me mêle de leurs chicanes de bébés ? Voyons donc !

— Une famille, c'est censé se tenir.

— Ne compte pas sur moi.

— Je ne te demande jamais rien, tu pourrais…

— Je ne pourrai rien du tout, la coupa Mylène. Lucas n'a qu'à s'arranger tout seul.

— Tu ne te rends pas compte des… As-tu seulement lu ce qui est écrit sur Instagram ?

— Non, et ça ne m'intéresse pas.

— C'est parce que tu es amie avec Jasmine, c'est ça ?

— Quel est le rapport avec Jasmine ? soupira Mylène.

— C'est la sœur de Matis, et lui aussi s'en est pris à Lucas.

— Moi, il m'a seulement parlé de Simon, mentit Mylène. Jasmine et moi, on ne s'occupe pas des petites chicanes des garçons. C'est stupide.

— Je n'ai pas envie que toutes ces attaques distraient ton frère, martela Cristelle. Je veux qu'il soit concentré pour étudier. Il va avoir des examens avant Noël. J'espère que tu comprends que c'est important. Lucas a besoin de nous.

— Tu le couves trop.

— Je suis sa mère !

— Laisse-le se débrouiller tout seul pour une fois. Je suis certaine que papa serait d'accord avec moi.

— Mais il n'est pas là pour le confirmer, fit Cristelle.

— Il n'est jamais là.

— Il a des responsabilités. C'est un mot que tu ne sembles pas connaître. Tu t'enfermes dans ta chambre, tu descends pour manger, puis tu retournes dans ta bulle comme si on n'existait pas.

— Parce que j'étudie, moi. Contrairement à ton chouchou qui joue à ses jeux vidéo. Lucas te dit qu'il révise, mais il te ment en pleine face et tu ne t'en aperçois même pas!

Cristelle saisit le poignet de Mylène qui échappa son orange.

— Je ne te permets pas de me critiquer. Je fais tout ce que je peux pour vous! J'ai laissé ma carrière pour vous élever et c'est comme ça que tu me remercies?

— Je ne t'ai rien demandé, riposta Mylène. As-tu fini?

— Je vais parler à ton père de ton attitude…

— Ça va être difficile vu qu'il n'est jamais là. Sais-tu pourquoi il a accepté d'être juge? Je suis certaine que c'est pour être ici encore moins souvent. Et je le comprends!

Cristelle gifla Mylène qui tituba, s'appuya contre le comptoir de la cuisine avant de dévisager sa mère. Elle ouvrit la bouche comme si elle allait parler, la referma et quitta la pièce sans dire un mot. Cristelle fixa durant quelques secondes sa main droite, étonnée d'avoir porté ce coup, hésita à rattraper Mylène, puis se dit que sa fille l'avait poussée à bout. Elle avait tellement changé au cours de la dernière année! Si elle n'avait pas fouillé sa chambre sans rien découvrir d'anormal, elle aurait pensé que sa fille se droguait. Mais il n'y avait aucun indice en ce sens et ses notes étaient excellentes dans toutes les matières. Depuis toujours. Elle retenait tout. Comme son père. Elle lui ressemblait de plus en plus. Quand elle s'était plainte à David de l'attitude distante de Mylène envers elle, il avait soupiré: qu'avait-elle précisément à lui reprocher?

Cristelle vit son reflet dans la fenêtre de la cuisine, replaça sa mèche de cheveux, fronça les sourcils en s'apercevant qu'elle avait perdu sa boucle d'oreille en or. Elle se pencha pour scruter vainement le sol de la cuisine, se releva, saisit son manteau qu'elle avait déposé sur le dossier d'une chaise en rentrant à la maison, tâta le capuchon, se souvint qu'elle ne l'avait pas remis après être allée faire des courses. S'il fallait qu'elle ait perdu la boucle d'or incrustée de diamants dans la neige ? Ou dans le stationnement du supermarché ? Elle marcha précautionneusement jusqu'au garage double, ouvrit la portière de la voiture, examina l'habitacle sans rien trouver avant de refaire le chemin en sens inverse, s'agenouillant pour tâter le sol gelé. Elle était idiote ! Comment pouvait-elle croire qu'elle retrouverait son bijou dans la neige ? Elle rentra, claqua la porte de la cuisine de toutes ses forces, puis jeta son manteau sur une chaise, prit le verre qui traînait sur le comptoir et l'aurait lancé contre un mur si la sonnerie du téléphone ne l'avait pas fait sursauter. Elle regarda le numéro affiché, répondit à David sans même lui laisser le temps de parler.

— Je suppose que tu ne viens pas souper, c'est ça ?

— J'ai une réunion qui a été déplacée.

— Comme tous les soirs.

— Écoute, Cristelle, c'est une période d'adaptation et...

— Ne sois pas surpris si jamais il y a des problèmes à la maison.

— Qu'est-ce que tu veux dire ? soupira David.

— Rien, je ne veux pas t'ennuyer avec mes soucis domestiques. Il s'agit seulement de tes enfants, après tout.

— Il s'est passé quelque chose ?

— Ça t'intéresse ?

David observa quelques secondes de silence avant de dire à sa femme qu'elle était de mauvaise foi. Elle savait parfaitement qu'il se sentait concerné par ce qui arrivait à leurs enfants.

— On en parlera en fin de semaine, si tu veux.

— Si tu es là, persifla-t-elle avant de raccrocher.

Elle coinça le verre sous le distributeur de glaçons, ouvrit ensuite le congélateur, attrapa la bouteille de vodka et se versa une rasade. L'odeur de l'alcool lui rappela une soirée à Central Park, après un défilé, où elle portait une robe de mariée dont la traîne mesurait plus de sept mètres. Tous les magazines en avaient parlé. Elle était sublime dans le *Vogue*. Sublime. Elle vida le verre d'un trait avant de toucher le lobe de son oreille droite, d'enlever la boucle qui lui restait. Cette semaine aurait été complètement pourrie sans sa visite à Ian Boisvert. Elle se resservit en repensant à leur rencontre. Elle avait éprouvé un sentiment intense de puissance en voyant l'effarement gagner Ian Boisvert, mais elle ignorait toujours ce qu'elle souhaitait obtenir de lui. Chose certaine, elle n'en parlerait pas à David.

Il faudrait que Ian sermonne son fils et que Matis change d'attitude avec Lucas, que les deux garçons redeviennent amis. Elle reposa son verre, ouvrit le congélateur, en sortit une quiche aux épinards. Mylène n'aimait pas le fromage de chèvre, mais c'était le dernier de ses soucis. Qu'elle se prépare autre chose si ça ne lui plaisait pas. Lucas, lui, serait content. Il aimait toutes les tartes, qu'elles soient sucrées ou salées. Tout comme elle.

: :

— Ça s'est bien passé à Montréal ? demanda Ian à Mary tandis qu'elle suspendait son manteau dans le garde-robe.

— Oui, oui.

— Pas de retard avec le train ?

— Non, pas de retard.

— Les enfants ont soupé, mais ils nous en ont laissé un peu.

Mary sourit avant de dire qu'elle était prête à parier que Matis viendrait réclamer autre chose avant la fin de la soirée.

— C'est affolant, les quantités qu'il peut avaler ! Mangeais-tu autant quand tu étais adolescent ?

— Sûrement, fit Ian. Je te sers un verre ?

Mary hésita.

— Donne-moi juste le temps de prendre une douche. Le train était surchauffé. C'est tout l'un ou tout l'autre, soit on crève, soit on gèle.

— Tu n'as pas eu de difficulté à déneiger ta voiture en arrivant à la gare ?

— Non, non.

Elle posa la main sur la poignée de son grand sac, monta l'escalier, laissa son sac sur le lit de leur chambre, choisit un ensemble décontracté en velours vert forêt et s'enferma dans la salle de bain. Les jets d'eau chaude parvinrent à la calmer un peu, mais elle redoutait ce tête-à-tête avec Ian. Elle s'attarda sur le palier, poussa la porte entrouverte de la chambre de Matis, s'informa de sa journée.

— Rien de spécial, dit-il avant de fixer l'écran de son ordinateur.

Elle ramassa un bol sale sur la table de chevet, frappa à la porte close voisine, attendit que Jasmine lui réponde avant d'entrer. Jasmine était assise sur son lit en tailleur, la tablette sur ses jambes.

— Je suis sur Skype avec Mylène, fit-elle aussitôt.

— Je ne te dérange pas plus longtemps. Je voulais juste savoir si tu avais passé une bonne journée.

Jasmine hocha la tête, sourit pour convaincre sa mère que tout allait pour le mieux, alors qu'elle venait de dire à Mylène qu'elle n'avait pas encore revu le gars aux magnifiques yeux sombres. Elle était pourtant retournée quatre fois au café où elle l'avait aperçu. Elle commençait à se décourager, mais Mylène lui avait dit qu'elle le retrouverait sûrement s'ils étaient faits l'un pour l'autre. Si elle voulait, elle pouvait lui tirer les cartes. Elle pourrait passer chez elle durant la soirée. Ou faire ça par Skype, si sa mère ne monopolisait pas l'ordinateur.

— Jasmine ? répéta Mary.

— Quoi ?

— N'oublie pas que tu as ton cours de danse demain. Ne jase pas avec Mylène jusqu'à minuit.

— Non, non, promit Jasmine. Veux-tu refermer la porte?

Mary redescendit vers la salle à manger où Ian avait rempli deux verres de vin rouge.

— Montepulciano. J'aurais peut-être dû choisir un Mercurey, mais j'avais envie de ce vin. On en avait bu à Rome, si j'ai bonne mémoire. Ça fait un bail.

— Avant les enfants, dit-elle après avoir humé le vin.

— On pourrait partir toute la famille en Italie, cet été.

— En Italie?

— Pourquoi pas? dit Ian. L'an prochain, Jasmine aura peut-être un emploi d'été. C'est maintenant le moment idéal. Après, les enfants seront plus indépendants. Ils ne voudront plus voyager avec leurs vieux parents.

Mary protesta: ils n'étaient pas vieux!

— Toi non, tu es toujours aussi belle.

Ian fixait son épouse qui s'était empressée de boire une autre gorgée de vin. Il avait l'impression qu'elle avait rougi. Parce qu'elle était gênée qu'il la trouve encore désirable, parce qu'elle se sentait coupable de le tromper ou parce qu'elle aurait préféré que le compliment vienne de Jean-René? Mais si elle se sentait coupable, pourquoi voyait-elle Jean-René? Et depuis quand? Ian devait faire appel à toute sa volonté pour ne pas se ruer sur Mary, la battre et l'obliger à tout avouer. Comment avait-elle pu le trahir? Elle était là, devant lui, à siroter le vin qu'il lui avait servi en attendant de manger le bœuf bourguignon qu'il avait cuisiné. Se demandait-elle si elle devait lui mentir en prétendant ne pas pouvoir quitter sa boutique durant l'été pour éviter ce voyage en Italie ou se contenterait-elle de l'écouter en espérant qu'il oublierait ce projet?

À moins qu'elle s'imagine carrément avec Jean-René à Venise, à roucouler dans une gondole.

— On irait seulement à Rome ou on se promènerait un peu?

— Je serais partant pour louer une voiture, répondit Ian.

Il s'étonnait de la duplicité de Mary. Il ne la connaissait pas ! Il ne connaissait pas cette femme avec qui il vivait depuis tant d'années ! Avec qui il avait tout partagé.

Enfin, presque tout.

— Il faudrait qu'on en discute avec Jasmine et Matis, pour savoir comment ils imaginent ce voyage. Je suppose qu'ils voudront voir la mer, se baigner. On pourrait partir en juillet. C'est plus calme à la boutique, après les soldes, et les nouveautés ne sont pas encore arrivées. Et pour toi ?

— Juillet, oui. Il fera chaud pour visiter, mais on louera quelque chose de confortable.

Mary reposa son verre vide et se leva pour aller à la cuisine. Ian la suivit et jeta un coup d'œil vers le four.

— Ça sent bon. J'ai bien failli ne pas résister et manger avec les enfants.

— Tu aurais dû…

— J'ai appelé à la gare. Comme on m'a dit que le train n'avait pas de retard, j'ai décidé de t'attendre.

— Est-ce que Matis a rapporté sa boîte à lunch ? demanda Mary en se penchant pour prendre un sous-plat dans l'armoire vitrée. Il oublie tout, ces jours-ci. Je ne sais pas si quelque chose le contrarie… il m'a dit que non. Qu'est-ce que tu en penses ? Il est plus indépendant, tu ne trouves pas ? Plus secret. C'est l'adolescence ?

Ian regarda Mary durant quelques secondes. Elle semblait sincère, intéressée à connaître son opinion sur leur fils. Mais si son avis comptait pour elle, comment pouvait-elle mettre leur famille en péril ? Rien ne paraissait sur son visage. Ses traits étaient les mêmes, son sourire, sa manière de froncer le sourcil gauche, tout était identique, alors qu'elle n'était plus la femme qu'il avait choisie.

— Oui, c'est l'adolescence.

— Tu étais comme lui à son âge ? questionna Mary.

— Oui et non.

— Ça t'aidait d'avoir de grands frères ?

Ian secoua la tête et enfila les mitaines pour apporter la cocotte de bœuf bourguignon dans la salle à manger. Pourquoi Mary faisait-elle allusion à ses frères, ce soir? Il ne parlait jamais de sa famille. Elle avait bien essayé d'en savoir plus au début de leur relation, mais il lui avait fait comprendre qu'il n'avait pas de bons rapports avec les siens et qu'il préférait les oublier. Elle avait remis ça sur le tapis à la naissance des enfants, mais Ian avait été inflexible. Il ne renouerait pas avec sa famille, avec son passé. Il posa la cocotte sur le sous-plat, versa du vin dans son verre et en but la moitié avant de constater que Mary attendait qu'il remplisse le sien. S'il buvait pour oublier une des pires semaines de sa vie, à quoi buvait-elle? Il s'efforça de se concentrer sur le moment présent. Il devait discuter normalement avec Mary. Elle ne devait pas se douter qu'il savait tout sur elle et Jean-René.

Tout. Non, pas tout, mais bien assez.

Alors que c'était le contraire avec Cristelle Bouchard. Il fallait en apprendre plus sur elle pour savoir comment la manœuvrer. Il devait y avoir des zones d'ombre dans sa vie. Une femme honnête qui aurait fait cette découverte à son sujet en aurait parlé à son mari. Un avocat, un juge. Elle lui aurait demandé conseil. Mais il avait cru Cristelle lorsqu'elle avait murmuré qu'il y avait maintenant un secret entre eux. Il avait songé à une chatte jouant avec une souris, sans envie de la dévorer, juste pour le plaisir de sentir l'impuissance de la bestiole entre ses griffes. Ce soir, il associait plutôt Cristelle à une grenade qui pouvait lui exploser à la figure. Qui devait être désamorcée.

: :

Vendredi 2 décembre

Matis avait appuyé la tête contre la vitre de l'autobus où il était monté plus tôt, le cœur battant, choqué par ce qui venait de lui arriver. Il s'était recroquevillé dans un coin de l'abribus après l'agression de la mère de Lucas, peinant à respirer, se demandant s'il n'avait pas rêvé tout ça! Il était debout à côté du panneau signalant l'arrêt du bus, lorsqu'il avait reconnu le X6 de Cristelle. Il avait pensé qu'elle allait déposer Lucas à cet arrêt et s'en était étonné; il était habituellement le dernier à monter dans le bus. Mais Cristelle avait arrêté la voiture, en était sortie et avait foncé droit sur lui, l'avait saisi par l'épaule et l'avait secoué en lui disant qu'elle en avait assez qu'il se moque de Lucas. Qu'elle n'allait pas le laisser ridiculiser son fils, qu'il aurait affaire à elle si ça continuait. Puis elle l'avait relâché, était retournée dans sa voiture et avait démarré.

Quelques minutes plus tard, à l'arrêt suivant, Matis avait vu la voiture de Cristelle repartir en trombe, puis Simon qui ramassait son sac à dos et sa tuque tandis que le bus ralentissait pour lui permettre de monter à bord. Il était blême et le chauffeur lui avait demandé si tout allait bien. Il s'était assis sur le premier banc libre et Matis s'était levé pour aller le rejoindre. Il lui avait dit qu'il avait vu la voiture de la mère de Lucas. Est-ce qu'elle l'avait menacé, lui aussi?

— Elle s'est jetée sur moi! Elle criait! Elle m'a pris par les cheveux! Elle est devenue folle!

— Ça n'a pas de bon sens, dit Matis. Pourquoi elle…

Matis et Simon se turent, cherchant des mots pour expliquer ce qu'ils venaient de vivre, regardant autour d'eux. Les élèves, les adultes qui empruntaient ce parcours étaient les mêmes que tous les matins. Martin Potvin discutait du prochain match de hockey avec le facteur, selon leur habitude, et sa radio jouait en sourdine comme toujours. Pourtant, Matis et Simon avaient l'impression que tout bougeait autour d'eux, que plus rien n'était pareil.

— Qu'est-ce qu'on fait? souffla Matis.

Simon secoua la tête, haussa les épaules, il l'ignorait. Il ne comprenait pas ce qui venait de se passer. Pourquoi la mère de

Lucas s'en était-elle prise à lui ? Pourquoi avait-elle hurlé qu'il ne s'en tirerait pas comme ça ?

— Ça n'a pas d'allure.

— Non, on dirait que…

— Elle a dit qu'elle s'arrangerait pour me faire expulser de l'équipe, si je ne me tenais pas tranquille, murmura Simon.

— Ça ne se peut pas.

— Non, ça ne se peut pas.

— C'est Gilbert Cloutier qui décide, fit Matis. C'est lui, le *boss*, pas la mère de Lucas.

Ils se turent. Tant de questions se bousculaient dans leur esprit qu'ils n'arrivaient pas à les formuler. Ils revoyaient le visage de Cristelle déformé par la rage, réentendaient ses vociférations, leur écho dans l'abribus, leur surprise, puis la peur qui les avait tétanisés devant la folie de cette femme qui n'avait plus rien de celle qu'ils connaissaient.

— Qu'est-ce qui s'est passé ? reprit Matis.

— La mère de Lucas a lu nos messages sur Instagram. Elle répétait ça tout le temps. Mais ça n'a pas de bon sens ! C'est juste des messages. On en envoie tous les jours et…

L'autobus ralentissait de nouveau et, tandis qu'il freinait doucement, Simon poussa une exclamation.

— Étienne ! Elle doit avoir engueulé Étienne aussi.

Les adolescents se penchèrent d'un seul mouvement vers la vitre pour voir leur ami, restèrent sans bouger durant une fraction de seconde tandis que la voiture de Cristelle s'éloignait devant l'autobus.

— Où est Étienne ? fit Matis.

— Il devrait être là.

Le bus allait redémarrer quand le chauffeur distingua un mouvement derrière l'abribus.

— Qu'est-ce que tu fais là, le jeune ? Dépêche-toi de monter !

Simon se leva pour mieux voir. C'était bien la silhouette d'Étienne, son blouson gris. Il se tenait immobile, ne semblant pas reconnaître le chauffeur. Celui-ci l'interpella de nouveau, mais Étienne resta sans bouger, comme s'il ne voyait ni n'entendait rien.

— Eh! Dépêche-toi! dit Martin Potvin.

Étienne n'esquissait pas un geste. Le chauffeur l'observa plus attentivement.

— Qu'est-ce qui t'arrive, mon petit gars? Ne reste pas dehors…

— Étienne, cria Simon qui s'était avancé. Étienne!

— Qu'est-ce qui se passe? demanda Martin Potvin à Simon dont le cri avait attiré l'attention des usagers.

Simon se tourna vers Matis, lui fit signe de le suivre.

— Ramasse mon sac! Grouille!

— Qu'est-ce que vous faites? s'écria le chauffeur alors que Matis suivait Simon qui sortait du véhicule, s'approchait d'Étienne qui se mettait à courir.

— Bon Dieu! Qu'est-ce qui leur prend? maugréa l'un des passagers. On va rester ici longtemps?

— Les gars? cria Potvin à Simon et Matis qui tentaient de rattraper Étienne.

— Quand est-ce qu'on repart?

— C'est bon, c'est bon, répondit le chauffeur en actionnant la fermeture de la portière. On y va.

Il suivit du regard les adolescents qui continuaient à courir, se demandant ce qui avait bien pu arriver au jeune qui n'avait pas voulu monter dans son bus. Il était livide, son foulard à ses pieds, l'anorak de travers comme s'il venait de se battre. Mais Martin Potvin n'avait remarqué personne aux alentours de l'abribus. Que cette voiture qui accélérait vers le nord tandis qu'il freinait devant l'arrêt.

— Ils sont en première secondaire, entendit-il derrière lui. Le blond, c'est Matis Boisvert. Sa sœur est dans mes cours.

— Avez-vous vu le petit maigre qui s'est mis à courir? fit une autre voix.

— Quoi?

— C'est Étienne Frappier. Il y avait une tache sur son pantalon. Je suis sûr qu'il s'est pissé dessus.

— Voyons donc!

— C'est pour ça qu'il n'est pas monté dans l'autobus, reprit Samuel Francoeur. Je suis certain de ce que j'ai vu! C'est son genre.

— Ça ne se peut pas, pouffa un élève.

Martin Potvin se remémora ce qu'il venait de voir, comprit que la remarque de Samuel pouvait malheureusement être juste. Qu'est-ce qui avait à ce point effrayé le jeune?

— Se pisser dessus? grimaça un élève. C'est dégueulasse.

— Est-ce que le froid a gelé la pisse? rigola un autre.

— Non. Dans un film, j'ai vu quelqu'un qui pissait sur la serrure de sa voiture pour la dégeler.

— Mais s'il était resté longtemps au bord de la route, commença un adolescent à la voix plus grave, je pense que…

Martin Potvin ralentit au carrefour et se tourna vers les passagers, repéra les jeunes assis au fond de l'autobus.

— Vous dérangez tout le monde. Je ne veux plus entendre parler de ça. C'est compris?

— Mais il a pissé dans son pantalon.

— Tu n'étais pas là, alors ferme-la. Est-ce que je suis assez clair pour toi? Sinon, je te débarque ici.

Il y eut des murmures d'étonnement, puis de satisfaction chez les usagers: on pourrait poursuivre le trajet en paix.

— Tu as eu raison de les remettre à leur place, dit le facteur assis près de la porte. Ils sont vraiment pénibles. Penses-tu qu'on était aussi niaiseux à leur âge?

Martin Potvin ne répondit pas, se demandant s'il aurait dû s'arrêter, descendre du bus pour tenter de parler au petit maigre, ou parler à ses amis, insister pour qu'ils reviennent dans le bus au lieu de les laisser courir comme s'ils avaient le diable à leurs trousses. Où étaient-ils allés ? Qu'est-ce qui les avait autant bouleversés ? Le premier qui était monté à bord lui avait donné l'impression de s'y réfugier, le suivant était tout dépenaillé et le troisième… le troisième semblait sous le choc. Le choc de quoi ? Qu'avait-il vu ? Et ses copains ? C'était vraiment bizarre.

Le grésillement de la radio interrompit le fil de ses pensées. Il maugréa en apprenant qu'il devrait faire un détour à partir de midi à cause des travaux sur un boulevard. Il avait besoin d'un café. Un bon café au lait.

:   :

— Qu'est-ce que tu me racontes, Simon ? Parle moins vite, dit Nathalie.

— C'est la mère de Lucas, elle est folle ! Elle est venue à chacun de nos arrêts d'autobus, puis elle nous a engueulés, puis elle a frappé Étienne.

— Calme-toi, chéri. Je ne comprends pas ce que tu me racontes. Où es-tu ?

— Chez Étienne. On est rendus chez lui.

— Est-ce que Jean-René est là ? Evelyne ?

— Non, ils sont partis. Maman, Cristelle est vraiment folle.

L'anxiété altérait la voix de Simon. Nathalie lui répéta qu'il devait se calmer pour qu'elle comprenne ce qu'il lui disait.

— Est-ce qu'elle t'a fait mal ? Est-ce que ça va, vous trois ?

— Elle s'est jetée sur nous, maman !

— Comment ?

Nathalie s'efforçait de garder son sang-froid en tentant de comprendre ce qui s'était passé. Simon disait que Cristelle s'était ruée sur eux. Eux ? Étienne et lui ? Comment ? En voiture ?

— Es-tu blessé ? Est-ce que quelqu'un est blessé ?

— Non, non. Mais je… on n'est pas à l'école. Mamans, on ne sait pas quoi faire.

— Je te rejoins chez Étienne, d'accord ? Vous ne bougez pas, je serai là dans quinze minutes. Ça va aller ? Peut-être même dix minutes. Attendez-moi.

— Elle est devenue folle, lança Simon avant de couper la communication.

6

Samedi 3 décembre

— Il faut partir, monsieur, dit l'entraîneur, en cherchant à diriger Jean-René Frappier vers la sortie. Il faut vous calmer !

— Me calmer ?

— Vous ne pouvez pas rester ici, insista Gilbert Cloutier en attrapant la manche de son anorak pour le forcer à le suivre. Ce n'est pas un exemple pour les jeunes ! La violence n'est pas tolérée ici…

— Et elle ? Elle a frappé Étienne ! Elle a frappé mon fils !

Jean-René échappa à l'emprise de l'entraîneur et courut jusqu'aux gradins où il venait de menacer Cristelle Bouchard. Celle-ci quitta le banc en le voyant revenir, mais le père d'un joueur retint Jean-René, permettant à Cloutier de le reprendre par le bras et de le maintenir plus fermement.

— Arrête, Jean-René, dit Pablo Soldevilla. Il faut que vous vous parliez comme des adultes.

— Elle s'est jetée sur mon fils ! Si elle pense qu'elle va s'en tirer comme ça, elle se trompe !

— Calme-toi !

— Non, je ne vais pas me calmer, hurla Jean-René. Je te préviens, Cristelle ! Si tu t'approches encore une fois de mon gars, tu vas le payer très cher !

Cristelle Bouchard jeta un coup d'œil autour d'elle. Tous les regards allaient de Jean-René à elle, qui secouait la tête en répétant qu'elle ne comprenait rien à l'attitude du père d'Étienne. Elle n'avait donné qu'une petite tape au gamin parce qu'il l'avait insultée. Une petite tape n'avait jamais tué personne. Il était temps qu'il apprenne la politesse.

— Tu mens! Étienne n'a jamais insulté personne. Je te jure que ça ne se passera pas comme ça! T'es juste une maudite folle!

Cristelle se tourna vers son voisin, le prenant à témoin, posant la main sur son avant-bras comme si elle cherchait du réconfort.

— Vous l'entendez? Il me menace!

Un silence s'était fait dans les gradins, suivi d'une certaine rumeur. Que se passait-il entre Jean-René Frappier et Cristelle Bouchard? La plupart des parents les connaissaient. Ils étaient invités chaque été à un grand barbecue chez Jean-René. Et la mère de Lucas était présente à tous les entraînements. Très disponible pour véhiculer les jeunes lorsque leurs parents ne pouvaient s'en charger.

Pablo Soldevilla rompit le silence. Sa voix résonna dans l'aréna.

— Viens, Jean-René, ça ne sert à rien de rester ici.

Il prit Jean-René par le bras et, escortés par l'entraîneur, ils descendirent les marches. En arrivant en bas, Jean-René ne montrait plus de résistance.

— Est-ce qu'on peut savoir ce que vous avez contre Mme Bouchard? demanda Gilbert Cloutier.

— Hier, elle a menacé mon fils des pires horreurs. Elle l'a frappé au visage.

— Hier? Où?

— À l'arrêt du bus. Il s'en allait à l'école. Étienne a eu tellement peur qu'il ne voulait même pas nous en parler. Il n'a rien mangé depuis hier. C'est Nathalie, la mère de Simon, qui nous a tout raconté. Cristelle a aussi agressé son fils et Matis.

— Matis Boisvert? Simon Harrison? fit Pablo. Ça n'a pas de bon sens, voyons! Pourquoi Cristelle Bouchard aurait-elle menacé des enfants?

— Les gars ont échangé des bêtises sur Facebook ou Instagram. Ils parlaient de Lucas… Des niaiseries de gamins. Elle leur a dit d'arrêter d'humilier Lucas.

— Elle s'en est prise à vos garçons pour des histoires sur les réseaux sociaux? s'étonna Gilbert Cloutier.

Il comprenait maintenant l'attitude étrange des garçons dans le vestiaire. Il avait pensé à une simple dispute entre Lucas et Simon, mais il devinait à présent que c'était plus grave.

— C'est… c'est exagéré, dit-il. Les jeunes se chicanent, ça arrive, pas de quoi en faire…

— Vous n'avez pourtant pas l'air si surpris, remarqua Jean-René.

Gilbert Cloutier faillit répondre que tout était toujours compliqué avec la mère de Lucas, mais il se tut. Il devait conserver une certaine neutralité. Il ne connaissait pas tous les éléments de cette histoire qui ne le concernait pas directement. Une chose était sûre, le match ne se déroulerait pas comme prévu, ce matin. En descendant les gradins, il avait noté que les joueurs dévisageaient Lucas qui restait à côté de Jason sur la patinoire. Ils venaient tous de finir les échauffements quand ils avaient entendu crier Jean-René Frappier. Lucas avait vu le père d'Étienne s'approcher de sa mère, lever les poings sans comprendre ce qui se passait. Et tous ses coéquipiers se taisaient en attendant qu'il dise quelque chose, mais il demeurait immobile, regardant sa mère qui ramenait les pans de son manteau de fourrure sur ses jambes.

— On a une partie à jouer, déclara Gilbert Cloutier à Jean-René et Pablo. Je retourne avec mes jeunes. Et vous, allez prendre un café.

— Je m'excuse d'avoir perturbé votre matinée, Gilbert, mais Evelyne m'a dit qu'Étienne n'avait pas dormi de la nuit. Quand je suis rentré de Burlington, ce matin, elle était en train de discuter

avec Nathalie et c'est là que j'ai tout appris. Quand j'ai su pourquoi mon gars ne jouait pas ce matin, j'ai vu rouge!

— Viens, dit Pablo, c'est une bonne idée, ce café. Je reviendrai
tantôt chercher Octavio.

Gilbert Cloutier échangea un regard de gratitude avec Pablo
Soldevilla et observa les hommes qui s'éloignaient vers la sortie. Il
avait suffisamment d'inquiétudes avec Jérôme qui était toujours
dans le coma. Il n'avait pas besoin de disputes supplémentaires
entre les parents des joueurs. Il soupira, puis se secoua, saisit son
sifflet. Les jeunes avaient une partie à jouer et ils la joueraient!

: :

— Je ne comprends pas l'attitude de Ian, dit Nathalie en scrutant les visages d'Evelyne et de Jean-René.

C'était elle qui leur avait proposé de se réunir à son appartement pour discuter de l'incident de la veille. Elle était allée
chercher Matis et Simon après le match de hockey, les avait dépo-
sés chez les Frappier afin qu'ils passent l'après-midi avec Étienne,
tandis qu'eux, les parents, décideraient d'une stratégie à adopter.
Ian venait de quitter l'appartement de Nathalie et elle n'arrivait
pas à comprendre sa réaction.

— Est-ce que quelque chose m'a échappé? J'ai l'impression
que Ian ne veut pas porter plainte contre Cristelle.

— Ce n'est peut-être pas si simple pour lui, dit Evelyne.

— Ah bon? s'étonna Nathalie. En tout cas, c'est très clair pour
moi. La conduite de Cristelle est inadmissible. Il faut qu'on en
parle avec Mary dès qu'elle reviendra d'Ottawa. Elle nous expli-
quera comment Ian peut rester si calme dans les circonstances.
C'est sûr que Cristelle n'a pas été aussi dure avec Matis qu'avec
Simon et Étienne, mais elle n'avait pas le droit de s'adresser
comme ça à nos enfants!

— On ne peut pas accepter ça, dit Evelyne.

— Et David qui ne nous rappelle pas, reprit Nathalie. Je lui ai laissé deux messages.

— Je lui en ai laissé un aussi, dit Evelyne.

— Il doit se sentir mal à l'aise, fit Jean-René.

— Ce n'est pas une raison pour ignorer nos messages, répliqua Evelyne. Au contraire, il devrait être le premier à vouloir trouver une solution. C'est embarrassant pour tout le monde.

— Cristelle lui a sûrement servi une autre version des faits, avança Evelyne.

— Ça ne change rien à ce qui s'est passé, dit Nathalie. Elle s'en est prise à des enfants! Nos enfants!

— Je ne peux pas croire que Ian restera les bras croisés! s'indigna Evelyne. Ni que Mary se rangera de son côté.

— Même si c'est son mari? Et toi? fit Nathalie en s'adressant à Jean-René. Tu ne dis rien… Penses-tu que Mary va traiter ça à la légère comme Ian?

Jean-René haussa les épaules pour éviter de répondre. Il était persuadé que Mary réagirait avec plus de véhémence que Ian. Il savait quelle femme passionnée elle était.

— Je ne comprends pas l'attitude de Ian, finit-il par dire.

— Ça ne lui ressemble pas! insista Nathalie. Ian est tellement soucieux de ses enfants! Pourquoi ne prend-il pas la défense de Matis?

Evelyne finit son café froid, regarda le fond de la tasse où le marc dessinait une courbe en forme de lasso. En forme de piège. Que devaient-ils faire maintenant?

— Il faut parler à David, martela Nathalie. Je me présenterais bien chez eux, mais j'ai peur de manquer de retenue. Je suis encore trop en colère contre Cristelle.

— Je rappelle David! dit Evelyne. Il va bien finir par nous parler. Il ne peut pas faire semblant que rien n'est arrivé.

— N'oublie pas qu'il est avocat, souligna Nathalie. Il doit cher-cher un moyen de régler ça à son goût. Mais ça ne se passera pas comme ça.

— On en rediscute, soupira Evelyne.

: :

Pourquoi ne la croyait-il pas ? se demandait David Lenoir en fixant leur jardin de la fenêtre de son bureau. Pourquoi ne croyait-il pas ce que Cristelle lui avait raconté ?

Parce qu'il avait noté l'embarras des enfants au petit déjeu-ner ? Aurait-il dû les interroger ? Pour leur demander quoi ? S'ils pensaient que Cristelle lui avait dit la vérité ? Dans quelle mesure aurait-il dû forcer Cristelle à lui parler, à se vider le cœur plus tôt ? Quand il lui avait téléphoné l'avant-veille, il avait senti son exaspé-ration, mais il n'avait pas eu le courage d'entamer une discussion. Il était las de ces conversations qui finissaient de plus en plus sou-vent de la même manière : Cristelle affirmait qu'il ne la comprenait pas, qu'il ne comprenait jamais rien. Mais qu'y avait-il à com-prendre, bon sang ? Pourquoi Cristelle n'était-elle jamais satisfaite ? Il s'escrimait à la contenter, sans recevoir la moindre reconnais-sance. Cette dernière année avait été pire que les précédentes. Il n'avait plus de temps pour ses jérémiades, avec sa nomination à la Cour supérieure. Cristelle aurait dû être là pour le soutenir et l'appuyer, au lieu de l'accueillir en lui déversant tous ses problèmes quand il rentrait. Elle avait le don de tout exagérer. Surtout en ce qui concernait Lucas et Mylène qu'elle couvait beaucoup trop. S'il l'avait écoutée, Lydia serait encore à la maison pour servir de nou-nou aux enfants. Et voilà que Cristelle s'était mêlée d'une dispute entre Lucas et ses amis. Qu'est-ce qui l'avait poussée à agir ainsi ? Elle avait déclaré qu'elle ne pouvait laisser leur fils se faire insul-ter sans réagir. Que les garçons s'en prenaient à Lucas depuis des semaines, mais qu'ils avaient tout nié quand elle leur en avait parlé, qu'ils l'avaient traitée de menteuse. Plus David repensait à cette histoire, moins il y croyait. Il saisit son téléphone, le reposa, décidant d'appeler plus tard Nathalie et Jean-René. Avant toute chose, il irait marcher. Une longue balade l'aidait toujours à y voir plus clair lorsqu'une situation lui échappait. Il faillit prendre son portable, secoua la tête. Non. Le but était de se libérer l'esprit, de faire le vide pour revenir à la maison avec un regard neuf.

En enfilant ses gants, il pressentit qu'il devrait bien peser ses termes lorsqu'il discuterait avec Nathalie, Ian et Jean-René. Quoi qu'il se soit passé, il ne fallait pas laisser les choses s'envenimer. Il réglerait la question avant le souper.

:   :

Une bourrasque de vent fit reculer Églantine qui s'avançait pour accueillir Alain. Tout en riant de voir la siamoise se réfugier à toute vitesse sous un fauteuil, Maud s'approcha d'Alain en tendant les bras pour le libérer de ses paquets.

— Qu'est-ce que tu as encore acheté ? demanda-t-elle.

— Tout d'abord, un baiser, répondit-il en l'enlaçant. Tu es de bonne humeur. Il y a quelque chose de spécial à fêter ?

— Veux-tu dire que j'ai l'air bête habituellement ?

— Ne me fais pas dire ce que je n'ai pas dit. Ça peut fonctionner avec tes suspects, mais pas avec moi.

— C'est Jérôme Poitras, confia-t-elle, les yeux brillants. Il est sorti du coma, il y a deux heures.

— Celui qui a reçu une rondelle de hockey en plein front ?

Graham acquiesça avant d'ajouter que son médecin refusait malheureusement qu'on l'interroge tout de suite sur l'incident.

— Jérôme est très désorienté.

— Est-ce qu'il se souvient de ce qui lui est arrivé ?

— Non. D'après son médecin, il ne comprend pas ce qu'il vit, mais le Dr Fortin m'a dit qu'il me préviendrait quand tous les tests auraient été effectués. Il paraît qu'il y a beaucoup de choses à vérifier… Je suis impatiente de parler à Jérôme. C'est important pour savoir à quoi s'en tenir sur les conséquences de cet accident.

— Pour décider s'il y aura des accusations contre celui qui a lancé la rondelle ?

— On ignore encore si c'est un accident. S'il y avait une intention criminelle ou non. Je me réjouis vraiment que Jérôme ait repris connaissance. Mais s'il fallait qu'on découvre qu'il a des séquelles permanentes, qu'il est à moitié paralysé ou diminué intellectuellement… La commotion cérébrale était très grave. Il paraît que c'est un premier de classe.

— Attends de reparler au médecin avant d'imaginer le pire.

— Ça fait partie de ma job, dit Maud.

— Mais le pire aurait été qu'il meure, non ? Tu es contente qu'il ait repris connaissance…

Maud Graham fixa Alain durant quelques secondes avant de hocher la tête. Même si elle n'était pas certaine qu'il ait raison. Et si Jérôme Poitras était handicapé ? Si pour une stupide histoire de rivalité il était cloué dans un fauteuil pour le reste de ses jours ? Qui saurait le persuader que sa nouvelle vie valait la peine d'être vécue ? Des hommes ou des femmes qui avaient eu le même parcours ? Qui seraient les seuls à comprendre la colère et le désespoir qu'il ressentirait ?

Églantine, qui était sortie de sa cachette, revint vers eux et s'agrippa au pantalon d'Alain pour attirer son attention. Il se pencha vers elle, la souleva pour appliquer un baiser entre ses deux immenses oreilles. Elle ronronna immédiatement.

— J'ai fait un tour au marché Jean-Talon avant de prendre la route. J'ai acheté un tas d'épices. J'ai envie de quelque chose d'exotique, ce soir.

— C'est drôle, Grégoire m'a dit la même chose. Il apportera un dessert à la noix de coco et fruit de la passion.

— Ça doit être ce temps gris. On a besoin de soleil dans nos assiettes. Est-ce que Pierre-Ange sera là?

— Oui, et toujours amoureux.

— Dans ce cas, il est aussi chanceux que moi, fit Alain en suivant Maud à la cuisine.

Elle se tourna vers lui et murmura que c'était plutôt elle qui avait de la chance d'avoir un amoureux comme lui. Qui supportait son pessimisme depuis tant d'années.

— Quel pessimisme? Tu as juste un tout petit peu tendance à fantasmer sur des catastrophes virtuelles.

— Tu devrais commencer à préparer ton curry au lieu de dire des bêtises.

Alain la dévisagea sans cacher son étonnement. Il ne lui avait pas dit quel plat il cuisinerait.

— La semaine dernière, tu cherchais le livre sur les currys que tu as reçu à ton anniversaire. À moins que tu aies mangé au restaurant indien cette semaine, je suppose que ton envie de curry n'est pas assouvie. Comme tu es arrivé à la maison aujourd'hui, plutôt qu'hier parce qu'il y avait des urgences au laboratoire, j'en ai conclu que tu n'as pas pris le temps de sortir pour souper, que tu t'es contenté des plats préparés du Boucanier. Je parierais même que tu as mangé son fameux pâté à la viande et sa soupe aux gourganes. Des plats réconfortants.

— Je te sers un verre, Sherlock?

: :

Ian Boisvert roulait depuis une heure sans parvenir à se raisonner. Il devait rentrer chez lui, devait discuter avec Mary de ce qui était arrivé à Matis, mais il ne pouvait pas reprendre son sang-froid. Il avait autant envie de tuer Cristelle que Jean-René et Mary. Et il devait feindre le calme, afficher la voix de la raison. Lorsqu'il avait dit, chez Nathalie, qu'il était prématuré de penser à porter plainte contre Cristelle Bouchard, il avait bien vu l'ahurissement sur les visages. Il avait entendu les exclamations de Nathalie sonnant comme des reproches. Et il ne pouvait lui en vouloir d'être déçue par son attitude. Mais avait-il le choix ? Avec ce que Cristelle savait sur son passé, il ne pouvait l'accuser de quoi que ce soit, tout se retournerait contre lui. Elle était déséquilibrée. Ingérable. Elle voulait obtenir quelque chose de lui, c'était certain. Sinon, elle aurait déjà tout raconté à son mari et David aurait envoyé des représentants de la Justice pour l'interroger. Ian se demandait si elle avait menacé Matis et ses amis pour lui montrer qu'elle pouvait agir en toute impunité ou si elle avait vraiment perdu la tête. Il n'aimait pas du tout la tournure des événements. Il devait intervenir.

Mais comment ? Comment ?

Qu'est-ce que cette femme pouvait souhaiter ? S'il avait senti le moindre désir de sa part, il aurait mieux compris la situation, mais ce n'était pas le cas. Peut-être se trompait-il ? Non, cela n'avait aucun sens. Cristelle espérait autre chose. Quoi ? Il devenait fou à force de se poser cette question ! Il devait se ressaisir. Il avait survécu à bien pire que les menaces de cette dingue. Peut-être qu'elle avait appris son vrai nom, lu qu'il avait été condamné, mais elle ignorait que la peine qu'on lui avait infligée pour la vente de stéroïdes avait été un moindre mal. Il aurait dû être condamné pour meurtre. Un détail qu'il était le seul à connaître.

En repensant à la mort de Dan, il fut étonné de se sentir subitement si détendu. Puis il sourit : Cristelle Bouchard ne savait vraiment pas à qui elle avait affaire. Il lui ferait croire qu'il entrait dans son jeu. Il la laisserait le dominer jusqu'à ce qu'il trouve comment l'éliminer. Pas de taule pour ce meurtre-là non plus.

Il ne lui resterait plus que le cas de Mary à régler. Un défi, le mari étant toujours le premier soupçonné en cas de mort violente.

::

Dimanche 4 décembre

Debout dans le salon, Jean-René Frappier fixait la porte qui venait de se refermer sur David Lenoir. Il entendit la portière de la voiture claquer, puis le bruit du moteur, les roues qui dérapaient quelques secondes dans la neige.

— Je vais appeler Nathalie, dit Evelyne derrière lui. David a peut-être voulu nous voir individuellement, mais il ne nous empêchera pas de nous parler. Et je vais aussi téléphoner à Mary. Je ne comprends pas qu'elle n'ait pas retourné mon appel. Nous ne sommes pas amies, mais on se connaît depuis longtemps. Ce n'est pas normal qu'elle ne m'ait pas rappelée. Tu ne trouves pas ?

— Je… je ne sais pas trop quoi en penser…

— C'est bizarre, tout ça. Cristelle qui est devenue folle, Ian qui a l'air de s'en foutre et sa femme qui ne veut pas nous parler. Rien n'est logique là-dedans !

— C'est sûr, convint Jean-René qui avait l'impression depuis deux jours que sa vie lui échappait, qu'il ne contrôlait plus rien.

— Qu'est-ce qui se passe ? demanda Evelyne. Tu… tu es bizarre, toi aussi. Regarde-moi ! Qu'est-ce que tu ne me dis pas ? Est-ce qu'il y a autre chose que je devrais savoir ?

Jean-René pensait à Mary à qui il avait parlé une heure plus tôt. Il avait prétendu aller acheter des croissants pour faire plaisir à Étienne et il avait envoyé un texto à Mary dès qu'il s'était garé en face de la pâtisserie. Elle l'avait aussitôt rappelé pour lui dire qu'elle ne pouvait pas s'opposer à Ian qui refusait de porter plainte contre Cristelle.

— Ça me surprend de lui, avait ajouté Mary. Ian est tellement… père poule. Il devrait en vouloir à mort à Cristelle, mais il m'a dit qu'elle a *seulement* menacé Matis. C'est avec ton fils et avec Simon qu'elle a dépassé les bornes.

— Il ne veut pas porter plainte ? avait répété Jean-René.

— Non. Et moi, je… si… on est coincés.

Jean-René l'avait assurée qu'il comprenait qu'elle reste en dehors de cette histoire, mais il avait senti tout autant que Mary qu'un malaise s'était installé entre eux.

Evelyne saisit les poignets de Jean-René, chercha à déchiffrer son expression.

— Qu'est-ce que tu me caches ?

— Je… je suis allé à l'aréna, hier midi. J'ai dit à Cristelle ce que je pensais d'elle.

— Tu es allé à l'aréna ?

— Je l'ai menacée. Je lui ai dit qu'elle ne s'en tirerait pas… C'est à ça que David Lenoir faisait allusion tantôt.

— Mais pourquoi tu ne m'as rien dit ? Et pourquoi David n'a pas été plus clair ?

— Je… je ne sais pas.

— Qu'est-ce que tu as dit exactement à Cristelle ?

— Je ne m'en souviens plus. J'étais trop enragé. Je l'ai engueulée.

— Si tu as vraiment proféré des menaces…

Evelyne secouait la tête comme si elle voulait effacer ce qu'elle venait d'apprendre.

— Il est avocat. Juge ! Je ne peux pas croire que tu…

— J'étais furieux, je ne voyais plus clair.

— David a dit qu'il y avait eu des mots déplacés de part et d'autre. Je pensais qu'il s'entêtait à croire qu'Étienne avait insulté Cristelle, mais il ne parlait pas de ça. Je comprends mieux pourquoi tu ne l'as pas contredit. Et je comprends pourquoi il n'est pas resté ici plus de cinq minutes. Il nous a juste demandé comment on voyait la suite des choses. Comment veux-tu qu'on l'envisage, maintenant ?

L'angoisse d'Evelyne qui s'inquiétait pour Étienne avait fait place à l'exaspération : comment pouvait-elle gérer cette crise ? Comment obtenir réparation si son mari avait tout gâché ? Avant la visite de David, elle avait émis diverses hypothèses sur les consé-quences de la plainte qu'elle, Jean-René et Nathalie, et peut-être

Mary, déposeraient contre Cristelle. Elle se rappelait l'impassibilité de David Lenoir alors qu'elle évoquait la gravité des gestes de Cristelle et leurs conséquences. Elle avait cru qu'il demeurait aussi calme parce qu'il réfléchissait à un moyen de les empêcher de déposer une plainte. Mais David savait déjà que Jean-René serait obligé d'avouer qu'il avait menacé Cristelle. Et qu'ils devraient trouver un terrain d'entente.

— Est-ce que tu as touché à Cristelle Bouchard?

— Touché?

— L'as-tu frappée, malmenée, giflée comme elle l'a fait avec notre fils?

Jean-René protesta: il était furieux, mais pas idiot. Il s'était contenté de lui dire ce qu'il pensait d'elle devant les parents présents dans les gradins.

— Je voulais qu'ils sachent tous ce qu'elle avait fait.

— Quelle a été sa réaction quand tu l'insultais?

Jean-René serra les poings, se souvenant de Cristelle qui mimait l'incompréhension en quêtant le soutien des parents assis près d'elle.

— Elle a fini par dire qu'elle avait donné une petite tape à Étienne parce qu'il la méritait. Qu'il avait besoin d'une leçon de politesse.

— Tu es sûr que tu ne l'as pas touchée, même du bout des doigts?

Jean-René secoua la tête, précisa que Pablo l'empêchait de s'approcher de Cristelle. Que Gilbert Cloutier s'était placé entre elle et lui. Evelyne poussa un long soupir, fixa son mari un moment avant de déclarer qu'ils devaient reparler à Nathalie. Peut-être que Mary avait communiqué avec elle. Elles étaient amies, non?

— Je vais voir ce qu'Étienne fabrique. Il doit être en train de vérifier ce qui se passe sur les réseaux sociaux.

— On ne peut pas l'en empêcher, fit Jean-René. À moins de confisquer son ordinateur, sa tablette. Mais on le punirait, alors qu'il n'est pas coupable. Je ne sais pas quoi faire, Evelyne. Je ne sais pas quoi faire pour l'aider.

Evelyne soupira sans répondre. Elle se sentait aussi impuissante que son mari. Et coupable. De ne pas avoir été là pour Étienne quand il avait besoin d'elle. C'était Nathalie qui s'était précipitée pour calmer les garçons, c'était Nathalie qui l'avait prévenue de l'incident. Elle était à Sutton en train de négocier la vente d'un domaine. Et la semaine précédente, elle était dans Charlevoix. Et avant, c'était à Montréal. Elle se répétait que tout cet argent qu'elle gagnait revenait à sa famille, que c'était Étienne qui en profiterait le plus, qu'elle était comme toutes les mères qui travaillaient, qui s'absentaient à l'occasion, mais qui passaient du temps de qualité avec leurs enfants. Elle refusait d'entendre cette voix au fond de sa conscience qui se moquait de ses justifications : si elle quittait aussi souvent la maison, c'était parce qu'elle y étouffait. Parce qu'elle s'était sentie piégée dès les premiers mois d'Étienne. Elle aurait dû être heureuse d'avoir un beau petit garçon. Elle avait cru qu'avec son propre fils tout serait différent, qu'elle aimerait s'en occuper, que ce ne serait pas la même corvée qu'avec ses cinq frères et sœurs. Et c'est vrai que ce n'était pas la même chose. Elle éprouvait un élan vers Étienne, elle était heureuse de s'approcher de son berceau quand il se réveillait. Mais elle avait été si soulagée de le déposer à la garderie, si contente de retourner travailler à l'agence immobilière, si ravie de faire visiter toutes ces propriétés luxueuses, si fière qu'on la nomme associée, qu'elle avait dû s'avouer qu'elle s'ennuyait dans son rôle de mère. Qu'elle n'aimait pas jouer avec son fils dans le carré de sable, raconter la même histoire pour la centième fois, se rendre au parc où elle devait s'extasier comme les autres mères des progrès de son enfant, applaudir quand il grimpait à l'échelle de corde. Elle encourageait Étienne, mais se demandait toujours si elle parvenait à dissimuler son manque d'enthousiasme, si sa voix était assez chaleureuse. Elle était soulagée quand Jean-René rentrait à la maison et soulevait leur fils avec un entrain et un bonheur manifestes. Les choses avaient changé avec le temps. Elle pouvait maintenant échanger avec Étienne. Elle aimait qu'il lui parle de tous ces livres qui le passionnaient, des films ou des séries télé qui le captivaient, même si elle se demandait parfois s'il ne vivait pas un peu trop dans la fiction, comme le croyait Jean-René qui s'efforçait de secouer Étienne, de l'obliger à faire du sport. Une chance, il avait de bons amis, des petits gars qui l'entraînaient dans leur monde plus concret. S'il avait choisi de jouer au hockey, c'était pour suivre Simon et Matis. De chouettes gamins, oui.

Mais que pourraient-ils faire pour l'aider dans cette épreuve ? Étienne avait dit qu'il n'irait pas au collège, qu'on rirait de lui, mais il devrait s'y résoudre. Avait-il le choix ? Devait-elle parler avec le directeur de l'école ? Elle en avait discuté avec Jean-René sans qu'ils arrivent à prendre une décision. Ils craignaient d'attirer encore davantage l'attention sur leur fils, mais ils n'imaginaient pas le déposer devant le collège en sachant qu'il serait la cible de certains élèves.

: :

La neige se mit à tomber à la fin de l'après-midi. Une neige fine, légère, qui ne compliquerait pas la conduite des automobilistes, songea Mary White en regardant les flocons qui glissaient contre la fenêtre de la cuisine. L'image fugitive d'un gentil géant sau-poudrant la terre de sucre glace lui vint à l'esprit. Elle se rappela Matis, quand elle lui racontait cette histoire. Il avait cinq ans, penchait la tête, ouvrait grand la bouche pour gober les flocons qu'il imaginait savoureux. Il riait aux éclats et elle éprouvait l'irré-sistible envie d'embrasser ses adorables fossettes. Elle en avait encore souvent envie, mais se retenait de le faire depuis quelques mois pour ne pas embarrasser Matis qui était si content d'être entré au secondaire. Dieu que le temps avait passé vite ! Son fils avait tellement grandi cette année ! Il était heureux de ressembler de plus en plus à son père. Et Ian était si fier de lui. Et elle aussi. Elle était fière que Matis ait voulu défendre Étienne avec Simon. Son garçon avait le cœur à la bonne place. Il avait dit qu'Étienne ferait rire de lui à l'école. Et que Simon et lui ne savaient pas quoi faire pour empêcher cela.

Elle non plus. Elle avait lu des reproches dans le regard de son fils, quand Ian lui expliquait qu'il avait parlé à David Lenoir et décidé de ne pas porter plainte contre la mère de Lucas. David avait promis que ça ne se reproduirait plus. Cristelle l'avait menacé, mais ne l'avait pas molesté. Mary s'était étonnée d'entendre Ian utiliser le mot « molesté » au lieu de « battu ». Puis elle s'était souvenue que David avait employé ce mot en disant que Cristelle avait eu tort de s'en prendre à Matis, mais qu'« elle ne l'avait pas molesté, n'est-ce pas ? ».

Il fallait maintenant qu'elle réponde aux messages de Nathalie. Elle lui laisserait la tâche d'appeler Evelyne pour confirmer qu'elle et Ian ne porteraient pas d'accusation contre Cristelle Bouchard. Légalement, Ian avait raison de dire qu'il n'y avait pas matière à poursuite. Cristelle avait vociféré des menaces contre Matis, mais rien de plus. Et il n'y avait aucun témoin. Nathalie lui répondrait sûrement qu'ils ne pouvaient tout de même pas tolérer pareille attitude sans broncher. Qu'ils devaient au contraire s'unir pour déposer une plainte commune. Que l'argent et le pouvoir des Lenoir ne devaient pas les impressionner. Si seulement c'était ça…

Mary eut subitement envie de fumer, alors qu'elle avait éteint sa dernière cigarette seize ans plus tôt, en apprenant qu'elle était enceinte de Jasmine. Mais la certitude de décevoir tout le monde l'obsédait, Matis, Nathalie et surtout Jean-René. Il avait prétendu comprendre qu'elle se range du côté de son mari, mais elle l'avait déçu. Elle n'arrivait pas à penser à autre chose. Cherchait comment elle aurait dû agir sans trouver l'ombre d'une solution. Parce qu'une amie de Jasmine avait subi de l'intimidation dans les réseaux sociaux, Mary savait que Matis avait raison : Étienne serait probablement ostracisé et elle s'en désolait. Elle aimait bien Étienne, mais que pouvait-elle faire pour l'aider ? Et même si Nathalie, Jean-René et Evelyne portaient plainte contre Cristelle, ils ne pourraient empêcher les internautes de multiplier les messages méprisants.

— Maman, demanda Jasmine, quand est-ce qu'on soupe ? J'ai faim !

— Dans une heure, répondit Mary en souriant à sa fille.

Elle songea qu'elle au moins serait contente que ses parents ne soient pas en conflit avec ceux de son amie. Mylène qui était si différente de Cristelle et David. Jasmine lui avait dit que Mylène avait honte de ce que sa mère avait fait et qu'elle serait dorénavant gênée de venir à la maison. Mary lui avait répondu que le temps arrangerait les choses, que tout rentrerait dans l'ordre et que Mylène n'était pas responsable de la conduite de Cristelle. Les enfants n'avaient pas à payer pour les erreurs de leurs parents. Elle avait rougi en disant cela, pensant à sa liaison avec Jean-René. Il fallait tout arrêter. Tout.

— Est-ce qu'il y a des yogourts à la fraise ?

— Oui. Dans le bac avec les fruits.

C'était tout ce qui lui restait comme certitude : ce que contenait le réfrigérateur.

: :

Mardi 6 décembre

— Les Poitras ne passeront pas un beau Noël, dit Tiffany McEwen.

Elle exprimait à voix haute ce que pensait Maud Graham, à qui elle venait d'apprendre que le médecin de Jérôme avait exigé des examens supplémentaires pour évaluer la condition de l'adolescent. Il avait demandé l'avis de deux de ses collègues avant d'établir un diagnostic.

— Le Dr Fortin ne veut pas se montrer trop optimiste et décevoir ensuite les Poitras, si les résultats des examens sont inquiétants, précisa Michel Joubert. Tout est possible avec une commotion cérébrale. Le pire comme le meilleur. Il n'est plus dans le coma, c'est déjà beaucoup.

— Mais il ne se souvient de rien, objecta Bouthillier qui venait de les rejoindre dans la salle de réunion pour le briefing de 15 h.

— Il ne reconnaît pas ses parents! déplora Nguyen qui ne pouvait imaginer sa réaction si son fils perdait la mémoire, s'il le regardait comme un étranger.

— Hier après-midi, on est retournés au collège pour reparler aux élèves, aux profs, dit McEwen. On n'a rien appris de nouveau. Le seul qui aurait peut-être pu nous aider, c'est Étienne Frappier, mais il n'était pas à l'école. On a essayé de le joindre chez lui, mais il n'y avait pas de réponse.

— J'ai rappelé chez les Frappier en soirée, continua Nguyen. Le père d'Étienne ne semblait pas comprendre ce que je lui disais. Il avait entendu parler de l'accident de Jérôme, mais son fils n'en a pas discuté avec lui.

— Vous aviez pourtant l'impression qu'Étienne vous cachait quelque chose, lorsque vous avez interrogé les élèves la première fois, se rappela Maud Graham.

— Il ne nous regardait jamais dans les yeux, mais il était peut-être juste intimidé.

— Il n'était pas le seul. Les jeunes sont nerveux quand on les rencontre, dit McEwen. On dirait qu'ils ont tous un secret à cacher.

— C'est certain qu'ils ont des secrets, ce sont des ados, fit Joubert. Rappelez-vous ce que vous dissimuliez à vos parents…

— Ce qui est bizarre, reprit Nguyen, c'est que j'ai senti que le père d'Étienne aussi me cachait quelque chose.

— Comme quoi ? s'étonna Graham.

— Quand je me suis présenté, il y a eu un silence assez long pour que je pense que la communication avait été coupée. Puis M. Frappier a dit qu'il pouvait tout m'expliquer.

— Expliquer quoi ?

— C'est ce que je lui ai demandé. Il m'a répété qu'il y avait une bonne raison. « Une bonne raison pour qu'Étienne se taise ? » M. Frappier a d'abord semblé étonné que je lui parle de son fils, puis il a dit qu'Étienne avait été bouleversé par cette histoire. Et là, il m'a demandé quand Nathalie Hervieux avait porté plainte. C'était à mon tour de ne pas comprendre. Je lui ai dit que j'appelais à propos de Jérôme Poitras, pour savoir si Étienne avait réfléchi à notre rencontre et s'il se souvenait d'un détail qui pourrait nous aider. Ensuite, je lui ai reparlé de la plainte. Pouvait-il m'expliquer de quoi il s'agissait ? Il y a eu un autre silence, puis il a dit que ça n'avait pas d'importance, qu'il y avait un malentendu.

— Il faisait marche arrière, dit Joubert.

— Carrément.

— Et au sujet d'Étienne ? intervint Pascal Bouthillier.

— M. Frappier m'a demandé pourquoi je voulais interroger son fils à propos de Jérôme Poitras. Qu'avait-il à voir avec cet accident ? Je lui ai répété qu'on avait questionné tous les jeunes et qu'on voulait vérifier si certains détails étaient revenus à la mémoire d'Étienne. « Il ne m'en a pas parlé. » J'ai insisté pour m'entretenir avec Étienne, mais M. Frappier a déclaré que ce n'était pas le bon moment. Étienne était malade et il n'était pas allé au collège. Je lui ai dit que je rappellerais aujourd'hui et que je devrais parler avec son fils, qu'il se sente mieux ou non. Mais cette histoire de plainte m'intrigue...

— As-tu vérifié si Nathalie Hervieux a déposé une plainte ?

— On n'a rien dans nos dossiers, répondit Nguyen. Je vais essayer d'en savoir plus quand j'irai chez les Frappier.

— Nous n'avons pas grand-chose non plus du côté du violeur en série, reprit Maud Graham en désignant le dossier ouvert devant elle.

— Moi, j'ai peut-être un truc, avança Bouthillier. Je suis retourné hier dans plusieurs bars de Limoilou et un serveur du Lézard croit avoir vu quelqu'un qui ressemble à notre portrait-robot.

— Il l'a vu récemment ?

— Avant-hier, lut Bouthillier dans ses notes.

— Avant-hier ?

— Non, se corrigea Bouthillier. Stéphane Laperrière m'a dit « avant-hier », donc c'est samedi.

— Samedi ! s'écria McEwen.

— Oui, les agressions ont toutes eu lieu un samedi, fit Graham. Mais on n'a reçu aucune plainte pour viol samedi dernier. Soit notre homme a renoncé à ses projets, soit sa victime préfère garder le silence.

— En tout cas, il n'est pas inquiet, dit Bouthillier. Stéphane Laperrière m'a raconté que notre suspect vient au bar à l'occasion. Il ignore s'il vit à Québec. Mais il est toujours seul et ne semble pas connaître pas les habitués de la place. Il commande toujours un *cosmopolitan*.

— Un cosmo ? s'étonna McEwen. C'est un *drink* de filles.

— C'est pour cette raison que le barman s'en souvient.

— Qu'est-ce qu'il t'a appris de plus ?

— Que ses cheveux sont différents, répondit Bouthillier. Qu'il est jeune. Et que, sur le portrait-robot, il a l'air plus vieux.

— Est-il possible que les victimes l'aient cru plus âgé parce qu'il a eu du pouvoir sur elles, parce qu'il les a dominées en les terrifiant ? réfléchit Joubert. Une sorte de puissance qui aurait gommé sa jeunesse ?

— Stéphane Laperrière est sûr que notre suspect n'a pas plus de vingt, vingt-deux ans, dit Bouthillier.

Un silence de consternation emplit la salle de réunion. Vingt ans et plusieurs viols à son actif.

— A-t-il parlé de son accent? s'enquit McEwen.

— Il a dit qu'il s'exprimait bien. «Comme quelqu'un de la radio.»

— Reviens sur sa chevelure, insista Graham. Qu'est-ce qui ne colle pas avec le portrait?

— Le serveur dit qu'il a *bleaché* ses cheveux. S'il l'a reconnu, c'est à cause de ses yeux qui sont vraiment noirs. «Pas bruns, noirs comme des trous sans fond.»

Bouthillier relut ses notes à haute voix.

— Stéphane Laperrière m'a dit: «Les yeux du blond sont plus vieux que le reste de son visage.» Il a ajouté qu'il n'avait jamais vu des yeux aussi foncés.

Maud Graham frémit en songeant qu'on parlait toujours des vieilles âmes avec une sorte de respect, mais qu'il devait bien y avoir aussi de vieilles âmes pétries de cruauté. Et si le regard était le miroir de l'âme, alors ce serveur avait probablement préparé un *cosmopolitan* pour un violeur en série. Elle se demandait combien il avait de victimes à son actif. Trois jeunes femmes avaient porté plainte, mais Maud Graham savait parfaitement qu'il n'y avait qu'un faible pourcentage de victimes qui prenaient cette décision. À quel âge avait-il commencé ses agressions? Peut-être même sur des gamines? Plus faciles à maîtriser?

— Il faut que Laperrière discute avec le technicien. On doit retravailler le portrait-robot avec ses indications. On le montrera ensuite à nos victimes. A-t-il parlé d'un lapin en peluche?

— Non, mais il a mentionné que notre suspect portait une montre qui valait cher, reprit Bouthillier.

— Est-ce qu'il a dépensé beaucoup d'argent au bar?

— Non, il n'a pris qu'un verre. Il avait l'air de chercher quelqu'un, selon Laperrière.

— Une nouvelle proie, fit Joubert. Est-ce que ce serveur l'a vu parler à une fille?

— Il ne s'en souvient pas.

— Pourrait-il décrire précisément la montre ? questionna Graham. Peut-être qu'elle a été volée.

— Peut-être, dit Bouthillier. Mais notre gars semble avoir de l'argent. Il portait une belle veste de cuir.

— Ton Laperrière est vraiment observateur, commenta McEwen.

— Il a remarqué la veste parce qu'il a déjà pensé à s'en acheter une et y a renoncé. Trop coûteuse.

— Sa dernière victime a dit qu'il avait les cheveux très clairs, nota Joubert. Il les aurait donc teints récemment, puisque les autres nous ont parlé de cheveux châtains.

— Je veux que tous ces détails paraissent sur le nouveau portrait-robot, dit Graham. Qu'on y apporte les corrections et qu'on le fasse circuler.

— C'est regrettable que ce violeur soit beau, soupira Tiffany McEwen.

— C'est ça que je ne comprends pas, fit Bouthillier. Il peut sûrement séduire toutes les filles qu'il veut. Il n'a pas besoin de leur sauter dessus pour pouvoir baiser…

— Le viol a bien peu à voir avec le désir sexuel, rappela Graham. C'est le sentiment de puissance qui excite les agresseurs. Ted Bundy avait, paraît-il, un certain charme. Ça ne l'a pas empêché de tuer une trentaine de femmes…

7

Mercredi 7 décembre

— C'est quand même poche qu'on ne puisse pas publier sur Instagram que Frappier s'est pissé dessus, dit Samuel à Lucas et Jason. Je suis sûr de ce que j'ai vu. La preuve, c'est qu'il n'est pas encore revenu à l'école.

— Il paraît qu'il est malade, fit Lucas. C'est ce que m'a dit Matis.

— Tu le crois ? lança Samuel. Il répète ce que Harrison lui dit.

— Sam, tu ne peux pas poster ce que tu as vu ni sur Instagram ni sur Facebook. Nulle part ! fit Jason d'une voix cassante. Sinon, je vais avoir des problèmes. Pour se venger, Frappier va parler, c'est sûr !

— Étienne n'a rien dit aux policiers quand ils sont venus au collège la première fois, fit remarquer Lucas. Sans ça, ils t'auraient posé d'autres questions.

— Et pourquoi est-ce qu'ils croiraient Étienne plus que toi ? renchérit Samuel.

— Parce que le Chinois qui m'a interrogé a l'air de me haïr, répondit Jason. Je l'ai senti. Il me regardait d'une drôle de manière. Il répétait toujours les mêmes questions pour que je me trompe.

— Tu es paranoïaque, laissa tomber Samuel.

— Ce n'est pas toi qui es suspendu ! s'écria Jason. Je suis le meilleur joueur ! Veux-tu qu'on perde, cette année ? Veux-tu prendre ma place quand les bœufs me poseront d'autres questions sur Poitras ? J'ai beau leur répéter que je n'ai pas fait exprès pour lancer la *puck* sur lui, ils ne veulent pas me croire.

— OK, dit Samuel, je ne publierai rien.

— Il faut que Frappier comprenne notre message, fit Lucas. S'il ne bavasse pas sur ce qui s'est passé à l'aréna…

— Il ne s'est rien passé ! le coupa Jason. C'est juste des histoires.

— L'important, c'est qu'Étienne ne te cause pas de problèmes, conclut Samuel. Il m'a toujours énervé. Je suis certain que c'est lui qui avait dit au prof que j'avais triché en français l'an dernier.

— Le maudit Cloutier n'a toujours pas nommé de nouveau capitaine pour l'équipe, reprit Lucas.

— Si Jason ne remplace pas Jérôme, c'est toi qui devrais avoir la place, dit Samuel.

— Penses-tu ?

— Garanti, assura Samuel.

Il voulait être invité de nouveau chez Lucas Bouchard-Lenoir. Avant, il n'était jamais allé chez quelqu'un qui habitait une telle demeure, où il y avait un cinéma maison et une piscine intérieure. Il était prêt à dénigrer l'entraîneur ou n'importe qui d'autre pour se rapprocher de Lucas.

: :

— Je ne comprends pas trop ce qui se passe, dit Jasmine à Mylène alors qu'elles revenaient du centre sportif. Toi ?

— Moi, je suis découragée. Ma mère…

— Ta mère, c'est ta mère. Toi, c'est toi. Tu n'as rien à voir avec ce qui est arrivé à mon frère.

— J'avais dit à Lucas de s'organiser tout seul, mais il a fallu qu'il bavasse, qu'il se fasse plaindre par maman. C'est une maudite folle ! Quand je lui ai dit que je ne voulais pas qu'elle vienne au centre sportif avec moi, j'ai cru qu'elle me giflerait encore une fois. Je ne sais pas ce qu'elle a !

— La mienne n'a pas voulu venir me reconduire de peur de croiser la tienne, admit Jasmine. Moi, leurs histoires d'adultes, je trouve ça déprimant. Il se passe quelque chose entre mon père et ma mère, mais je ne sais pas quoi. On dirait qu'ils s'en veulent…

— C'est vraiment sûr que tes parents ne porteront pas plainte contre maman ?

— Mon père trouve que ce serait exagéré.

— Ça me met tellement mal à l'aise, avoua Mylène. Qu'est-ce qui lui est passé par la tête ? Peut-être qu'elle prend des médicaments qui l'ont rendue vraiment dingue. Elle ne savait peut-être pas ce qu'elle faisait.

— Des médicaments ?

— Je ne sais pas… Elle ne dit rien.

— La mienne non plus, marmonna Jasmine. C'est le monde à l'envers. Ils disent toujours qu'on ne leur parle pas, mais eux ne nous disent rien. En tout cas, je ne veux pas me mêler de cette chicane. Tout ça pour des niaiseries sur Instagram.

— Mon frère publie n'importe quoi. Ma mère voulait que je prenne pour lui. J'ai bien d'autres choses à penser.

— Moi aussi… soupira Jasmine. Je ne sais toujours pas comment faire pour revoir le beau gars.

Évidemment, se dit Mylène, le beau gars. Il n'y avait que cela qui comptait pour Jasmine. Le beau gars. Plus vieux, plus intéressant que ceux qu'elle rencontrait au collège. Peut-être que les autres filles s'en contentaient, mais pas Jasmine Boisvert.

— Si tu ne l'as pas vu au café, la rassura Mylène, c'est parce que c'est la fin de la session au cégep. Il doit être débordé par les travaux à remettre.

— Tu es fine de m'encourager…

— Je suis sûre que j'ai raison, fit Mylène avec conviction, décidée à toujours dire à Jasmine ce qu'elle voulait entendre. Il faut que tu le retrouves.

— J'aimerais tellement que tu le voies ! Il est tellement beau ! Je me demande s'il va au cégep ou à l'université.

— J'ai hâte d'être au cégep, dit Mylène. J'ai eu une idée : je vais choisir une concentration qui n'existe pas à Québec. Comme ça, je pourrai partir de chez nous. Je n'aurai plus à endurer ma famille. Toi, ça ne te tente pas de changer de ville ?

— De ville, de vie, de tout !

— On pourrait partir ensemble en appartement.

— Oui, on ferait ce qu'on veut quand on veut, approuva Jasmine. Penses-tu vraiment que je vais le revoir ?

— Tu sais bien qu'il y avait un homme pour toi quand je t'ai tirée au tarot.

— Tu es vraiment bonne avec les cartes, fit Jasmine. Tout ce que tu as dit à Éléonore est arrivé.

Mylène esquissa un sourire qui se voulait énigmatique, alors qu'elle avait seulement eu de la chance dans ses prédictions.

— Tu es certaine pour le beau gars ? Il doit avoir une blonde. Et il a sûrement vingt ans. Pourquoi est-ce qu'il s'intéresserait à une fille plus jeune que lui et…

— Tu as l'air plus vieille, la coupa Mylène. Tu devrais peut-être aller dans les bars près du cégep.

— Tu penses qu'on me laissera entrer ?

— Tu es belle. Les belles filles vont où elles veulent.

Jasmine offrit un sourire radieux à Mylène qui sentit fondre le poids qu'elle avait sur le cœur depuis que sa mère lui avait fait honte. Elle avait eu si peur que Jasmine ne veuille plus lui parler ! Qu'elle la mette à l'écart de sa famille. Mais non, Jasmine semblait vraiment désireuse de ne pas se mêler de toute cette histoire et de ne rien changer à leur amitié. Elle resterait sa meilleure amie. Elle continuerait à souper chez elle. Peut-être de plus en plus souvent, même si Jasmine l'agaçait parfois.

— J'ai l'impression de chercher une aiguille dans une botte de foin, reprit Jasmine. Et si le beau gars n'habite pas à Québec?

Mylène croyait que Jasmine avait peu de chances de retrouver le gars qui la faisait fantasmer, mais elle n'allait certainement pas ruiner ses espoirs. Elle devait trouver un argument pour l'encourager.

— Tu l'as vu quel jour?

— Quel jour?

— Un mardi? Un jeudi, un samedi?

— Un lundi.

— Tu es retournée au café un lundi ou un autre jour?

Jasmine ferma les yeux pour se concentrer avant de répondre qu'elle n'y était pas allée un lundi.

— C'est ça, le problème. Il doit avoir un cours qui se termine à la fin de l'après-midi, le lundi. Tu l'as vu quand il sortait du cégep. Il faut donc que tu te pointes au café un lundi. Je suis sûre que ça va marcher.

— Tu es ma *best*!

∷

Nathalie Hervieux secoua la neige de son bonnet tout en poussant la porte de l'immeuble où elle habitait avec son fils. Elle était allée courir dans l'espoir que cet exercice lui permettrait d'avoir les idées plus claires au sujet de l'attitude des Boisvert et des Frappier. Elle avait emprunté la piste cyclable et parcouru plusieurs kilomètres sans comprendre davantage leur refus de porter plainte contre Cristelle Bouchard. Avait-elle tort de s'entêter à vouloir parler aux autorités? Est-ce qu'elle faisait une tempête dans un verre d'eau, pour reprendre les mots de Ian? Il n'était pas là quand elle avait rejoint les garçons chez Evelyne et Jean-René.

Qui étaient aussi absents. Aucun d'eux n'avait constaté l'état de choc des garçons. Nathalie n'avait jamais vu Simon dans cet état, les yeux écarquillés de stupeur, tandis qu'il racontait comment Cristelle avait fondu sur lui. Elle ne l'avait pas giflé comme elle l'avait fait avec Étienne, mais ce n'était pas une raison pour balayer cette histoire sous le tapis! Son comportement était carrément inacceptable: pourquoi était-elle la seule à le condamner? Comment Jean-René et Evelyne pouvaient-ils demeurer les bras croisés? Cristelle avait tellement terrifié Étienne qu'il avait uriné de peur. Elle l'avait serré si fort aux épaules qu'il avait cru qu'elle voulait l'étrangler. Puis elle l'avait giflé. Qu'est-ce que ça leur prenait de plus pour porter plainte?

Nathalie enleva son anorak. Le jogging ne l'avait pas débarrassée de son sentiment de dégoût face au choix des Frappier et des Boisvert. S'était-elle trompée à ce point sur leur compte? Sur Mary avec qui elle avait du plaisir à travailler? Pour qui elle créait des vitrines depuis trois ans avec enthousiasme? Elle posa ses gants sur le radiateur en songeant qu'elle s'était aussi fourvoyée avec le père de Simon. Peut-être qu'elle manquait autant de jugement dans le choix de ses amitiés qu'en amour?

Elle jeta un coup d'œil à l'horloge murale du séjour. Elle avait le temps de préparer le souper avant d'aller chercher Simon à l'aréna. Que ferait-elle si elle croisait Mary, Ian ou Jean-René? Non, Jean-René ne serait pas là, Simon avait dit qu'Étienne était malade. Mais Mary ou Ian viendrait chercher Matis. Elle ne pourrait pas faire semblant que rien n'avait changé entre eux.

: :

Jean-René Frappier poussa lentement la porte de la chambre d'Étienne et le prévint que l'enquêteur Nguyen l'attendait dans le salon. Quand son fils laissa tomber sur le lit le roman dans lequel il était plongé et se redressa pour le suivre, il songea qu'il avait

encore maigri. Mais que fallait-il faire pour qu'il retrouve l'appétit? Pour que tout redevienne comme avant? Pour qu'il retourne
au collège? Evelyne et lui avaient consenti à ce qu'il manque
quelques jours d'école, mais cela ne pouvait pas durer indéfi-
niment. Que devaient-ils faire pour qu'il se ressaisisse? Ils lui
avaient expliqué que c'était possible mais compliqué de porter
plainte contre Cristelle Bouchard. Ils cherchaient néanmoins
une solution avec David Lenoir. Ils voulaient avoir des garan-
ties que Cristelle ne s'approcherait plus jamais de lui. Étienne
les avait regardés sans répondre. Et lorsque Evelyne lui avait
proposé de rencontrer un spécialiste, Étienne avait déclaré qu'il
n'irait pas chez un psy, qu'il n'était pas fou. Evelyne avait tout
de suite protesté, expliqué que cela pouvait lui faire du bien de
discuter avec une personne qui n'était pas impliquée dans cette
histoire. Qu'elle-même, il y a quelques années, avait consulté un
psychologue. Jean-René avait retenu une exclamation : sa femme
ne lui avait jamais dit qu'elle avait suivi une thérapie. Quand?
Pourquoi?

— Je suis vraiment obligé de parler au policier? J'ai déjà tout
raconté.

— L'enquêteur Nguyen a téléphoné avant-hier et hier. Je lui ai
dit que tu étais malade, mais il est venu jusqu'ici pour te voir. Ça
doit être important…

— Je ne comprends pas ce qu'il veut!

— Tu lui répéteras ce que tu as déjà raconté. Et ensuite il s'en
ira. Il fait simplement son travail.

Tandis qu'Étienne se levait, Jean-René lui tapota l'épaule en
disant que tout irait bien. À qui mentait-il?

Andy Nguyen regardait les photos accrochées au mur du salon
et sourit à Étienne qui s'avançait vers lui.

— Est-ce que tu vas mieux? Ton père m'a dit que tu avais été
malade…

Étienne esquissa une moue qui ne signifiait ni oui ni non.

— Je ne resterai pas longtemps. Je veux juste revoir de petits détails avec toi.

— Je vous ai tout raconté.

— Un élève m'a appris que, le jour où Jérôme a été blessé, tu as été le dernier à quitter la patinoire, que tu étais encore là quand l'accident s'est produit.

— Je vous ai dit que je n'ai rien vu.

— Mais tu n'étais pas rendu dans le vestiaire, insista Nguyen. Tu as pu entendre quelque chose.

— Je ne sais rien, murmura Étienne en fixant le sol.

Nguyen observa l'adolescent durant quelques secondes : il était encore plus intimidé qu'à leur première rencontre, littéralement recroquevillé sur lui-même. C'est à peine s'il distinguait ses paroles.

— Est-ce que quelqu'un t'a menacé ? Si Jason ou…

— Mais qu'est-ce que vous voulez savoir à la fin ? questionna Jean-René Frappier en se rapprochant de son fils dans une attitude défensive.

— Étienne a été le dernier à sortir de la patinoire, au moment où Jérôme a reçu la rondelle en plein front avant de tomber à la renverse et de se frapper la tête contre la bande. On cherche à établir si Jason Gascon a volontairement visé Jérôme Poitras ou si c'est un accident. Jérôme ne se souvient de rien.

— De rien ?

— Il ne reconnaît même pas ses parents, répondit Nguyen sans quitter Étienne des yeux. On ne sait pas s'il retrouvera un jour la mémoire. Ce qui lui est arrivé est très grave. Tu comprends pourquoi j'insiste pour avoir ton témoignage ?

Les yeux d'Étienne se remplirent de larmes. Nguyen posa une main sur son bras : il n'y avait que lui pour les aider à découvrir la vérité.

— Si Jason Gascon est coupable, il doit être puni. Tu comprends ? C'est une agression.

Étienne hocha la tête. Il avait envie de dire à ce policier que ce n'était pas la peine de lui demander toutes les cinq secondes s'il comprenait ses paroles. Il n'était pas idiot. Il savait ce qu'il voulait entendre. Mais il savait aussi que, s'il disait avoir vu Jason interpeller Jérôme pour le forcer à se tourner vers lui avant de lancer la rondelle, c'est lui-même qui en paierait le prix. Que Jason soit puni ne changerait rien à la condition de Jérôme, mais changerait l'attitude de trop d'équipiers envers lui. Simon, Matis, quelques autres gars et leur entraîneur lui donneraient raison d'avoir témoigné, mais, eux, ils n'auraient pas à vivre avec l'étiquette *stool* gravée sur le front. Si Samuel n'avait pas publié sur les réseaux sociaux qu'il avait pissé dans ses culottes, c'était parce que son ami Jason voulait qu'il continue à se taire. Mais quand Jérôme reprendrait connaissance et raconterait ce qui s'était passé, Samuel et Jason n'auraient plus à le ménager et ils s'en donneraient à cœur joie. Il devait changer d'école avant que ça arrive. Mais il y aurait sûrement d'autres problèmes dans une autre école...

— Peut-être que Jérôme ne retrouvera jamais la mémoire, répéta Nguyen.

Il y eut quelques secondes de silence pendant lesquelles Nguyen fut persuadé que ses paroles touchaient Étienne, mais celui-ci se leva brusquement en criant que Jérôme était bien chanceux de ne se souvenir de rien.

— Étienne ! s'écria Jean-René en s'élançant derrière lui.

Nguyen le retint par le bras.

— Laissez-le. Il ne me dira rien aujourd'hui.

— Mais pourquoi êtes-vous si sûr que mon fils sait quelque chose ?

— Il était près de Jérôme.

— Ça ne veut pas dire qu'il a vu ce qui s'est passé, rétorqua Jean-René Frappier.

— Je suis sûr que si. Je crois que votre fils me ment. Il faudrait que vous arriviez à le faire parler, qu'il vous raconte ce qu'il sait.

— Ça me surprendrait qu'il me dise quoi que ce soit, soupira Jean-René. Il est très secret.

— Je pense qu'il a peur de parler, monsieur Frappier. Dites-vous bien qu'on peut l'aider, s'il nous aide.

— Je ne vois pas trop ce que…

— Ma patronne dit toujours que les secrets sont des bombes à retardement.

Nguyen attacha son manteau en disant qu'aucune plainte émanant d'une Nathalie Hervieux n'était parvenue à leurs services.

— Mais je suppose que je ne vous apprends rien.

Jean-René retint son souffle, se demandant ce qu'il devait répondre. L'enquêteur ouvrit la porte, puis se tourna vers lui :

— Pourquoi Mme Hervieux aurait-elle porté plainte contre vous ?

Jean-René Frappier protesta. Ce n'était pas contre lui. Il n'avait rien à voir avec cette histoire.

— Quelle histoire ?

— Il y a eu un malentendu. Ça n'a rien à voir avec Jérôme Poitras.

Nguyen observa Jean-René Frappier durant quelques secondes avant de lui répéter que les secrets étaient dangereux. Qu'il ferait bien d'y réfléchir.

Jean-René se dirigea vers la cuisine, tira une bouteille de vodka du congélateur, puis renonça à se servir. Il fut tenté d'appeler Mary, y renonça également. Il savait qu'il aurait dû aller rejoindre Étienne pour le rassurer tout en s'efforçant de lui extirper la vérité, mais il resta dans la cuisine à regarder la neige tomber en se rappelant les bonhommes de neige qu'il faisait avec son fils. Pourquoi les enfants grandissaient-ils ?

: :

— Étienne ne m'a rien dit de plus, avoua Nguyen à Tiffany McEwen en s'arrêtant devant son bureau. Il a trop peur pour parler. J'ai eu beau promettre qu'on l'aiderait, il a gardé le silence.

— Ça ressemble à un cas d'intimidation, dit Joubert derrière lui.

— Je ne sais pas, fit Nguyen en se retournant. J'ai demandé à ses enseignants si Étienne était un *reject*. Pas d'après eux. Il a des amis, notamment Simon Harrison qu'il connaît depuis toujours et qui ne s'en laisse pas imposer. Il est très bon en français, mais ses notes sont plutôt moyennes dans les autres matières. Ce n'est donc pas un *nerd* qui attire l'attention. C'est un élève sans histoire. D'un autre côté, il est clair qu'Étienne se tait parce qu'il craint des conséquences. Ça me convainc qu'il a vraiment vu quelque chose ! Je peux comprendre qu'il n'ait pas voulu nous parler quand nous l'avons rencontré au collège. Mais, une fois chez lui, j'espérais parvenir à lui faire tout raconter… Peut-être qu'il aurait mieux valu que ce soit toi qui le voies.

Tiffany McEwen secoua la tête. Non, elle n'aurait rien obtenu de plus. Étienne se barricadait dans le silence parce qu'il avait trop peur pour se confier à eux.

— Et pour ne pas être rejeté, ajouta Michel Joubert. J'ai menti pendant toutes mes années d'études pour être accepté par le groupe.

— Tu penses qu'Étienne pourrait être gay ? avança Graham qui les avait rejoints. Et que quelqu'un le saurait ?

— Je n'en ai aucune idée, fit Joubert. Peut-être qu'il ne le sait pas lui-même. J'ai quitté mon équipe de hockey quand j'avais quinze ans, parce que je ne voulais pas que mes coéquipiers me voient nu. J'étais avec des gars qui commençaient à avoir pas mal de poils, alors que je restais glabre, mince, pas du tout viril. J'avais peur qu'ils rient de moi.

— De toi ? s'étonna McEwen qui trouvait que Joubert avait une certaine ressemblance avec George Clooney.

— Parce que j'avais honte de mon corps, j'ai dit à mon père que je n'aimais plus jouer au hockey. Pourtant, j'adorais ça. Mais quand on est jeune, on ne veut surtout pas être différent. Parler coûterait trop cher à Étienne.

— Que peut bien en penser son père ? demanda Graham.

— Son père a aussi ses secrets, rappela Nguyen. Et il n'est pas plus jasant. Il n'a pas voulu m'expliquer à quoi rimait cette plainte à laquelle il a fait allusion. Il m'a seulement dit qu'elle n'était pas dirigée contre lui.

— Contre qui alors ?

— Aucune idée. J'ai envie de discuter avec cette Nathalie Hervieux…

— Est-ce qu'on a une raison valable de le faire ? dit Joubert. On ne peut pas se pointer chez elle sans…

— Oui, pour parler avec Simon, le coupa McEwen. Peut-être qu'Étienne s'est confié à lui…

— Depuis que nous l'avons interrogé au collège ? l'interrompit Nguyen.

— Étienne a peut-être mesuré l'importance de ce qu'il a vu. Et s'il a reçu des menaces de la part de Jason et de sa bande, c'est possible qu'il se soit tourné vers son meilleur ami.

— Dans ce cas, Simon garderait aussi le silence pour protéger Étienne ?

Nguyen tapa du plat de la main sur le bureau de McEwen, renversant sa tasse à café heureusement vide.

— Ils se foutent tous de ce qui est arrivé à Jérôme !

Joubert eut un geste d'apaisement, mais Nguyen s'écria qu'il avait envie de traîner Étienne Frappier à l'hôpital. Il devait voir dans quel état l'accident avait laissé Jérôme Poitras.

— Tu penses que ça le ferait réfléchir ?

— Non, reconnut Nguyen en baissant la voix. Étienne m'a dit qu'il enviait Jérôme d'avoir perdu la mémoire. Au fond, il me fait pitié. Je ne sais pas par quel bout le prendre pour le convaincre de tout nous raconter.

— Je vais reparler avec Simon Harrison, décida McEwen. Gilbert Cloutier nous a dit que Jason et lui ne s'entendent pas tellement bien.

— Dans ce cas, si Étienne lui a dit quelque chose contre Jason, fit Nguyen, Simon devrait vouloir nous le répéter.

— C'est un gamin, rappela Joubert. Il ne nous téléphonera pas de lui-même.

— C'est à nous d'aller vers lui, conclut McEwen. Je m'en charge.

: :

Jeudi 8 décembre

Julien Faucher vint vers Ian Boisvert en se frottant les mains de contentement.

— Je n'ai jamais vendu un X6 aussi vite, lui dit-il.

— Tant mieux, répondit Ian en esquissant un vague sourire d'approbation.

— Qu'est-ce qui se passe, Ian ?

— Quoi ?

— Je viens de te dirc que j'ai conclu une transaction en moins d'une heure. On a eu le meilleur mois de novembre depuis des années, les ventes pour décembre sont bien parties et tu n'as même pas l'air content. Je me demande ce qui t'arrive.

— Je suis seulement fatigué.

— Non, trouve autre chose. As-tu des ennuis chez vous ?

Ian Boisvert s'efforça d'être convaincant en répondant qu'il ne se passait rien de spécial à la maison, en répétant qu'il était las.

— Je devrais peut-être faire un *check-up*. Je ne rajeunis pas.

Julien fronça les sourcils : Ian aurait un problème de santé ? Pourquoi ne lui en parlait-il pas franchement ?

— On est associés. Et amis. Qu'est-ce qui te tracasse ?

Ian Boisvert répondit sans mentir qu'il dormait mal.

— Je me réveille souvent. Puis je ne me rendors pas.

— Qu'est-ce que tu rumines la nuit ?

Ian haussa les épaules, fit semblant d'hésiter avant d'inventer une raison à ses insomnies.

— Je m'inquiète pour Jasmine.

— Pour Jasmine ? s'étonna Julien. Pourquoi ?

— Elle a changé.

— Je n'ai rien remarqué quand nous sommes allés à ton anniversaire. Elle est toujours aussi *sweet*. Changé comment ?

Ian se tut, cherchant ce qu'il pourrait répondre, se rappelant tout à coup que Jasmine et Mary avaient discuté de Sybelle qui souffrait d'anorexie.

— Elle mange moins. Elle a l'air obsédée par toutes sortes de régimes.

— Jasmine ? répéta Julien. Qu'en pense Mary ?

— Elle lui a dit qu'elle n'a pas besoin de se mettre à la diète, qu'elle-même a fait des régimes à l'adolescence et qu'elle s'était privée de tout pour rien. Mais, moi, je crois que c'est plus sérieux.

— Pourquoi ?

— Je ne sais pas, dit Ian qui reconnut qu'il avait tendance à trop s'inquiéter pour Jasmine.

— Parce que c'est une fille, supposa Julien. C'était pareil chez nous. Mon père s'en faisait toujours pour ma sœur. Je crois que je serai aussi comme ça, si Paola accouche d'une fille.

— À quand l'échographie ? demanda Ian, soulagé de pouvoir changer de sujet.

Il était conscient qu'il devait redoubler d'efforts pour dissimuler ses problèmes, demeurer l'homme plein d'entrain que Julien connaissait. Il n'avait pas reparlé à David Lenoir ni à Cristelle Bouchard, mais il supposait que celle-ci n'avait pas encore raconté à son mari ce qu'elle savait à son propos, puisqu'elle ne s'était pas manifestée de nouveau. Que signifiait ce silence ? Qu'attendait-elle de lui ?

— On a un rendez-vous avant Noël, répondit Julien. J'espère que tout est beau.

— Ah! C'est à ton tour de t'inquiéter, fit Ian, moqueur, avant de dire qu'il devait rentrer chez lui.

Habituellement, à cette heure-ci, il allait chercher Jasmine au centre sportif, mais il avait préféré lui donner de l'argent afin qu'elle prenne un taxi. Il ne voulait pas croiser Cristelle Bouchard. Il sentit une brûlure à l'estomac. Maudite Cristelle. Il devait maîtriser la situation rapidement. Avec elle, comme avec Mary.

Cette dernière était absente lorsqu'il arriva à la maison, mais Matis y était déjà. Sans lever la tête du jeu vidéo qui retenait toute son attention, il transmit le message de sa mère, qui avait appelé pour les prévenir qu'elle ne rentrerait qu'à 18 h.

— Elle a dit qu'il y a du poulet basquaise et de ne pas oublier de le mettre au four.

— Ça s'est bien passé à l'aréna? demanda Ian.

Matis haussa les épaules avant d'appuyer sur les touches de l'appareil.

— Je te parle, insista Ian.

— Qu'est-ce que tu veux savoir? rétorqua Matis sans quitter l'écran des yeux.

Une note d'exaspération était perceptible dans la voix changeante de l'adolescent. Était-ce Ian qui l'impatientait ou avait-il mal joué?

— On a perdu, marmonna Matis.

Ian éprouva un instant de soulagement: son fils était simplement déçu par cet échec. Il n'avait pas à chercher d'autres motifs à sa mauvaise humeur.

— C'est normal de perdre de temps à autre. Il faut s'habituer à…

— On aurait gagné, avant! s'écria Matis. Maintenant, tout va mal! Le coach fait semblant que tout est OK. Sauf qu'avec l'histoire de Jérôme, puis le père d'Étienne qui est venu engueuler la mère de Lucas devant tout le monde, je peux te dire que…

— Qu'est-ce que tu me racontes? Jean-René s'est disputé avec Cristelle?

— Tu ne le savais pas ?

Ian secoua la tête en se demandant si Mary était au courant de cet incident, si Jean-René s'en était vanté auprès d'elle.

— Qu'est-ce qui s'est passé ?

— La mère de Lucas était assise dans les gradins. La partie allait commencer. Puis le père d'Étienne est arrivé et s'est mis à l'engueuler.

— Qu'est-ce qu'il lui a dit ?

Matis soupira. Il n'avait pas envie de parler de tout ça.

— C'est trop plate.

— Qu'est-ce qu'il lui a dit ? répéta Ian d'un ton impératif.

— Qu'elle n'avait pas le droit de s'en prendre à Étienne, qu'elle ne s'en tirerait pas comme ça, qu'elle lui paierait ça. Je pense qu'il lui a dit aussi qu'elle était folle.

— Folle ?

— Je… je ne sais plus… On ne savait pas quoi faire. Tout le monde était gêné.

— Mais Étienne n'était pas là, tu m'as dit qu'il n'est pas sorti de chez lui depuis que… enfin, depuis que Cristelle…

— Ça ne change rien ! s'impatienta Matis. On est pris avec vos chicanes. Je t'ai entendu parler avec maman. Je sais que vous êtes fâchés à cause de moi.

— À cause de toi ? Où as-tu pêché ça ?

— Si je n'avais rien publié sur Instagram, la mère de Lucas n'aurait pas viré folle, puis tout le reste… Mais Lucas disait des niaiseries sur Simon, ce n'était pas correct. Et là, Nathalie est fâchée contre maman. Toi aussi. C'est ma faute.

— Non, non, non ! protesta Ian avec vigueur.

Il sentait sa haine envers Cristelle brûler en lui. Comment son fils pouvait-il se croire responsable de la bêtise de cette femme ?

— Tu n'as rien à voir avec le comportement de la mère de Lucas, reprit-il. Elle n'avait pas à s'en prendre à vous. J'ai parlé à David, ça ne se reproduira pas. Ta mère voudrait peut-être que

Cristelle s'excuse. Mais, moi, je n'ai pas le goût que ce soit encore plus compliqué. Tu comprends?

Matis acquiesça sans conviction.

— Je suis sérieux, Matis. Je veux seulement que cette affaire s'arrête là. Tu as dit toi-même que c'est plate au hockey. Ce serait bien si tout rentrait dans l'ordre, non?

— C'est sûr.

— Je prépare le souper. Aimerais-tu mieux qu'on mange des pâtes?

Matis qui avait recommencé à jouer se tourna vers Ian en souriant.

— Cool.

Ian lui sourit à son tour, mais ce sourire s'effaça dès qu'il se dirigea vers la cuisine, dès qu'il se redemanda si Mary savait ce que Jean-René avait fait. Quand s'étaient-ils parlé? Ils se parlaient chaque jour. Il avait lu l'historique des appels du cellulaire de sa femme. Et il supposait qu'elle l'appelait aussi de sa boutique. Comment avait-elle réagi en apprenant qu'il s'en était pris à Cristelle Bouchard? L'avait-elle félicité? Avait-elle trouvé qu'il se conduisait comme un vrai père qui sait protéger son fils? Alors que lui avait décidé de ne pas porter plainte? Ian avait envie de tout casser. Le feu qui lui consumait l'estomac se muait en lave, menaçait d'entrer en éruption. Il avait l'impression qu'il allait tout détruire. Il avait envie de prendre le grand couteau de cuisine et d'aller trancher la gorge de Cristelle Bouchard. Puis, subitement, il éclata de rire. Sentit la lave revenir vers le volcan, s'y tapir. Il garderait cette rage pour plus tard. Là, il allait préparer les pâtes en sifflotant. Il couperait le jambon, les champignons et les oignons en songeant que cet imbécile de Jean-René s'était sûrement mis à dos David Lenoir en insultant Cristelle Bouchard devant tout le monde! Avait-il oublié que David Lenoir était avocat? Quand ils s'étaient réunis chez les Frappier dans l'avant-midi, quand Nathalie avait déclaré qu'ils devaient porter plainte ensemble, il avait été le seul à dire qu'il devait réfléchir à cette idée. Mais, en y repensant, si Evelyne semblait d'accord avec Nathalie, Jean-René avait réagi très mollement. Parce qu'il savait qu'il revenait de l'aréna où il avait injurié Cristelle Bouchard. Et maintenant, les Frappier ne pourraient plus porter plainte contre elle. Étienne finirait par apprendre – si ce n'était déjà fait – que son père avait attiré l'attention de tout le monde à l'aréna, qu'il ne savait pas se contrôler.

C'était ça, le problème majeur de Jean-René Frappier, le manque de contrôle ! S'il avait su se contrôler, il ne se serait pas jeté sur Mary. Mais il ne réfléchissait pas. Il laissait ses impulsions le guider. Ian mit l'eau à chauffer en se disant qu'il avait dû apprendre très jeune à garder son sang-froid et que cela lui était bien utile. Sinon il se serait déjà débarrassé de Cristelle Bouchard. Mais il devait d'abord s'assurer qu'elle n'avait pas parlé de lui avec David. Qu'il ne pourrait jamais le soupçonner de l'avoir tuée.

Le grincement de la porte de la cuisine lui indiqua le retour de Jasmine. Ses cheveux étaient constellés de cristaux et il pensa que sa fille était la plus belle au monde. Qu'il ne laisserait personne faire voler sa famille en éclats.

: :

Étienne avait appuyé son front contre la vitre en souhaitant que le froid gèle son esprit. Pendant quelques minutes, la valse des flocons l'avait hypnotisé et libéré de ses pensées, mais elles revenaient se battre à toute vitesse, cogner sur les parois de son cerveau. Il entendait les rires des élèves de tout le collège – même de ceux qu'il ne connaissait pas –, ils se multipliaient, se répercutaient dans chacun de ses neurones, accéléraient les battements de son cœur. Étienne avait espéré qu'il palpiterait si fort qu'il en mourrait, mais il était toujours vivant dans cette chambre dont ses parents le chassaient pour qu'il mange avec eux. Ils n'avaient pas compris qu'il n'aurait plus jamais faim ? Comment pouvait-il avoir faim, alors qu'il se désintégrait ? Il regarda le banc de neige sous sa fenêtre, se dit qu'il devrait s'y jeter, s'enfoncer dans toute cette blancheur glacée afin qu'on l'oublie. Tout le monde serait soulagé. Tout le monde serait content d'oublier le bébé qui s'était pissé dessus. Simon et Matis ne seraient plus gênés d'être ses amis. Son père n'aurait plus honte de lui. Sa mère ne se sentirait pas obligée de venir souper tous les soirs.

Et lui ne serait plus obligé de boire et de manger. Et d'uriner. Il avait toujours la sensation que son urine dégoulinait le long de ses jambes, même s'il voyait le jet jaillir dans la cuvette des toilettes. Il sentait la chaleur de son urine, son odeur. Il était cette odeur dégoûtante. Il avait tellement mal au cœur de lui-même. Il fallait que ça s'arrête.

:   :

Vendredi 9 décembre

Maud Graham entendit la sirène d'un camion de pompiers qui semblait vouloir faire compétition au carillon de l'horloge grand-père. Elle se tourna d'un geste brusque vers l'horloge : était-il déjà 8 h ? Il ne lui restait qu'une heure avant son rendez-vous chez le médecin. Dans une heure et des poussières, le Dr Boucher lui confirmerait que ses insomnies faisaient partie des symptômes de la ménopause. Tout comme ces bouffées de chaleur qui l'assaillaient depuis quelques semaines. Plus tôt dans l'année, elle avait ressenti ces moments de chaleur si inattendus, puis ils s'étaient atténués. Et elle avait voulu croire que la fatigue, le stress ou même l'alcool et les grandes quantités de thé qu'elle buvait en étaient la cause. Mais elle ne pouvait plus ignorer les désagréments qui s'additionnaient pour lui pourrir le quotidien. Elle ne pouvait pas ne plus dormir correctement ni permettre que son efficacité au travail soit menacée. Elle prendrait des hormones dès aujourd'hui ! Si elle avait réussi à cacher ces changements à Alain, en attribuant ses insomnies à des soucis au bureau au retour des vacances, elle avait bien compris qu'il se posait des questions. Et elle détestait lui mentir. Quand elle avait rencontré Alain, elle s'était juré d'être toujours franche avec lui, mais elle ne se résignait pas à prononcer le mot ménopause devant lui. Un homme plus jeune qu'elle. Même s'il lui répétait depuis des années qu'il se foutait de leur mince différence d'âge, elle n'était jamais parvenue à l'oublier. La nuit, quand des vagues de chaleur la réveillaient, elle pensait à Alain qui avait si peu de rides. Il avait toujours cet air juvénile qui l'avait obligé, au début de sa carrière, à se garder de sourire pour prouver qu'il était sérieux et compétent, qu'il n'était pas un gamin qui venait de terminer ses stages.

Tandis que Maud versait de l'eau chaude dans la théière, Églantine sauta sur le comptoir de la cuisine et vint frotter son museau contre sa main.

— Toi, tu es chanceuse. Tu pourras dormir toute la journée, si ça te tente.

La siamoise qui s'était levée chaque fois que Maud Graham s'était réveillée poussa un miaulement d'approbation.

— Bien sûr que tu vas roupiller ! Qu'est-ce que tu ferais d'autre, maintenant que tu ne sors plus dehors ?

Elle souleva Églantine et la cala contre son épaule, écoutant ses ronronnements si réconfortants, se sentant coupable de l'abandonner pour la journée. Peut-être devrait-elle lui trouver un compagnon ?

— Tu voudrais un ami ? demanda-t-elle à la siamoise qui ouvrit ses grands yeux de la couleur exacte des myosotis d'un air interrogateur.

Maud Graham faillit se brûler en goûtant au thé, décida de s'habiller pendant qu'il refroidirait. Elle espéra ne pas attendre trop longtemps chez le médecin, mais elle apporterait tout de même des dossiers à lire. Il lui fallait un détail, une piste pour trouver le violeur en série. Car il continuerait à ruiner des innocences tant qu'elle ne l'aurait pas arrêté. À quel âge avait-il commencé à détruire celles qui croisaient son chemin ? Y a-t-il un âge pour la méchanceté ? Graham savait bien que les enfants peuvent être cruels, qu'ils peuvent s'amuser à arracher les pattes d'une araignée ou rire d'un poisson qui se tortille hors de l'eau jusqu'à la mort. Mais la vraie perversion, quand naissait-elle ? De quel chaos émergeait-elle ? Elle repensa à Jérôme Poitras, au médecin qui réservait toujours son pronostic. Il fallait attendre encore pour savoir quelles facultés avait perdues l'adolescent. Combien de temps ? Ses parents qui s'étaient inquiétés qu'il ne termine pas son trimestre considéraient maintenant sa scolarité comme un détail. Ils priaient seulement pour qu'il finisse par les reconnaître.

8

Samedi 10 décembre

Alain s'éveilla subitement, tapota le côté gauche du lit où aurait dû dormir Maud, se tourna pour lire l'heure sur le réveil. 6 h 13. Il soupira en songeant que Maud aurait eu besoin de davantage de sommeil pour affronter la journée. Il était arrivé en soirée à Québec. Maud et lui venaient à peine de s'asseoir au salon pour siroter un Dirty Martini lorsqu'elle avait reçu un appel de l'hôpital. À la suite de complications, Jérôme était décédé. Elle avait eu l'air si choquée qu'Alain avait cru durant un instant qu'il s'agissait de Maxime, qu'il y avait eu un incident à Nicolet. Mais elle avait raccroché en disant qu'elle devait appeler Joubert, McEwen, Bouthillier et Nguyen pour les prévenir de la mort de Jérôme Poitras.

— Tu veux aller au bureau ? À l'hôpital ?

Maud avait décliné sa proposition. Elle laisserait les parents de Jérôme absorber le choc dans l'intimité, avec leurs proches.

— De toute façon, je ne pense pas qu'ils pourraient nous en dire plus. Nous les avons rencontrés à plusieurs reprises. C'est Jérôme qui aurait pu nous apprendre ce qui s'était passé sur la patinoire. Mais maintenant…

— Maintenant, vous découvrirez la vérité autrement, avait dit Alain avec conviction.

— Nguyen n'a rien tiré d'Étienne Frappier, avait répondu Maud. Il est pourtant persuadé, tout comme McEwen, qu'il sait quelque chose. Je crois que je devrais le rencontrer. Si Jason a vraiment agressé Jérôme, des accusations pourraient être portées contre lui.

— Coups et blessures ayant entraîné la mort ?

— Je suppose que son avocat voudra nous démontrer qu'il n'y avait aucune intention derrière ce geste, seulement de la maladresse. Mais bon, on doit tenter de prouver qu'il y avait malveillance. Le problème, c'est que même si Étienne finit par tout nous raconter, ce sera…

— Sa parole contre celle de Jason, avait dit Alain. Il faudrait que tu aies un autre témoin.

— Je le sais bien.

Maud Graham avait saisi son verre et l'avait vidé d'un trait, s'était étouffée. Les larmes lui étaient montées aux yeux.

— Veux-tu de l'eau ?

— Non, un autre martini.

— Tu ne veux pas plutôt passer au blanc que j'ai choisi pour accompagner l'entrée ? Je l'ouvre pendant que tu appelles ton équipe.

Maud avait haussé les épaules. Elle avait envie d'un alcool fort, mais Alain était si content d'avoir déniché ce Pessac-Léognan qu'elle avait acquiescé. En premier, elle avait joint Tiffany McEwen. Celle-ci se chargerait de prévenir Nguyen et Bouthillier, tandis que Maud appellerait leur patron, puis Michel Joubert. Ils se réuniraient tôt le lendemain matin.

— Ensuite, j'irai voir Étienne Frappier, avait précisé Graham. Je suis persuadée que Nguyen a tout tenté pour le faire parler. Mais avec la mort de Jérôme, il comprendra peut-être enfin qu'il doit nous dire tout ce qu'il sait.

— Je vais demander à Nguyen de vérifier ce qui se dit sur les réseaux sociaux, avait ajouté McEwen. J'imagine que William Germain exprimera sa peine.

— William Germain?

— Le meilleur ami de Jérôme. Il a mis sa photo sur Instagram quand il est sorti du coma. Il était tellement content d'annoncer cette nouvelle! Les réseaux vont s'enflammer…

McEwen s'était tue quelques secondes, se demandant comment Jason réagirait en apprenant le décès de Jérôme.

— J'ai peur qu'il se sente soulagé, avait-elle murmuré. C'est effrayant de penser ça.

— J'espère que tu as tort…

Graham était revenue vers la cuisine où Alain hésitait à préparer l'entrée.

— Finalement, tu sors ou pas?

— Je reste. Je ne peux rien faire de plus pour Jérôme, ce soir. Mais je vais appeler chez les Frappier pour les prévenir que je veux rencontrer Étienne demain matin.

C'est Jean-René Frappier qui avait répondu à son appel et lui avait dit que leur fils était déjà couché. Pourquoi voulait-elle à son tour l'interroger? Est-ce qu'on ne pouvait pas le laisser tranquille?

— Jérôme Poitras est décédé, monsieur Frappier, avait annoncé Maud Graham. Si Étienne sait quoi que ce soit à propos de l'incident dans lequel Jason est impliqué, il serait temps qu'il comprenne qu'il a le devoir de nous livrer des informations.

— Jérôme? Mais il était sorti du coma…

— Malheureusement, il y a eu de graves complications. Je dois parler à votre fils demain matin. Je serai chez vous à 8 h 30.

Graham avait raccroché sans attendre la réponse de Jean-René Frappier, puis elle s'était appuyée contre le comptoir de la cuisine, avait observé Alain qui déposait les gésiers confits sur les haricots extra-fins.

— Maxime avait l'âge de Jérôme quand il s'est blessé en patins à roues alignées. J'ai eu tellement peur pour lui! Sans son casque, il aurait…

— Mais justement il portait son casque, l'avait coupée Alain.

— On a été plus chanceux que les Poitras, avait soupiré Graham avant de goûter au bordeaux.

Elle buvait maintenant du thé, debout devant la fenêtre du salon, Églantine lovée contre le velours de sa robe de chambre.

— Je t'ai réveillé ? Excuse-moi…

— Tu penses aux Poitras ?

— À la nuit blanche qu'ils ont dû passer. À leur vie qui ne sera plus jamais la même. À Étienne Frappier que je dois réussir à faire parler. Veux-tu du thé ? Ou vas-tu te recoucher ?

— Du thé. Tu as fini par me convaincre de ses vertus.

— Tu as faim ?

— Tu réchauffes les croissants pendant que je prends ma douche ?

— Des croissants ?

— Cela me surprend que tu ne les aies pas vus, s'étonna Alain. Mais tu avais la tête ailleurs avec cette nouvelle de la mort de Jérôme Poitras…

— Qu'est-ce que tu feras pendant mon absence ?

— Aller courir sur les Plaines. Penser au souper. Lire. Flatter Églantine. Faire des courses. Chercher notre prochaine destination de vacances sur Internet.

— Des vacances ? On n'en a pas parlé…

— On en parlera ce soir, dit Alain en souriant.

— Tu as déjà une idée derrière la tête.

— Tu ne sauras rien maintenant. Je vais prendre ma douche.

Quand Alain sortit de la salle de bain, l'odeur caractéristique de la pâte feuilletée le fit sourire et il rejoignit Maud à la cuisine en se découvrant subitement beaucoup d'appétit. Elle avait sorti du réfrigérateur sa confiture préférée, aux cerises, ainsi qu'un morceau de Saint-Médard. Au moment où Alain allait s'asseoir, Églantine sauta sur la chaise, puis grimpa sur la table pour se précipiter vers les croissants.

— Attends ton tour, ma petite, dit Alain en l'installant sur ses genoux. J'y goûte en premier.

Églantine répondit par un miaulement impatient qui fit sursauter Graham.

— Cela me surprend chaque fois! Un tel cri dans un corps si menu!

— Pense aux hurlements des bébés, rappela-t-il.

— J'ai adopté Maxime trop tard pour connaître ça. J'espère qu'on pourra tous réveillonner ensemble, cette année. Maxime serait content si sa sœur Camilla pouvait venir à Québec.

— Il n'a pas encore eu de réponse de la mère de Camilla?

Maud Graham sourit à Alain. C'était puéril, mais elle était touchée qu'il ait dit «la mère de Camilla» plutôt que «leur mère».

— Non, mais je suppose qu'on en saura plus cette semaine. Il faut tout de même qu'elle décide si elle part ou non en Floride durant les fêtes. Je ne comprends pas cette femme. Il me semble qu'un minimum d'organisation ne serait pas si...

La sonnerie de son cellulaire l'interrompit. Elle se leva pour le récupérer sur le comptoir, regarda l'afficheur.

— McEwen? Qu'est-ce qui se passe?

— C'est Étienne Frappier. Il est mort.

— Voyons, c'est Jérôme Poitras qui est mort, tu...

— Non, c'est Étienne. Il s'est pendu. Dehors. Bouthillier était de garde cette nuit. On l'a appelé il y a une demi-heure. Quelqu'un avait téléphoné au 911 pour dire qu'il avait découvert un corps et qu'il ne savait pas quoi faire. On a tout de suite transféré l'appel à Bouthillier qui vient de me téléphoner. Ma carte professionnelle était dans la poche du blouson d'Étienne. Je ne peux pas le croire!

— Je devais lui parler tantôt, fit Graham. J'avais dit à son père que... Il dormait quand j'ai téléphoné chez lui, hier soir. Je te retrouve là-bas. J'ai l'adresse.

Elle reposa le téléphone, fixa Alain avant de dire qu'Étienne Frappier s'était tué.

Puis elle secoua la tête comme si elle voulait nier ce qu'elle venait d'apprendre.

— Il s'est pendu, répéta-t-elle.

— Quoi ? Tu devais le rencontrer ce matin…

— McEwen dit qu'on vient de trouver son corps dans un boisé.

Alain faillit serrer Maud contre lui pour la réconforter, mais il devinait qu'elle était suffisamment troublée, qu'elle ne voulait pas se laisser submerger par l'émotion ou la colère. Il lui prit seulement les mains pour lui communiquer sa solidarité et, il l'espérait, une certaine force.

— Nguyen l'a vu hier, ajouta Maud. Il se sent coupable de ne pas avoir deviné que le gamin allait si mal.

— Il ne sera pas le seul à se sentir coupable, murmura Alain. Dans les cas de suicide, c'est un sentiment unanime.

— Je voulais lui parler, répéta Maud. Je ne l'ai jamais rencontré, j'en ai seulement discuté avec Nguyen et McEwen après avoir lu leurs rapports. Ils avaient tous deux l'impression qu'Étienne leur cachait une information. Mais je ne peux pas croire qu'Étienne s'est suicidé parce qu'Andy Nguyen cherchait à savoir la vérité. Ou parce que je voulais le voir ce matin. Son père m'a dit qu'il dormait quand j'ai appelé chez lui, mais il lui a sans doute parlé après mon téléphone. Tout ça n'a pas de bon sens ! Tiffany dit que Jean-René Frappier tient Nguyen pour responsable.

— Il a besoin d'un coupable.

Alain vida les miettes des croissants dans une seule assiette qu'il déposa devant Églantine avant de demander quel coroner avait appelé Pascal Bouthillier.

— Louis-Alex Couturier.

— Ah, le petit nouveau à Québec ? dit Alain. Il paraît que c'est un bon coroner. On prend ton auto ou la mienne ?

— Qu'est-ce que tu racontes ?

— Je viens avec toi. Couturier m'aura sous la main…

— Tu es en congé, voyons !

— Dépêche-toi de t'habiller au lieu de discuter. J'espère que le type qui a découvert le corps n'a pas trop saccagé la scène.

— Et qu'il ne neigera pas, gémit Graham.

— C'est ce qui est annoncé ?

— Je pense que oui.

Alain lui rappela que la météo n'était pas une science exacte, puis il rinça les assiettes, les tasses, les mit dans le lave-vaisselle en se disant qu'il ne préparerait pas le souper comme prévu.

La circulation était fluide. Maud Graham et Alain Gagnon mirent moins de vingt minutes pour rejoindre McEwen qui les attendait en bordure du boisé. Louis-Alex Couturier se tenait loin derrière elle, près du corps qu'on venait de déposer sur une civière, mais Graham avait reconnu sa tignasse hirsute. Quand elle l'avait rencontré en septembre pour la première fois, elle avait été frappée par sa chevelure, si épaisse qu'il semblait porter un chapeau.

— Je vais aller jeter un coup d'œil, dit Alain.

Les ambulanciers étaient sur les lieux et les policiers qui avaient installé un cordon de sécurité s'employaient à repousser les curieux. Graham était toujours étonnée par la vitesse avec laquelle ils accouraient. Elle espéra que le froid les découragerait rapidement et qu'ils rentreraient chez eux, mais elle ne se leurrait pas. Un journaliste et un caméraman qui l'avaient reconnue lui adressèrent des signes auxquels elle répondit en secouant vigoureusement la tête. Pas de questions pour le moment. Ni plus tard. Elle distingua une silhouette dans la voiture de McEwen, supposa que c'était l'homme qui avait découvert le corps. Elle fut soulagée de constater que des policiers avaient empêché les parents d'Étienne de se rendre jusque-là.

— M. Frappier est chez lui avec Bouthillier, l'informa McEwen. Il a appelé un médecin. Mme Frappier s'est évanouie en apprenant la nouvelle. Bouthillier essaie de reconstituer l'emploi du temps de chacun. Nguyen est resté au poste pour éviter une confrontation inutile.

McEwen se mordit les lèvres, cligna des yeux pour refouler ses larmes, avant d'avouer à Maud Graham qu'elle aurait dû comprendre qu'Étienne était vraiment fragile.

— Comment aurais-tu pu le deviner ? Vous nous avez dit durant le meeting qu'il était intimidé quand vous l'avez interrogé. Mais la plupart des adolescents l'étaient aussi, non ?

— Il répondait par monosyllabes. On sentait qu'il nous cachait quelque chose, mais je te jure que ni moi ni Andy ne l'avons bousculé. On a insisté pour savoir ce qu'il pouvait nous dire, mais en douceur. Justement parce qu'on avait peur qu'il se referme encore plus sur lui-même.

Tiffany McEwen jeta un regard à Louis-Alex Couturier qui s'entretenait avec Alain, penché sur le corps.

— Je suppose qu'il y aura une autopsie, dit-elle.

— Tu sais bien que oui. Veux-tu que je l'annonce aux parents ? proposa Maud Graham.

McEwen hésita : valait-il mieux que ce soit Graham qui rencontre les Frappier plutôt qu'elle ? Cependant, c'était sa carte qu'Étienne avait conservée dans la poche de son manteau. Et comme elle avait rencontré Étienne, elle pourrait peut-être l'évoquer avec plus d'empathie ? Mais les Frappier lui feraient-ils les mêmes reproches qu'à Nguyen ?

— Je pense que vous ne vous trompiez pas, avança Maud Graham. Étienne détenait une information qu'il avait peur de vous livrer. Et ce sont les responsables de cette peur qu'il faut trouver. Et les parents m'en veulent peut-être aussi, puisque j'avais annoncé ma visite pour ce matin.

— Je ne peux pas admettre qu'il était si terrorisé qu'il a préféré se tuer plutôt que de nous parler ! se révolta McEwen. Cela signifie qu'il aurait vraiment vu Jason lancer volontairement la rondelle vers Jérôme et qu'il aurait pu le dénoncer, mais qu'il s'est tu parce que Jason lui faisait trop peur. De quoi l'avait-il menacé ? Il ne pouvait quand même pas le tuer !

— Il savait qu'il est violent, puisqu'il s'en était pris à Jérôme, rappela Graham. Peut-être que Jason a commis d'autres agressions dont nous n'avons pas entendu parler.

— Mais si Étienne craignait Jason, il aurait dû… Ça n'a pas de bon sens! Jason ne l'aurait tout de même pas agressé alors qu'il y a déjà des soupçons qui pèsent sur lui.

— Nguyen a dit qu'Étienne n'est pas allé au collège cette semaine, fit Graham. Qu'il était malade. Malade de peur? Qu'est-ce que son père a dit exactement à Nguyen quand il a appelé chez les Frappier la première fois? A-t-il parlé d'une grippe? D'une gastro-entérite?

— Non, M. Frappier n'a rien précisé, répondit McEwen. Mais Nguyen a trouvé Étienne bien pâle quand il l'a vu hier.

— D'après ce que Gilbert Cloutier m'a raconté, reprit Graham, Jason Gascon a sa cour.

— Oui, confirma McEwen, et on sait que ses amis se sont exprimés sur les réseaux sociaux après l'incident à la patinoire.

— Ils ont peut-être intimidé Étienne?

— Pas dans les réseaux sociaux, semble-t-il. En tout cas, ceux qui sont du bord de Jason disent que c'est injuste qu'il ait été suspendu, qu'il n'a rien fait! Quand on l'a interrogé, Jason Gascon nous a donné l'impression de ne pas mesurer la gravité de ses gestes. Il répétait qu'il avait lancé la *puck* pour s'amuser, que ce n'était pas sa faute si Jérôme se trouvait là. Mais il ne pouvait pas ne pas l'avoir vu! Et je ne suis pas sûre qu'il changera d'attitude. Deux de ses professeurs m'ont dit qu'il manquait de jugement. Et qu'il aimait attirer l'attention.

— Ce que je trouve étrange, souleva Graham, c'est que cette agression a eu lieu il y a plus de trois semaines. Pourquoi Étienne s'est-il senti plus menacé ces derniers jours? Au point d'en tomber malade. Vous êtes allés au collège bien avant. Il doit s'être passé autre chose qu'on ignore. Ou alors Étienne a appris la mort de Jérôme et s'est senti coupable. Mais, dans ce cas, il aurait dû vouloir se racheter et tout vous raconter…

— Nguyen est certain qu'Étienne avait un secret, dit Tiffany. Il me l'a répété tout à l'heure. Il a peur qu'Étienne se soit senti acculé au pied du mur à cause de sa visite. Mais je sais que…

— Tu n'as pas à me répéter qu'Andy n'a pas bousculé Étienne, dit Graham, j'en suis persuadée. Mais c'est clair qu'il nous manque des éléments. Le jeune qui vous a informés qu'Étienne était encore sur la patinoire, vous l'avez revu ?

— William ? Oui, bien sûr, je lui ai reparlé, je l'ai croisé à l'hôpital. Il allait souvent voir Jérôme. Ils étaient très proches. Il voudrait nous aider, mais il ne m'a rien appris de plus.

— Il faut rencontrer les amis d'Étienne, décida Maud Graham. Rapidement. Ce serait mieux si c'était nous qui leur annoncions la nouvelle. Je veux voir leurs réactions spontanées…

— Et avant les commentaires sur les réseaux sociaux, l'interrompit McEwen. J'imagine que les jeunes vont tous dire qu'Étienne était formidable.

Le ton de McEwen était chargé d'amertume, mais Graham ne pouvait la contredire et se contenta de hocher la tête avant d'aller rejoindre Alain Gagnon et Louis-Alex Couturier. Ce dernier venait de faire signe aux ambulanciers qu'ils pouvaient récupérer la dépouille, le photographe ayant fini son travail. Il avait pris des clichés du corps sous tous ses angles, des empreintes et de toute la scène du drame. Graham s'approcha du cadavre, fixa les traits fins d'Étienne qui paraissait plus jeune que ses treize ans. Et si menu !

— Je vais appeler au laboratoire pour les prévenir qu'ils recevront le corps, dit Alain. Mais je peux te dire que les sillons sont caractéristiques d'un suicide.

— Il n'a pas été tué ? voulut s'assurer Graham.

— Si on l'avait étranglé et tenté de déguiser le meurtre, les sillons imprimés dans la chair ne seraient pas les mêmes.

Alain effleura du doigt les marques qui enflammaient le cou, s'arrêtaient à la nuque.

— C'est là qu'était le nœud. Si on l'avait étranglé préalablement avec une corde, les marques feraient le tour de son cou.

— Ça me paraît clair que c'est un suicide, reprit Louis-Alex Couturier, mais il y a un élément qui me dérange.

— Un élément?

— La corde avec laquelle il s'est pendu. Ou plutôt le nœud. C'est un nœud compliqué. Un nœud de marin. On ne voit pas ça souvent.

— Qu'est-ce que ça signifie? demanda Graham.

— On n'en sait rien, fit Alain. Il faut l'emmener au laboratoire.

— Vous êtes chanceux que le corps ait été découvert assez vite, dit Louis-Alex Couturier. On peut voir les lividités. Et vous n'aurez pas à attendre qu'il dégèle complètement pour faire l'autopsie.

— Tu vérifieras s'il y a des marques, dit Maud.

Alain fronça les sourcils; c'était évident qu'il allait scruter le corps à la loupe.

— Je voulais dire des marques plus anciennes, précisa Maud Graham.

— Plus anciennes? dit McEwen. Tu veux savoir s'il a subi de l'intimidation au collège, s'il a été molesté par d'autres élèves?

— Ou chez lui, soupira Maud. Ou ailleurs… On ne sait rien de la vie de cet enfant.

— À part le fait qu'il ne s'est pas confié à nous, déplora Tiffany McEwen.

— Tu ne pouvais pas l'y forcer, la rassura Graham tout en sachant que ses paroles ne balaieraient pas la culpabilité de McEwen.

Tandis que les ambulanciers recouvraient le corps d'Étienne, Alain posa la main sur l'épaule de Maud Graham.

— Je vais les suivre, faire un premier examen à l'hôpital.

— Mais tu es en congé…

— Tu auras plus vite les résultats, si j'y vais. De toute façon, tu vas t'occuper de cette affaire, tu ne seras pas à la maison.

— Tu as besoin de ta fin de semaine, répéta mollement Maud Graham.

— Et toi, tu as besoin de réponses, rétorqua Alain Gagnon. On se retrouvera ce soir.

— Je vais rencontrer le témoin et les parents, puis je te rejoins chez nous. On va au moins souper ensemble. Nguyen et McEwen peuvent avancer sans moi... Tout le monde me dit que je dois apprendre à déléguer.

Elle fit signe à McEwen de la suivre. Il était temps de s'entretenir avec Jean-René Frappier. Et son épouse, si elle était en état de répondre à ses questions. Graham savait déjà que la plupart d'entre elles demeureraient sans réponse. Et certaines pour toujours.

: :

Samedi 10 décembre, après-midi

C'était à toutes ces questions que Maud songeait quand Alain la rejoignit à la maison à la fin de l'après-midi. Elle venait de se faire couler un bain, regardait la mousse qui débordait de la baignoire et semblait fasciner Églantine. Quelles questions avait-elle oublié de poser ? Aurait-elle dû rester plus longtemps dans la chambre d'Étienne ? Evelyne avait d'abord refusé qu'elle y aille, refusé qu'elle touche à quoi que ce soit qui appartenait à son fils. Jean-René Frappier avait dit qu'il avait fouillé dans les affaires d'Étienne, cherché un mot d'explication sans rien trouver. Qu'est-ce que ça donnerait à Maud Graham d'aller fouiner dans cette chambre ? Elle avait répondu qu'elle ne le savait pas elle-même, mais qu'elle comprendrait mieux Étienne en y allant. Seule. McEwen resterait avec eux. Elle ne leur demandait que cinq minutes dans cette chambre. Ils avaient fini par hausser les épaules. Evelyne l'avait précédée dans le couloir qui menait à la chambre d'Étienne, s'était subitement précipitée vers la salle de bain pour vomir. Graham était entrée dans la chambre de l'adolescent qu'elle avait trouvée très bien rangée. Trop?

— Dure journée? dit Alain.

— Oui, il avait seulement treize ans.

— Tu te relaxes dans la baignoire, puis tu m'expliques tout ça.

Maud faillit protester, mais elle avait besoin d'un moment de silence pour faire le vide. Elle poussa même la chatte Églantine hors de la salle de bain pour être certaine d'avoir la paix. Quand elle en sortit, dix minutes plus tard, elle se sentait un peu moins tendue.

— Il y a des trucs qui ne collent pas dans ce qu'on nous a raconté hier soir, dit-elle à Alain en se blottissant sur le canapé.

— Dans quel sens?

— Les propos de Jean-René Frappier étaient décousus et c'est normal, il est sous le choc. Il nous a dit que c'est l'interrogatoire de Nguyen qui a bouleversé Étienne, mais j'ai senti qu'il n'y croyait pas. Pourquoi accuse-t-il Nguyen?

— Pour détourner votre attention d'un vrai coupable? avança Alain.

— Mais pourquoi M. Frappier ne veut-il pas qu'on découvre ce qui a poussé Étienne à se suicider?

Alain Gagnon se versa un verre de sauvignon, en tendit un à Maud qui continuait à émettre des hypothèses à voix haute. Alain l'écoutait avec attention, sachant qu'elle avait besoin de formuler ses questions pour y déceler le détail qui pourrait l'orienter vers une piste.

— Si c'était lui? Ou elle?

— Lui, elle? dit Alain.

— Evelyne Marchand, la mère. Ou le père. Si cet enfant était maltraité chez lui? Si Frappier protégeait sa femme? Si c'était ça, le secret d'Étienne? Nguyen est certain que Jean-René Frappier a un secret qui pèse lourd…

— Cet adolescent ne s'est pas suicidé sans raison, formula Alain, mais tu m'as dit que les Frappier sont anéantis, que vous avez à peine pu parler à la mère.

— J'espère que l'analyse de l'ordinateur d'Étienne va nous aider, dit Maud en humant le parfum du vin.

Elle apprécia l'arôme d'agrume, avala une gorgée, reconnut ce goût de mûre qu'elle aimait tant. Elle jeta un coup d'œil à l'étiquette du sancerre, lut le nom du producteur, Henri Bourgeois, se dit qu'elle devrait le noter. Se dit qu'elle manquait de concentration, revint à ses hypothèses.

— Peut-être que Jean-René Frappier veut trouver lui-même le coupable, avança-t-elle.

— Il saurait qui a poussé Étienne à se tuer ? Il aurait un responsable en tête ?

— À tort ou à raison. J'ai vu un homme en colère. Aussi enragé que dévasté.

Elle soupira et but une gorgée de vin avant de reprendre.

— En tout cas, M. Frappier nous a au moins appris qu'Étienne était un spécialiste des nœuds marins même s'il n'aimait pas l'eau. Il y a deux planches laminées dans sa chambre où sont détaillés des dizaines de nœuds plutôt complexes. Entre deux bibliothèques qui montent jusqu'au plafond. Ce jeune-là aimait vraiment la lecture. Son père nous a dit qu'il pouvait rester des heures dans sa chambre à lire, qu'il ne serait pas sorti de la maison, qu'il n'aurait jamais fait de sport si ses amis ne l'avaient pas relancé. Je lui ai alors demandé les noms de ses amis les plus proches et, là, Frappier a hésité. Il doit pourtant savoir quels sont les compagnons de son fils. Il a fallu que j'insiste. C'est bizarre. On aurait dit qu'il ne voulait pas qu'on les rencontre.

— Parce qu'Étienne a pu leur parler de ce qui se passe chez lui ? Mais dans ce cas, Frappier n'aurait pas encouragé son fils à faire du sport avec ses amis.

— Tu as raison, ça ne colle pas.

— Comment étaient les jeunes? demanda Alain même s'il connaissait déjà la réponse.

— Nous n'avons vu que Matis Boisvert. Il répétait qu'on devait se tromper, qu'Étienne ne pouvait pas être mort, qu'il ne pouvait pas s'être suicidé.

Alain secoua la tête; il avait déjà vu un cas de meurtre déguisé en suicide par pendaison, mais ce n'était pas ça cette fois-ci. Il en était aussi certain que Louis-Alex Couturier.

— À cent pour cent. Je te garantis que les empreintes relevées appartiendront au témoin et aux agents arrivés sur les lieux.

— Celles d'Étienne ont presque toutes disparu sous les autres.

— C'est normal que votre témoin ait tenté de vérifier si Étienne était toujours vivant, qu'il ait voulu le décrocher.

— J'imagine qu'il devait être en état de choc, soupira Graham.

— Vous n'avez pas de soupçons contre lui, mais je suppose que vous avez tout vérifié.

— Il a effectivement un alibi. Il était chez lui au moment de la mort d'Étienne. Quand il a découvert le corps, il était très froid. Je comprends qu'il ait eu le réflexe de couper la corde, mais bon, il me semble que c'était évident que le gamin était mort.

— Qu'est-ce que ce type faisait là?

— C'est un amateur d'ornithologie, il avait entendu la veille le chant d'un oiseau qu'il cherche à voir depuis des semaines. Il s'est dit qu'en y retournant à la même heure, il l'apercevrait peut-être. Ça nous change des promeneurs de chiens qui sont toujours les premiers à flairer la mort…

— Au moins, la corde était gelée et la coupure est nette. C'est… c'est dérangeant que ce garçon ait fait un nœud aussi compliqué. Comme s'il mettait un soin particulier dans ce geste ultime.

— Sa mère nous a dit que c'était un perfectionniste. C'est à peu près tout ce qu'on a pu tirer d'elle. Elle répétait qu'Étienne faisait tout très bien, qu'il ne les avait jamais déçus, que c'était un bébé calme, un enfant sage, un adolescent sérieux.

— Trop parfait? souleva Alain. Des parents trop exigeants? Qui l'auraient poussé à exceller en tout? À l'école? En sport? Le père t'a dit qu'il jouait au hockey, mais qu'il aurait plutôt passé ses journées à lire…

— Peut-être.

— A-t-il laissé un mot d'adieu?

— Non, rien, déplora Graham. Peut-être qu'on trouvera une forme d'explication dans l'ordinateur…

— Et son ami? insista Alain. Il a pu vous apprendre quelque chose?

Maud Graham se remémora le regard halluciné de Matis, ses jambes qui tressautaient constamment, le verre de jus qu'il avait renversé et cette manière qu'il avait de se tourner vers ses parents, comme s'il guettait leur approbation avant de répondre aux questions qu'elle et McEwen lui posaient.

— On devra revoir Matis, dit Graham. Il était sous le choc et nous n'avons pas voulu le bousculer. Mais on a deux morts, deux élèves qui fréquentaient le même collège, le même aréna. C'est loin d'être normal. Il faudrait que je puisse m'entretenir avec Matis sans ses parents. J'ai l'impression que quelqu'un a fait une grosse bêtise et qu'on nous le cache.

— Étienne aurait parlé de Jason à Matis?

— Matis prétend que non. Il avait entendu des rumeurs, mais Étienne ne lui a jamais parlé de Jason. Puis il a ajouté qu'il n'avait rien vu sur Facebook non plus. J'ai trouvé ça bizarre et Tiffany aussi. C'est évident qu'Étienne n'allait pas dénoncer Jason sur les réseaux sociaux…

— Peut-être qu'il voulait vous dire qu'il y aurait dû y avoir quelque chose sur Facebook… ou ailleurs, fit Alain.

— Mais quoi? Et où?

— Sur un autre site, que les parents ne voient pas. Ils voient ce qui est sur Facebook, mais souvent ils ne savent pas ce que leurs

enfants publient ailleurs, dans d'autres réseaux. Je suppose que
Nguyen va vérifier tout ça. Et son ami Simon?

— Simon est à Montréal chez son cousin, mais sa mère lui a
parlé et il rentre ce soir. Je le verrai demain. Elle aussi m'a dit
un truc étrange : qu'Étienne ne méritait pas ça. Elle s'est reprise
en disant que cela n'aurait pas dû arriver, mais je me demande
ce que cela signifiait son «pas ça»? De se suicider? Personne
ne mérite de se suicider... Je ne l'ai pas encore interrogée sur la
plainte mentionnée par Jean-René Frappier. Je veux l'avoir en
face de moi.

— Auras-tu assez d'appétit pour souper? s'enquit Alain.

Maud acquiesça d'un demi-sourire.

— Je dois téléphoner aux parents de Jérôme pour les informer
que l'éventuel témoin de l'agression de leur fils est mort, lui aussi.
Je me demande bien comment on arrivera maintenant à savoir
ce qui s'est passé à l'aréna. On dirait que tout le monde a quelque
chose à cacher.

— Comme dans chaque enquête, fit Alain. Mais tu trouveras...

::

Jean-René avait hésité à rappeler Elizabeth, la sœur cadette
d'Evelyne, car il lui avait dit dans un premier temps qu'ils ne voulaient voir personne. Mais il ne pouvait pas laisser Evelyne seule
et il fallait qu'il se rende au boisé, qu'il voie l'endroit où était mort
Étienne. Il fallait qu'il voie la neige dans laquelle on avait couché son corps, qu'il voie si elle avait gardé la forme du corps de
son fils. Peut-être pas, non, il n'était pas bien lourd. Étienne avait
perdu du poids durant la dernière semaine, même si Evelyne et
lui essayaient de le forcer à manger. L'alimenter. C'était tout ce
qu'ils avaient tenté de faire pour aider leur fils. Et lui permettre de
ne pas retourner trop vite au collège. Après avoir avoué à Étienne
qu'il s'en était pris à Cristelle, qu'il avait dépassé les bornes et

qu'il ne savait pas encore si une plainte pourrait être déposée contre elle. Étienne avait secoué la tête, avait murmuré qu'il ne voulait pas raconter l'agression à d'autres personnes, qu'il voulait oublier. Qu'on lui fiche la paix, c'était tout ce qu'il souhaitait. Jean-René avait été soulagé qu'Étienne refuse qu'Evelyne et lui portent plainte. Et c'est cet égoïsme qui avait tué Étienne. Qui obsédait Jean-René. Il avait voulu croire que les choses se tasseraient d'elles-mêmes parce que ça l'arrangeait. Parce qu'il ne savait pas comment agir avec Cristelle et David Lenoir. Parce que Ian Boisvert avait dit qu'il n'était pas assez sot pour porter plainte contre la femme d'un juge, que les procédures seraient interminables, que leur dossier n'était pas assez solide. Il aurait dû protester, dire que Cristelle avait terrorisé les garçons, qu'elle ne pouvait pas s'en tirer ainsi. Mais il s'était tu. Parce qu'il ne voulait pas être en conflit avec Ian ? Parce qu'il se sentait coupable de coucher avec sa femme ? Ou parce qu'il pensait qu'il avait raison et que déposer une plainte ne leur apporterait que des ennuis ?

Il n'avait rien fait. Il avait été lâche et plus jamais il ne trouverait le sommeil.

Il sursauta quand Elizabeth sonna à la porte, jeta un coup d'œil à Evelyne qui demeura sur le canapé sans bouger.

— C'est ta sœur, dit Jean-René.

Evelyne le regarda sans réagir. Qu'est-ce que sa sœur pourrait faire pour lui ramener Étienne ? Rien. Personne ne pouvait plus rien pour eux.

Jean-René se dirigea vers l'entrée, ouvrit à Elizabeth qui avait les yeux rougis. Elle resta immobile quelques secondes, comme si elle hésitait à pénétrer dans cette maison où venait de tomber la foudre. Puis elle se secoua, serra Jean-René contre elle et demanda à voix basse si sa sœur avait vu un médecin.

— J'ai réussi à joindre le Dr Simard. Il lui a prescrit des calmants. Mais j'ai peur qu'elle en ait trop pris. Elle n'a pas quitté le canapé depuis des heures. Elle est figée, comme si elle était gelée.

Elle reste là à fixer le vide. Le téléphone n'arrête pas de sonner. Je ne sais plus quoi faire. Il faut que je sorte.

— Tu m'as dit que des policiers étaient venus?

— Des policières, la corrigea Jean-René. Il y en a une qui est allée dans la chambre de… Elle n'est pas restée longtemps.

— J'ai demandé à mon frère Mario de nous rejoindre. Evelyne et lui ont toujours été très proches, mais il habite loin…

— Le bébé de la famille… C'est bizarre…

Jean-René se tut, Elizabeth attendit qu'il reprenne la parole en s'interrogeant sur le détail qui lui paraissait étrange. Pour elle, tout, absolument tout était bizarre depuis que Jean-René lui avait annoncé le suicide de son neveu. Sa voix au téléphone n'était pas celle qu'elle connaissait. Ses propos. Il lui avait dit qu'Étienne était mort, puis il s'était repris. Il n'en était pas certain. Il devait parler à un policier et il la rappellerait. C'était elle qui l'avait rappelé, elle n'avait rien compris à ce qu'il lui avait raconté. Puis elle n'avait entendu que des sons étranglés. Un policier était intervenu, s'était nommé, lui avait demandé quel était son lien avec Jean-René et Evelyne Frappier. Elle l'avait corrigé, sa sœur s'appelait Evelyne Marchand. Qu'est-ce qui se passait pour l'amour du Ciel? L'enquêteur Bouthillier lui avait alors confirmé qu'Étienne était décédé, l'avait questionnée. Était-elle proche de sa sœur? Pouvait-elle venir la rejoindre? Où habitait-elle? L'enquêteur Bouthillier avait donné son numéro de téléphone à Elizabeth, elle pouvait l'appeler à tout moment. Il resterait encore un certain temps avec les parents. Finalement, Jean-René l'avait rappelée.

— Vous êtes nombreux, reprit-il. Moi aussi, je viens d'une grosse famille, c'est bizarre qu'on ait eu juste un enfant. Peut-être que si Étienne avait eu un frère ou une sœur, il aurait…

— Qu'est-ce qui est arrivé? dit Elizabeth.

— Il est sorti durant la nuit.

— Et on ne s'en est pas rendu compte! cria Evelyne en se levant brusquement, leur arrachant un hoquet de surprise. Il n'ouvrira plus jamais la porte, il n'enlèvera plus jamais ses bottes, il ne jettera plus jamais son sac sur la chaise… Son sac ? Où est son sac ?

— Son sac ? répéta Jean-René sans comprendre pourquoi sa femme voulait à tout prix voir le cartable de leur fils. Il doit être dans sa chambre.

— Elle ne l'a pas apporté avec elle ?

— Qui ?

— La policière. Elle l'a laissé ici ?

— Elle a pris l'ordinateur. Pas le sac.

Sans écouter la réponse de son mari, Evelyne se rua vers la chambre d'Étienne. Elizabeth hésita à la suivre, interrogea Jean-René qui hocha la tête.

— Je sors. Pas longtemps. Mais il faut que je sorte.

— Je vais m'occuper d'elle. Est-ce que tu veux que j'appelle des…

— Non. On ne veut pas trop de monde ici.

Jean-René attrapa son manteau et sortit par la porte arrière sans sentir le froid de décembre.

::

Samedi 10 décembre, soir

Ian Boisvert observait Mary qui fixait l'écran de la télévision sans bouger. Il savait qu'elle pensait à Jean-René et à Étienne. Et à Evelyne. Il y pensait lui-même sans parvenir à ordonner ses idées, il s'étonnait qu'elles soient si confuses. Tout en se réjouissant que la pire des souffrances se soit abattue sur l'amant de sa femme, il était atterré qu'Étienne se soit suicidé, que l'ami de Matis ait été malheureux au point de se pendre. Il était aussi découragé de ne pas avoir su trouver les mots pour réconforter son fils et il doutait d'y parvenir. Mary non plus n'avait pas su rassurer Jasmine et Matis après le départ des policières. Combien de temps étaient-ils restés dans le salon sans bouger après que Maud Graham leur eut remis sa carte en disant qu'on pouvait l'appeler à toute heure? «Pour vous dire quoi?» avait eu envie de demander Ian, mais il s'était tu. Il avait entendu les portières de la voiture des enquêtrices claquer, un bruit de moteur, puis le silence avait empli leur salon. Ian avait pensé qu'il devait dire quelque chose pour apaiser ses enfants, mais Matis ne l'avait pas regardé. Matis s'était tourné vers sa sœur qui lui avait ouvert les bras. Qui avait accueilli ses sanglots. Il s'était approché d'eux, Matis s'était alors recroquevillé comme s'il voulait l'éviter. Et quand il avait cessé de pleurer, il était allé s'enfermer dans sa chambre avec Jasmine.

Ils en étaient ressortis à l'heure du souper. Ian avait préparé leur plat préféré, mais c'est à peine si Jasmine et Matis avaient touché à la lasagne. Ils avaient refusé le dessert et avaient dit qu'ils allaient marcher ensemble. Et maintenant, ils étaient dehors, ils allaient retrouver des amis, ils parleraient d'Étienne, partageraient leur peine avec eux. Loin de la maison. Loin de lui, loin de Mary, alors qu'ils auraient dû vouloir rester ensemble pour vivre ce choc.

Qu'était devenue leur famille? faillit hurler Ian. Il aurait voulu secouer Mary, lui dire que tout était de sa faute, que tout avait commencé à pourrir quand elle s'était donnée à Jean-René. L'avait-elle joint après le départ des enquêtrices? Elle avait dû le texter. Quand? Et qu'avait-elle pu lui écrire? Qu'elle partageait sa peine et qu'elle aimerait être auprès de lui pour le consoler? Que Nathalie l'avait appelée, qu'elle avait dit être certaine qu'Étienne s'était tué à cause de Cristelle, qu'il aurait mérité d'être défendu, qu'ils auraient dû faire front contre les Lenoir pour porter plainte?

Nathalie se trompait, Étienne ne s'était sûrement pas tué parce que Cristelle Bouchard l'avait agressé. Il ne pouvait être traumatisé à ce point! Mais l'important était que Jean-René en serait aussi persuadé. Que Jean-René en voudrait à mort à Cristelle. Et que les enquêtrices l'apprendraient.

Il allait pouvoir passer à l'action incessamment.

Et quand il aurait réglé son compte à Cristelle Bouchard et à Jean-René Frappier, il penserait à Mary. À la punition qu'elle méritait.

: :

Dimanche 11 décembre

Maud Graham observait Nathalie Hervieux qui avait posé la main sur le genou de son fils pour l'inciter à être très franc avec elles. Simon avait hoché la tête avant de lever ses yeux rougis vers Maud Graham. Il serrait contre lui un coussin en velours comme si c'était une peluche, un ourson qui devait le réconforter. Elle lisait autant de peur que d'incompréhension dans son regard.

— Est-ce qu'Étienne était victime d'intimidation au collège ? demanda-t-elle.

— Non. Pas vraiment, il y en a peut-être qui parlent dans son dos, mais…

— Mais quoi ?

— Rien. Des fois, on écrit des affaires sans réfléchir. De toute façon, c'était…

Simon se mordit les lèvres pour s'empêcher de pleurer.

— Sur Facebook ? reprit Maud Graham.

— Pas sur Facebook.

— T'avait-il dit s'il avait vu Jason lancer volontairement la rondelle sur Jérôme ?

— Il ne m'en a pas parlé.

— Penses-tu que Jason ou ses amis l'ont menacé de se venger s'il nous parlait de ce qu'il avait vu ?

— Il ne m'en a pas parlé, répéta Simon Harrison.

— De quoi jasiez-vous ensemble ? s'enquit Maud Graham.

— De n'importe quoi. On niaisait, on jouait.

— Simon et Étienne se connaissaient depuis la garderie, précisa Nathalie Hervieux.

— Je suis allée chez lui, confia Maud Graham, dans sa chambre. Étienne avait beaucoup de livres.

— Il lisait tout le temps. C'est pour ça que la gang de Jason le traitait de *nerd*. Même s'il est dans notre équipe.

— C'est un bon joueur?

— Il était meilleur l'an dernier, admit Simon, mais il a *scoré* la semaine passée. Je pense qu'il joue…

Simon s'interrompit, se mordit les lèvres et corrigea sa phrase.

— Étienne jouait au hockey pour être avec nous autres. Et parce que son père aime ça, il a des boutiques de sport. Il fait des rabais à toute l'équipe.

— Il l'obligeait à jouer?

— Non, Étienne voulait faire partie de notre gang.

— Il était malade la semaine dernière, non?

Simon haussa les épaules.

— Qu'est-ce qu'il avait? Une grippe?

— Non.

— Raconte ce qui vous est arrivé, dit sa mère d'une voix ferme. Sinon, c'est moi qui m'en chargerai.

Simon soupira avant de relater les événements qui s'étaient déroulés dix jours auparavant. Puis il se mit à pleurer et Graham songea à Maxime au même âge qui jouait parfois les matamores pour prouver qu'il n'était plus un bébé, mais qui était encore un enfant à consoler lorsque des chagrins le submergeaient. Nathalie enlaça son fils un moment avant de dire à Maud Graham qu'elle avait voulu porter plainte contre Cristelle Bouchard, mais que les parents de Matis et Étienne s'étaient défilés.

— Je ne comprends pas qu'il se soit pendu, hoqueta Simon. Il aurait dû…

— Dû quoi?

— Il paraît que les gens se pissent dessus quand ils se pendent. Étienne aurait dû penser à ça.

Maud Graham interrogea Nathalie Hervieux du regard : que signifiait cette étrange réflexion ?

— Simon n'avait pas fini de tout vous raconter. Il faut que vous sachiez que Cristelle a fait si peur à Étienne qu'il a uriné dans son pantalon.

Maud Graham retint une exclamation : voilà donc la bêtise qu'elle soupçonnait depuis le début !

— Samuel l'a sûrement vu par la vitre de l'autobus, continua Simon. Il a dû tout raconter à Jason. J'étais certain que Samuel mettrait ça sur Instagram, que toute l'école saurait ce qui était arrivé à Étienne, mais il n'a rien écrit. Je ne comprends pas ce qui se passe. Même si j'ai dit à Étienne qu'il n'y avait rien, sur aucun réseau, il était sûr qu'ils attendaient qu'il revienne à l'école pour rire de lui en gang.

Simon exhala un long soupir avant d'avouer qu'il ne savait plus quoi faire avec Étienne pour l'aider.

— J'aurais dû…

— Tu ne pouvais pas savoir ce qui se passerait, le coupa Nathalie. Tu n'as pas à te sentir coupable de quoi que ce soit.

— Si j'étais allé le voir, peut-être que…

— Ta mère a raison, Simon, dit Graham d'une voix ferme, ce n'est pas de ta faute. Et c'est aux adultes, c'est à moi de trouver les responsables. Qui fait partie de la gang de Samuel ?

Simon secoua la tête : ce n'était pas la gang de Samuel, mais celle de Jason.

— Jason Gascon ?

— Il a des centaines d'amis qui le suivent sur Instagram.

Maud Graham remercia Simon et Nathalie de l'avoir reçue, leur rappela qu'ils pouvaient la joindre en tout temps s'ils le souhaitaient.

— On souhaiterait surtout oublier tout ça, avoua Nathalie. C'est hélas impossible. Je ne comprends pas pourquoi les Frappier n'ont rien fait. Je veux bien croire que David est juge, mais ça ne m'aurait pas arrêtée. Je pense encore à porter plainte contre Cristelle Bouchard.

— Arrête, maman. Ça va juste faire des problèmes.

— On dirait que tu as oublié dans quel état tu étais quand tu m'as téléphoné.

— Ça ne donnerait rien. Je ne veux pas.

Simon se leva brusquement, bouscula sa mère et courut vers sa chambre. Le claquement de la porte ne fit sursauter personne. Nathalie Hervieux se contenta de soupirer.

— Je ne sais pas comment l'aider. J'ai moi-même de la difficulté à imaginer qu'Étienne est mort. C'est tellement… c'était un gentil garçon, un doux. Il faisait vraiment pitié quand je suis arrivée. Simon et Matis étaient bouleversés, mais lui était tétanisé. J'ai réussi à le calmer un peu. On lui a répété que ça pouvait arriver à tout le monde, mais il n'osait pas nous regarder dans les yeux. Il était tellement gêné !

— Vous avez dû être surprise quand Simon vous a appelée pour vous dire que Cristelle Bouchard les avait menacés ?

— Absolument. On sait tous que Cristelle s'énerve facilement, mais de là à s'en prendre aux enfants… Je suppose qu'elle se croit au-dessus des lois.

— Mais ni les parents d'Étienne ni ceux de Matis ne vous ont suivie dans l'idée de déposer une plainte, c'est bien ça ?

— Ils m'ont vraiment déçue, dit Nathalie Hervieux en raccompagnant Maud Graham jusqu'à la porte d'entrée. Au lieu de porter plainte, Jean-René a engueulé Cristelle devant tout le monde à l'aréna. Ce n'était pas l'idée du siècle d'aller la menacer. Je pensais aussi que Ian Boisvert réagirait. Ou Mary. Je pensais que je les connaissais mieux que ça. Je suis vraiment choquée.

Maud Graham marcha jusqu'à sa voiture, intriguée que Jean-René Frappier ne lui ait pas parlé de Cristelle Bouchard. Parce qu'il était mal à l'aise de l'avoir insultée en public ? Ou

parce qu'il se sentait coupable de ne pas avoir défendu correctement son fils ?

Elle voulait aussi avoir la version de Matis sur ces événements.
Et celle de Samuel. Elle fouilla dans son sac, en sortit son calepin
pour trouver l'adresse de Matis. Elle demanderait à McEwen, qui
devait avoir vu Samuel au collège, si elle se souvenait de ce gamin.

Après avoir garé sa voiture devant la demeure des Boisvert,
Maud Graham resta quelques minutes à côté de son véhicule.
Elle avait enlevé son foulard et ouvert son manteau, exposant
son visage au froid tout en pestant contre cette ixième bouffée de
chaleur. Il fallait vraiment que les hormones que le Dr Boucher
lui avait prescrites fassent effet rapidement, qu'elle redevienne
elle-même, qu'elle oublie cette maudite ménopause ! Elle inspira
lentement, se forçant à se calmer, à se concentrer sur ce qu'elle
venait d'apprendre, mais elle peinait à ordonner ses idées qui
lui semblaient valser dans son esprit, puis s'évanouir comme
ces flocons de neige qui commençaient à tomber. Les vagues
brûlantes refluèrent et elle frissonna, referma son manteau en
espérant que Matis serait chez lui. Et qu'elle aurait récupéré toute
sa concentration.

: :

— Elle ne m'écoute pas ! dit Cristelle Bouchard à son mari.
Vas-y, toi ! Elle est enfermée dans la salle de bain depuis une
heure ! Il y a toujours bien des limites !

David Lenoir dévisagea sa femme durant quelques secondes
en se demandant quelle attitude adopter avec Mylène, qui s'était
absentée de la maison toute la journée sans répondre aux appels
de sa mère. Quand elle était enfin revenue, Cristelle lui avait
dit qu'elle lui confisquerait son téléphone puisqu'il ne servait à
rien. Mylène avait aussitôt répondu qu'elle n'avait rien à lui dire,
qu'elle ne voulait plus jamais lui adresser la parole. David avait

tenté de calmer Mylène : c'était normal qu'elle soit bouleversée par le suicide d'Étienne, mais elle confondait tout.

— Ah oui ? Tu ne vois pas le lien entre la mort d'Étienne et la crise de ta femme ?

— Ta mère a eu une réaction exagérée, nous en avons convenu, avait dit David. Mais c'est toi qui dépasses les bornes maintenant.

— Il s'est tué, papa. Étienne s'est tué.

— C'est terrible, ma chérie, mais tu sautes vite aux conclusions. Tu n'as pas de preuves et…

— Des preuves ! On n'est pas au tribunal, papa ! Mais si tu veux défendre ta femme, c'est ton affaire.

— Tu ne peux pas accuser ainsi ta mère, avait protesté David en notant que Mylène évitait de prononcer le mot « maman » ou même le prénom de Cristelle.

Elle témoignait de sa haine en niant son identité. Comment les choses avaient-elles pu dégénérer en si peu de temps ? La semaine dernière, il disait à Cristelle que les Frappier ne porteraient pas plainte, mais qu'il voulait qu'elle consulte un psychologue pour apprendre à gérer ces inadmissibles sautes d'humeur. Il ne les tolérerait pas plus longtemps. Même si la discussion s'était envenimée, il n'avait pas faibli devant les protestations de son épouse : elle devait changer de comportement, sinon il songerait à une séparation. Et s'il avait été lui-même étonné d'évoquer cette éventualité, il avait compris, tout en proférant cette menace, que c'était au fond ce qu'il souhaitait. Depuis plus longtemps qu'il n'était prêt à se l'avouer. Rien, toutefois, ne devait se conclure dans la précipitation. Et, en ce moment, il devait gérer cette crise, faire comprendre à Mylène qu'il était inutile d'accuser Cristelle.

Pourtant, depuis des heures, depuis le hurlement de Mylène alors que Jasmine lui apprenait la nouvelle, depuis le regard de panique de Lucas, il se demandait si l'agression de Cristelle était à l'origine du suicide de l'adolescent. Il se répétait que sûrement d'autres éléments avaient poussé Étienne à faire ce terrible choix, mais si ce n'était pas le cas ? Si c'était la faute de Cristelle ?

— Ma chérie, avait-il dit, je ne défends personne. Je te demande simplement de te calmer, d'essayer de réfléchir avant de…

— Me calmer ? avait hurlé Mylène. Je t'en laisse le soin, tu es un champion du calme ! On respire par le nez, on fait semblant que tout va bien et que tout est pour le mieux dans le meilleur des mondes. Vous… vous me…

Mylène n'avait pas fini sa phrase, elle s'était précipitée hors de la pièce, s'était enfermée dans la salle de bain. Elle y était depuis près d'une heure. Cristelle était allée frapper plus d'une fois à la porte sans obtenir de réponse. David devait la persuader de sortir de là, lui dire qu'il voulait sincèrement discuter avec elle, qu'il saurait l'écouter.

Alors que son mari cognait à la porte de la salle de bain, Cristelle s'était dirigée vers la cuisine et s'était approchée du gâteau aux cerises qu'elle avait fait en matinée pour sa famille. Elle qui ne mangeait jamais de dessert, elle en avait besoin maintenant ! Elle saisit une cuillère, piocha dans le gâteau, avala une énorme bouchée sans vraiment y goûter, en prit une autre, puis une autre encore, respirant à peine, engloutissant le gâteau comme si c'était le dernier de son existence. Puis elle se laissa tomber sur un tabouret, constata qu'elle avait dévoré près du quart du dessert, le saisit à pleines mains et le lança contre le mur. La garniture aux cerises resta quelques secondes collée au mur, puis se mit à descendre en dessinant des coulées écarlates qui ressemblaient à du sang.

Cristelle eut soudain envie de mordre. De frapper. De tuer. C'était tellement injuste que tout le monde se ligue contre elle, alors qu'elle se consacrait depuis des années au bonheur de sa famille. Elle avait mis tout son cœur à élever sa fille et celle-ci lui tournait le dos, l'accusait des pires crimes, se réfugiait chez son amie Jasmine sans savoir que le père de celle-ci était un menteur. Un fraudeur. La famille Boisvert que Mylène trouvait si formidable était bâtie sur un mensonge. Mylène lui reprochait d'être à l'origine du suicide d'Étienne, alors qu'elle l'avait seulement un peu malmené, mais comment aurait-elle jugé Ian Boisvert si elle avait su qui il était vraiment ? L'usurpation d'identité était beaucoup plus grave qu'une petite engueulade. Même si cette engueulade avait causé plus de tort qu'elle ne l'avait imaginé. Mais comment aurait-elle pu deviner que le fils de Jean-René et Evelyne était si fragile, si impressionnable ? Elle s'en était prise aussi à Matis et à Simon et ils ne s'étaient pas pendus. Au fond, Mylène profitait de cet événement pour la dénigrer. N'importe quel motif lui convenait, du moment qu'elle pouvait la détester. Mais pourquoi était-elle si hargneuse avec elle ? Cristelle ne se souvenait pas d'avoir haï sa mère. À l'âge de Mylène, elle pensait davantage à remporter les concours de beauté qui lui permettraient de gagner sa vie, de quitter la maison et la chambre minable qu'elle partageait avec ses sœurs, d'oublier les conneries de son frère, de s'éloigner de ses parents à qui elle n'avait rien à dire. Mais à qui elle avait la décence d'obéir puisqu'ils l'entretenaient. Mylène avait sa chambre à elle, une piscine à sa disposition, le dernier iPhone, tous les cours qui pouvaient l'aider à se réaliser et ce n'était pas encore assez ? Une ingrate ! Gâtée, pourrie. David l'avait trop gâtée. Et voilà qu'il continuait à lui parler contre la porte de la salle de bain, d'une voix douce, comme si Mylène méritait qu'on soit gentil avec elle. C'était sur un tout autre ton qu'il s'était adressé à elle plus tôt. Qu'il l'avait menacée de la quitter. Elle aurait voulu lui écraser la face contre le mur, le forcer à s'excuser, à admettre qu'elle avait tout sacrifié pour lui. Pour les enfants. Sa jeunesse, son talent, sa beauté. Tout. Elle avait l'impression que son cerveau bouillonnait, que ses veines palpitaient à ses tempes, qu'elle allait exploser de colère. Elle devait sortir, sinon elle s'en prendrait à Mylène. Lui dirait qu'elle savait qu'elle préférait Mary, mais que Mary n'était pas la mère parfaite qu'elle admirait. Qu'elle et son mari n'étaient que des hypocrites. Elle devait sortir. Se changer les idées. Reprendre le contrôle.

Ian Boisvert.

Voir Ian Boisvert ramper devant elle lui ferait du bien. C'était la seule chose qui pourrait la soulager du stress que Mylène lui imposait.

Il répondit à la première sonnerie. Accepta tout de suite de la rencontrer. Cristelle eut le sentiment étrange qu'il était content de l'entendre. Comment pouvait-il être heureux de la voir ? Ian ne pouvait se réjouir, puisqu'elle représentait une menace pour lui. Il faisait semblant pour essayer de l'amadouer et d'être dans ses bonnes grâces.

Quelques minutes plus tard, en posant les mains sur le volant de sa voiture, elle pensa au moment où elle avait acheté le X6. Elle avait lu une admiration certaine dans le regard de Ian quand ils avaient comparé les performances de plusieurs véhicules. Elle l'avait impressionné par ses connaissances. Il avait dit qu'il aimait les femmes qui savaient ce qu'elles voulaient dans la vie. Se pouvait-il que Ian Boisvert apprécie le pouvoir qu'elle exerçait sur lui ? Le secret qui les unissait ? C'était complètement tordu ! C'était elle qu'on traitait de folle, mais Ian, lui, l'était vraiment. Elle se surprit à sourire, constata que ça ne lui était pas arrivé depuis des jours. Ian était peut-être fou, mais beaucoup plus distrayant que David. Et il avait certainement eu une vie bien plus palpitante que celle de son mari avant de s'établir à Québec. Elle voulait tout savoir de lui. Tout ! Il comprendrait vite qu'il n'avait pas intérêt à lui faire des cachotteries.

: :

Dimanche 11 décembre

Maud Graham se glissa dans sa voiture en se disant qu'elle avait probablement perdu son temps chez les Boisvert. Matis ne lui avait rien rapporté que Simon ne lui avait pas déjà raconté.

Il était visiblement très choqué par le suicide de son ami et ses parents l'avaient autorisé avec beaucoup de réticences à lui parler. Elle avait promis de ne pas rester longtemps et n'avait eu aucune difficulté à tenir parole, Matis répondant entre deux sanglots à ses questions en se contentant de hocher ou de secouer la tête. Elle avait aussi interrogé sa sœur aînée, mais Jasmine n'avait pas grand-chose à lui apprendre. Elle aimait bien Étienne, même si elle ne le connaissait pas tant que ça, c'était seulement l'ami de son frère. Elle était pourtant bouleversée, tout comme sa mère qui s'essuyait fréquemment les yeux, qui répétait qu'Étienne était un si gentil garçon. Elle avait paru déstabilisée lorsque Maud Graham lui avait demandé si Étienne s'était confié à elle. S'il lui avait parlé de l'incident avec Cristelle Bouchard. Non, elle ne l'avait pas revu après cette histoire.

— Une histoire plutôt embêtante, si j'ai bien compris, avait avancé Graham. Vous n'étiez pas d'accord quant aux mesures à prendre au sujet de Mme Bouchard ?

Mary White avait haussé les épaules et détourné le regard. Son mari l'avait rejointe sur le canapé. Il avait expliqué qu'il n'y avait pas matière à porter plainte.

— Cristelle Bouchard a été un peu dure avec notre fils, mais elle ne l'a pas molesté comme elle l'a fait avec Étienne. Je comprends que les Frappier soient montés contre elle, mais nous… nous préférons que l'incident s'arrête là. Pensons plutôt à la douleur des Frappier. Est-ce que nous pouvons faire quelque chose pour les aider ?

Ian Boisvert avait posé la main sur la cuisse de son épouse qui avait sursauté.

— On devrait les appeler, avait-il dit. Tu ne penses pas ?

Mary White avait baissé la tête avant de répondre qu'ils préféreraient avoir leur famille auprès d'eux. Ian Boisvert l'avait fixée durant quelques secondes, puis avait passé son bras autour de ses épaules.

— Je suppose que tu as raison. Comme je n'ai pas de famille, j'aurais plus tendance à vouloir mes amis près de moi en pareilles circonstances, mais Jean-René et Evelyne ont des frères, des sœurs pour les réconforter. C'est tellement épouvantable ! Je ne peux pas imaginer…

Mary s'était alors dégagée de son étreinte pour se lever et courir vers la cuisine.

— Elle est vraiment bouleversée, avait dit Ian Boisvert. Nous le sommes tous.

— C'est bien normal, avait acquiescé Maud Graham.

Mais maintenant qu'elle allait faire démarrer sa voiture, elle songeait que Ian Boisvert semblait plus inquiet qu'ému par la tragédie. Inquiet pour qui ? Ses enfants ? Pourquoi ?

: :

Dimanche 11 décembre

Henri Longpré remercia les enseignants, le travailleur social et la psychologue du collège pour leur présence un dimanche après-midi. Ils devaient prendre les mesures nécessaires pour aider les élèves à appréhender la mort tragique d'Étienne. Qui succédait à celle de Jérôme. Jamais de tels événements ne s'étaient produits au collège depuis qu'Henri Longpré en était le directeur et il avait dit clairement, dès le début de cette réunion exceptionnelle, qu'il était bouleversé et qu'il avait besoin de l'aide de tous pour gérer cette crise. Que toutes les suggestions, les conseils étaient les bienvenus.

— Vous devrez être francs avec les élèves, dit Christophe Lessard, le travailleur social. Ils ont été très actifs sur les réseaux sociaux aujourd'hui. Se sont appelés, se sont envoyé des textos. Je peux vous dire que plusieurs versions de ce drame circulent, en plus des témoignages d'amour pour Étienne qui se multiplient à la vitesse grand V…

— C'est un peu tard pour les mots doux, le coupa Catherine Fortin. À part Matis et Simon, Étienne n'avait pas vraiment d'amis, plutôt des connaissances. C'est facile de le regretter aujourd'hui, alors que…

Sa voix s'étrangla et l'enseignante se mit à pleurer : elle savait qu'Étienne n'était pas l'élève le plus populaire, mais n'avait jamais pensé qu'il était rejeté. Il était dans la bonne moyenne, n'attirait pas l'attention. Avait-il été victime d'intimidation sans qu'elle s'en aperçoive ? Au point de s'enlever la vie ? Qu'aurait-elle dû deviner ? Pourquoi ne s'était-il pas confié à elle ?

— On avait une bonne complicité, c'était un des meilleurs en français. Il me parlait assez souvent des romans qu'il lisait. J'aurais dû…

— Je n'ai pas pensé non plus qu'il était un *reject*, dit Antoine Goupil qui enseignait les mathématiques. Et je ne suis pas convaincu qu'il l'était. Pour moi, c'était un élève ordinaire. Ni un *king* ni un *loser*.

Les autres enseignants hochèrent la tête, partageant cette opinion.

— Et moi, je n'ai rien lu sur Étienne dans les jours précédant sa mort, ajouta Christophe Lessard. Pas de critique, pas d'insulte, rien. S'il était en conflit avec un ou des élèves, ça se passait en privé, hors des réseaux sociaux.

— Et même si on a vu les parents d'Étienne lors des rencontres scolaires, reprit Goupil, sait-on ce qui se passait chez eux ? Ce drame a dû être alimenté à plus d'un feu…

— Est-ce qu'il aurait pu prendre de la *dope* ? interrogea Henri Longpré. Nous savons tous que…

— Non, protesta Catherine Fortin. Pas lui. Ni ses amis.

— Qu'est-ce qu'on doit faire maintenant ? demanda Goupil en se tournant vers Francesca Garcia, la psychologue qui était aussi conseillère d'orientation au collège.

— On va procéder par étapes, répondit-elle. Henri doit réunir les élèves dès l'arrivée au collège demain matin et leur dire que tout le monde est bouleversé par la mort d'Étienne. Lui, vous, moi, tout le monde. Que chacun peut avoir besoin d'en parler, que nous sommes tous là pour les écouter. Que ce soit en groupe ou en privé.

Francesca fit une courte pause avant de s'adresser aux enseignants : leur rôle serait de veiller à ce qu'aucun élève ne s'isole. Et ils devraient lui envoyer ceux qui semblaient trop bouleversés, incapables de gérer ce stress. Elle prendrait le temps de les écouter. Elle regretta qu'Étienne n'ait pas eu envie de se confier à elle ; peut-être aurait-elle pu l'aider, éviter le drame ? Mais elle n'avait qu'un vague souvenir de cet élève et s'en sentit légèrement coupable. C'était inutile, illogique, elle ne pouvait pas forcer les jeunes à s'ouvrir à elle, mais ce malaise lui rappelait à quel point un suicide engendre des formes multiples de culpabilité. Ce sentiment destructeur devait étouffer les parents d'Étienne.

— Et n'oubliez pas que plusieurs élèves ne pleurent pas seulement Étienne, mais également Jérôme Poitras. Deux décès tragiques en deux jours, c'est énorme à gérer…

: :

Une pieuvre, songea Ian Boisvert en regardant Cristelle Bouchard jouer avec sa lourde chaîne en or. Cette femme devait être une pieuvre dans une vie antérieure pour lui donner cette impression gluante d'étouffement. Il n'aimait pas sa façon de se tenir si près de lui, mais n'avait évidemment pas bougé quand elle avait posé sa main gantée sur son avant-bras en lui demandant s'il la comprenait. Il savait que la prochaine fois qu'elle se pencherait vers lui, leurs genoux se toucheraient. Il n'avait pas été étonné qu'elle choisisse un canapé plutôt que les fauteuils recouverts de peau quand ils s'étaient présentés au bar du Château Frontenac. Les canapés favorisaient l'intimité. Il avait néanmoins été surpris qu'elle le rencontre dans un endroit où ils pouvaient tous deux croiser des gens qu'ils connaissaient. Pourquoi ne se souciait-elle pas d'être vue avec lui? Et comment parvenir à réfléchir alors que son parfum l'envahissait? Il détestait cette odeur de vanille, d'épices, de chaleur animale.

— Je ne pouvais faire autrement, dit-il à Cristelle qui lui demandait pourquoi il ne s'était pas ligué avec Nathalie et Jean-René contre elle.

— Tu avais peur que je révèle tes secrets et que…

— Non, la coupa Ian. Ce dont Nathalie voulait me convaincre n'a pas de sens. Porter plainte contre toi parce que tu as engueulé les garçons? C'est disproportionné! Cela m'a surpris d'elle. Je la croyais plus sensée.

— Plus sensée?

— Cette histoire a pris une ampleur qui n'est pas fondée. Nathalie veut toujours faire le maximum pour son fils. Ça part d'une bonne intention, mais elle couve trop Simon.

Ian marqua une pause avant de dire que les garçons avaient réagi comme des gamins. Parce que, précisément, ils étaient des gamins.

— Ils se sont monté la tête, ont tout exagéré et Nathalie a embarqué dans leur jeu. Je ne peux pas la suivre dans cette histoire.

— Même maintenant? dit Cristelle. Nathalie ne t'a pas rappelé depuis que le fils de… Elle n'a pas rappelé Mary non plus?

— Peut-être. Mais, moi, je ne lui ai pas parlé depuis qu'on a appris la mort d'Étienne.

— As-tu parlé à Jean-René?

Ian secoua la tête.

— Nous ne sommes pas intimes, répondit-il en songeant qu'ils étaient au contraire extrêmement près l'un de l'autre puisqu'ils se partageaient la même femme.

Cristelle but une gorgée de champagne, dit que sa fille l'avait accusée d'être responsable du décès du fils d'Evelyne. Ian nota qu'elle évitait soigneusement de prononcer le nom d'Étienne, les mots « suicide » ou « mort », confirmant ainsi son hypothèse : elle cherchait, consciemment ou non, à dépersonnaliser cette mort et à en être absoute.

— Mylène est une adolescente, Cristelle. Si tu savais tout ce que Jasmine nous reproche.

— À toi ? À Mary ? Mylène n'arrête pas de dire que tout est mieux chez vous. Que vous êtes les parents parfaits.

Ian fronça les sourcils, sourit.

— Ce n'est pas ce que pensait Jasmine quand je lui ai interdit de sortir ce soir. Mais, à son âge, c'est encore à moi de décider ce qui est bon pour elle. Et sortir quand il y a école le lendemain n'est pas au programme chez nous.

Était-il vraiment en train de parler d'éducation avec Cristelle Bouchard ? Cette rencontre imposée était surréaliste. Il avait l'impression d'être dédoublé, de regarder un homme qui s'appelait Ian discuter avec une dingue comme si c'était la chose la plus naturelle au monde. Alors que rien n'était naturel avec Cristelle Bouchard.

— Jasmine trouve que c'est mieux chez vous, mentit-il.

— Mieux ?

— Il paraît qu'on n'est jamais là, tandis que, toi, tu t'occupes vraiment de Mylène et Lucas.

— C'est vrai que je suis très présente, mais toi aussi. Tu viens beaucoup à l'aréna, au centre sportif. Et depuis des années. Tu es un bon père.

Ian fixa Cristelle en tentant de deviner où elle voulait en venir. Pourquoi lui faisait-elle des compliments ? Pourquoi lui souriait-elle depuis qu'ils s'étaient installés dans ce bar ? Pourquoi se tenait-elle si proche de lui ? Elle lui envoyait tous les signes d'une envie de flirt, mais son regard restait froid. Qu'est-ce que cela signifiait ?

— Tu avais l'air content que je t'appelle, reprit Cristelle. Cela m'a surprise.

— Pourquoi?

— Tu n'es tout de même pas enchanté que j'aie découvert ton identité.

Ian Boisvert haussa les épaules, puis posa sa main sur le bras de Cristelle quelques secondes avant de reconnaître qu'elle avait raison, qu'il n'avait pas changé de vie sans motif.

— Mais j'en ai assez de traîner ce secret. Quand j'ai rencontré Mary, j'avais peur qu'elle me rejette si elle savait la vérité sur moi. J'ai été idiot de lui cacher cet épisode de ma vie. La mort d'Étienne m'a fait réfléchir. Les secrets pourrissent tout et…

— Étienne avait un secret? l'interrompit Cristelle.

L'hypothèse de Ian se confirmait. Cette femme voulait rejeter toute responsabilité dans la mort du gamin. Il lui dirait ce qu'elle espérait entendre.

— C'est certain qu'il avait un secret. On ne se tue pas sans raison.

— Matis t'a dit quelque chose?

— Non, avoua Ian. C'est justement ce qui m'incite à croire qu'il doit être au courant d'un truc qu'il ne veut pas me dire. On ne sait pas tout ce qui se passe au collège. Mais je finirai bien par l'apprendre. Tout finit toujours par se savoir. La preuve, tu as découvert mon identité. Finalement, c'est peut-être un service que tu me rends en m'obligeant à dire la vérité à Mary.

Cristelle Bouchard dévisagea Ian un court instant, mais il eut le temps de lire la surprise dans l'infime crispation de ses lèvres. La surprise et la frustration?

— Tu ne crains pas sa réaction? Moi, si j'apprenais que David m'a menti durant des années, je lui arracherais les yeux!

— Je n'ai pas vraiment le choix, dit-il en plongeant son regard dans le sien. Que veux-tu que je fasse?

Cristelle lui dirait-elle enfin ce qu'elle voulait obtenir de lui ou continuerait-elle à tergiverser? Ian était de plus en plus persuadé qu'elle préférait jouer avec lui, comme un chat qui garde un petit rongeur entre ses pattes sans le tuer, relâche sa pression, lui donne un espoir de liberté pour accroître son plaisir quand il le rattrape. Mais Cristelle Bouchard oubliait un détail : il n'était pas un frêle souriceau. Plutôt un rat. Et les rats sont des survivants.

— Tu as vraiment confiance en Mary ? fit Cristelle au lieu de répondre à sa question, penchant un peu la tête sur le côté en esquissant une moue.

Pourquoi lui demandait-elle s'il avait confiance en Mary ? Pourquoi le fixait-elle ainsi ? Avait-elle découvert la liaison de sa femme avec Jean-René Frappier ?

— J'imagine que Mary a confiance en toi, poursuivait Cristelle Bouchard. Mais, dans le cas qui nous occupe, elle a eu tort. Je suppose qu'on cache tous des choses à nos conjoints.

— Tu n'as pas parlé à David de ce que tu sais sur moi, c'est ça ? dit Ian.

Il devrait tuer rapidement Cristelle. Avant qu'elle révèle la liaison de Mary et de Jean-René : il n'était pas question qu'il soit humilié publiquement ni que les gens retiennent ce fait et le rapportent à des enquêteurs lorsque Mary disparaîtrait.

— David est très occupé depuis qu'il a été nommé juge. Et moi, je m'ennuie.

Cristelle s'ennuyait ? Comment pensait-elle qu'il pourrait la distraire ? Si elle l'avait désiré, tout aurait été clair. Mais quand elle avait posé la main sur lui plus tôt, que leurs genoux s'étaient touchés, il n'avait senti aucune chaleur. Ses gestes étaient mécaniques comme si elle avait répété une chorégraphie.

— Tu t'ennuies ?

— Tu te souviens de ce que tu m'as dit quand j'ai acheté ma BM ? Que je m'y connaissais dans ce domaine, que tu n'avais pas souvent ce genre de discussion avec une femme ?

Ian acquiesça avant de finir son scotch. Que venait faire cet achat dans cette conversation déjà trop étrange ?

— On pourrait s'associer.

— S'as… s'associer? bégaya Ian en cherchant aussitôt le serveur des yeux afin d'échapper au regard inquisiteur de Cristelle.

Elle était encore plus folle qu'il ne l'avait imaginé! Cette proposition n'avait aucun sens.

— J'ai toujours aimé les voitures et j'ai du temps, expliquait Cristelle. Pourquoi ne pas retourner sur le marché du travail? Je suis certaine qu'on s'entendrait bien.

— C'est… c'est étonnant, avoua-t-il. Je ne m'attendais pas à cela.

— Je suis une femme pleine de surprises, fit-elle. Je t'en réserve peut-être d'autres…

— J'ai déjà un associé, dit Ian.

— Je ne commencerai qu'après Noël. Tu as le temps de tout organiser avec Julien. Je suis certaine que nous nous entendrons très bien.

— Et ton mari?

— Quoi, mon mari? Je n'ai pas besoin de son accord.

— Bien sûr que non. Je me demande seulement ce qu'il en pense.

— David ne pense à rien d'autre qu'à son travail. Quand je suis sortie tantôt, il n'a même pas remarqué que je portais une robe au lieu de mon survêtement. Il ne m'a même pas demandé où j'allais. Tout ce qui compte, ce sont ses affaires.

— Tu cours vraiment tous les jours? questionna Ian.

— C'est le seul moyen de conserver tout ça, fit Cristelle en soulignant sa taille d'une main caressante. Tu verras que je vais faire augmenter tes ventes.

Elle lui adressa un clin d'œil qui intrigua Ian: Cristelle pouvait-elle être aussi dingue? Non. Elle le provoquait pour le jauger, pour s'amuser, pour voir jusqu'où elle pouvait le manipuler. Il allait entrer momentanément dans son jeu.

— C'est vrai que tu connais beaucoup de monde, que tu as des contacts…

Cristelle battit des paupières, elle ne s'attendait probablement pas à ce qu'il rende si vite les armes.

— Tu pourrais m'accompagner dans les salons, continua Ian. Mary refuse toujours de me suivre.

— Avec la boutique et toutes ses obligations, et ses petites sorties, elle n'en a sûrement pas le temps.

Cristelle avait-elle bien appuyé sur le mot «petites», le chargeant de sous-entendus? Avait-elle surpris Mary avec Jean-René? Ils étaient peut-être plus imprudents qu'il ne le croyait. Jean-René s'était peut-être présenté à la boutique, ignorant que Cristelle était dans une cabine d'essayage, et avait embrassé Mary avant qu'elle ait eu le temps de le prévenir qu'elle n'était pas seule. Ou Cristelle les avait peut-être croisés dans un restaurant.

— Enfin, on verra, conclut Cristelle. Une chose à la fois.

Elle prit son sac à main en déclarant qu'elle n'avait aucune envie de rentrer chez elle, mais qu'elle n'avait pas le choix. Elle devait préparer les lunchs pour les enfants.

— Moi aussi, mentit Ian.

— La famille, c'est sacré, dit-elle.

Ian hocha la tête. Pour une fois, il était d'accord avec Cristelle Bouchard. Et il allait protéger ses enfants.

: :

Dimanche 11 décembre, soir

David était endormi devant la télévision lorsque Cristelle revint à la maison. Il se frotta les yeux, s'étira, regarda sa montre, lui demanda où elle était.

— Nulle part. Je suis sortie me promener. M'aérer l'esprit. Où sont les enfants?

— Lucas est dans sa chambre, Mylène, dans la cuisine.

— Encore en train de manger?

— Elle grandit.

— Elle va grossir.

— Elle est très bien comme elle est.

— Tu as regardé un film ?

— Oui, un polar. Une histoire de violeur en série. Pas le genre de film que je voudrais que nos enfants voient.

— Je ne peux pas toujours être là pour les surveiller, répondit Cristelle.

— Ne monte pas sur tes grands chevaux ! soupira David. Je dis seulement que je ne suis pas certain que ce soit une bonne chose d'avoir Netflix et Illico qui donnent accès à tellement de séries violentes.

— S'ils ne regardent pas ça ici, ils le feront ailleurs, dit Cristelle. Sur quelle planète vis-tu ? Ils ont tout sur leurs tablettes.

— Je vis sur une planète où ces choses-là arrivent. Ici même, à Québec ! Vendredi, ma greffière m'a raconté que sa voisine s'est fait violer.

— Sa voisine ? Chez elle ?

— Non, pas chez elle, dans Limoilou.

— Quand ?

— Je ne sais pas, marmonna David, il y a quelques semaines. Mme Pouliot m'a dit que sa voisine n'ose plus sortir de chez elle, même en plein jour. Un tordu ! Il paraît qu'il lui a donné un lapin en peluche après l'avoir agressée. C'est pervers ! Il faut qu'on parle à Mylène de ses sorties. Je sais qu'elle ne rentre pas vraiment tard, mais on doit…

— Tu t'en chargeras, fit Cristelle. Si c'est moi qui discute avec elle, elle fera le contraire de ce qu'on veut, juste pour me montrer à quel point elle me déteste.

— Elle ne te déteste pas, c'est seulement une crise d'adolescence, plaida David. Elle est bouleversée par ce qui est arrivé à Étienne et c'est normal…

— Facile à dire pour toi, l'interrompit Cristelle. Tu n'es pas là pour endurer ses crises de nerfs. Étienne ! Mylène ne lui parlait même pas quand il venait ici se baigner.

— On ne pourrait pas passer une soirée sans se disputer ? pesta David, exaspéré.

Cristelle haussa les épaules avant de se diriger vers le cellier.

— Tu veux boire à cette heure-ci ?

— À cette heure-ci, il y a plein de gens dans les bars. C'est quoi, ton problème ?

David monta le son du téléviseur pour éviter de répondre à sa femme. Il avait hâte au lendemain, hâte de fuir la maison, d'oublier cette fin de semaine pourrie.

9

Nuit du dimanche au lundi 12 décembre

Maud Graham regarda son reflet dans la vitre de la chambre de Jessica Lapointe. Elle ressemblait à un fantôme, presque aussi pâle que la victime. Pourquoi y avait-il autant de néons dans les hôpitaux? Alors qu'il aurait fallu un éclairage plus chaud, plus doré, réconfortant, intime. Est-ce que l'aube modifierait bientôt l'ambiance de cette chambre en la teintant d'une lumière plus naturelle? Non, probablement pas. Comment pouvait-elle croire que l'intimité était possible dans un hôpital où il y a un va-et-vient constant, où un fin rideau seulement tente d'isoler deux inconnus? Grâce à Carole Bourassa, l'infirmière en chef de cet étage, Jessica était seule dans sa chambre. Et toujours grâce à Carole, qui avait su trouver les mots justes, elle avait accepté de rencontrer Maud Graham et de lui raconter l'agression dont elle avait été victime la veille. Ou l'avant-veille. Elle ne savait plus, elle confondait tout. Elle avait fait jurer à Carole de rester auprès d'elle et Graham s'en félicitait. Elle connaissait l'infirmière depuis des années, l'immense empathie, le respect, la douceur qu'elle témoignait aux malades faisaient des miracles. Jessica parlerait plus facilement en présence de Carole.

Carole qui avait aussi rassuré Maud Graham en lui disant, avant de pousser la porte de la chambre, que le protocole avait été respecté, que des échantillons de peau avaient été trouvés sous les ongles de la victime, que ses vêtements avaient été bien préservés, mis sous scellés.

— Je ne sais pas si Jessica serait venue à l'hôpital si on ne nous l'avait pas amenée, avait-elle précisé.

— Qui l'a amenée ?

— Une jeune maman. Elle était sortie pour marcher, épuisée d'entendre son bébé hurler. Elle faisait le tour du quartier avant de rejoindre son mari à leur appartement quand, à son retour, elle a trouvé Jessica qui pleurait en s'appuyant contre le mur de leur immeuble. Elle l'a emmenée jusqu'à sa voiture, puis ici.

— Elle est repartie ? avait demandé Maud.

— Oui, mais elle m'a laissé son nom, Marion Lacasse. Et son numéro de téléphone.

— Est-ce que Jessica a parlé de ce qui lui est arrivé ? De l'homme qui l'a agressée ?

— Elle a seulement dit qu'elle a été attaquée tandis qu'elle rentrait chez elle, répondit l'infirmière. Qu'elle n'aurait pas dû traverser le petit parc pour aller plus vite. J'ai eu du mal à la convaincre de rester ici. Elle ne voulait pas parler à la police. Elle a fini par accepter de vous voir, mais elle peut changer d'idée…

— Je suppose que vous lui avez offert d'appeler une amie, un parent ?

— Elle a refusé. Elle ne veut pas qu'on sache ce qui lui est arrivé.

Graham avait soupiré même si les propos de Carole Bourassa ne la surprenaient pas ; les femmes qui avaient subi une agression sexuelle ressentaient toujours de la honte et cette situation ulcérait Maud Graham. Elle savait qu'elle répéterait à Jessica Lapointe qu'elle n'était certainement pas coupable d'avoir été violée. Qu'elle était la victime, qu'elle n'avait pas à être jugée ni à se faire des reproches.

— Dans quel état étaient ses vêtements ?

— Collant et culotte déchirés. Du sang sur son chandail. Elle ne voulait pas l'enlever.

— Heureusement que vous étiez de garde cette nuit, avait dit Maud Graham. Vous avez l'expérience de...

— Oui, mais on ne s'habitue pas. Même après des années. Et vous ?

— Non. J'essaie juste de transformer ma colère en énergie.

— J'ai hésité à vous téléphoner en pleine nuit...

— Non, vous avez bien fait. N'hésitez jamais. Jamais.

Carole avait donné trois petits coups sur la porte de la chambre même si elle était entrouverte, puis s'était avancée en présentant Maud Graham à la jeune femme dont la tête était bandée. La chevelure noire de Jessica accentuait la blancheur des pansements. Elle semblait si frêle, perdue dans ce grand lit. Carole s'assit auprès d'elle, prit ses mains entre les siennes, lui demanda si elle était capable de raconter ce qui s'était passé, tandis que Maud s'installait en face d'elle en la remerciant d'avoir accepté de lui parler.

— C'est très courageux de votre part et je l'apprécie.

— Je ne sais pas trop...

— Même si vous ne vous souvenez pas de tout, votre témoignage me sera utile. Vraiment utile. Si on commençait par le début ? Vous êtes sortie samedi soir... vous retrouviez des amis ?

— C'était l'anniversaire de Coralie.

— Coralie ? fit Maud Graham.

Elle sentit son pouls s'accélérer. Est-ce que cette fille était une amie de la blonde de Maxime ?

— Oui, on est sorties pour fêter. Coralie, Myriam, Philomène, Macha et moi.

C'était bien l'amoureuse de Maxime, se dit Graham, Maxime l'avait consultée pour son cadeau d'anniversaire. Elle se demanda si Coralie aurait pu être victime du prédateur si elle avait emprunté le même chemin que Jessica. Si elle avait été à la place de Jessica.

Était-elle bien rentrée chez elle ? Devait-elle prévenir Maxime, lui dire de téléphoner à Coralie ? Ou s'en charger elle-même ?

— Vous êtes sorties ensemble, mais vous êtes rentrées chacune de votre côté, c'est ça ? demanda-t-elle en observant Jessica.

— Oui. J'aurais dû revenir avec Myriam, ça ne serait pas arrivé. Mais j'habite rue d'Aiguebelle, tout près du bar. Je suis restée pour prendre un dernier verre. Je n'aurais pas dû…

— Tu n'es pas responsable de l'agression, dit fermement Graham. Il n'y a qu'un seul coupable, celui que je dois arrêter. Tu es donc demeurée au bar ? D'autres filles sont restées aussi ?

— Oui. Philomène.

— Est-ce qu'il s'est passé quelque chose de particulier durant la soirée ?

Jessica secoua la tête.

— Vous connaissiez des clients dans ce bar ?

— Oui, des gars qui étudient au cégep. C'était une soirée ordinaire, à part le fait qu'on avait fêté Coralie au restaurant. Son amoureux ne vit pas à Québec, il ne pouvait pas être là. Elle le verra seulement dans deux semaines.

— Est-ce qu'un client a attiré votre attention ? fit Graham.

Elle pensait à Maxime, à Nicolet, qui interrogerait un jour des victimes de viol.

— Non. C'était comme d'habitude.

— Vous étiez assises à une table ou au bar ? s'enquit Graham.

Jessica fut surprise par cette question qui semblait n'avoir aucun rapport avec son agression. Mais, pour Graham, la banalité de cette question anodine servait à alléger la sévérité d'un interrogatoire et à préciser dans quel contexte la soirée s'était déroulée.

— Au bar. On allait danser, puis on revenait au bar. Mais l'une de nous restait toujours pour surveiller nos verres et nos sacs.

— Est-ce qu'on vous a abordées ?

— Les gars du cégep, je vous l'ai dit, soupira Jessica qui ferma les yeux quelques secondes.

Voulait-elle signifier à l'enquêtrice qu'elle souhaitait se reposer ou cherchait-elle à mieux se concentrer?

— Qu'est-ce que vous buviez? demanda Graham.

— Des cocktails. Mojito, spritz, cosmo…

Jessica se tut. Graham dut faire des efforts pour ne pas répéter le mot *cosmopolitan*. Elle ne devait en aucun cas orienter le témoignage de la victime, mais elle sentit une sorte de satisfaction lorsque Jessica lui dit qu'il y avait un gars avec un blouson de cuir qui avait commandé ce cocktail au bar.

— On l'a remarqué, parce que c'est rare qu'un gars boive des *cosmo*.

— À quoi ressemblait-il?

— Je ne sais pas trop, il portait un bonnet et il était de côté.

— Est-ce qu'il vous a parlé?

Jessica secoua la tête. Elle ne semblait pas établir de lien entre cette rencontre et son agression. Elle n'avait donc pas vu la chevelure de son agresseur.

— Est-ce qu'autre chose te revient à l'esprit?

Jessica soupira. Elle avait bu, ses souvenirs étaient flous.

— Je n'aurais pas dû prendre un dernier cocktail, mais on avait du *fun* et je…

— Ce n'est pas ta faute, dit Carole en lui prenant la main.

— Tu peux boire ce que tu veux si tu ne conduis pas, renchérit Graham d'une voix douce.

Elle était soucieuse de déculpabiliser Jessica, mais elle se demandait si l'agresseur avait remarqué qu'elle buvait beaucoup et avait conclu qu'elle serait une proie plus facile à maîtriser.

— Tu as le droit d'avoir du plaisir sans être punie, insista-t-elle. Ce qui t'est arrivé n'est pas ta faute, OK? Veux-tu que j'appelle Coralie?

— Coralie?

— Ou Philomène?

Jessica se tourna vers Carole en gémissant. Personne ne devait apprendre qu'elle avait été agressée. Elle voulait rentrer chez elle.

— Vos parents ?

— Ils habitent au Bic. Ils n'étaient pas d'accord pour que je vienne étudier à Québec. Mon père va dire que j'ai couru après les problèmes.

Elle fit une nouvelle pause avant de répéter qu'elle n'aurait pas dû passer par le parc Cartier-Brébeuf.

— Juste parce que j'avais envie de faire l'ange ! Faut vraiment être stupide ! Si j'avais longé l'hôpital… Si je n'avais pas bu…

— Tu es la victime, insista Carole en lui caressant les cheveux.

— Le parc devait être désert, reprit Graham. Tu n'as rien entendu ?

— Entendu ?

— Marcher derrière toi, la neige qui crisse.

— Je… oui… c'était trop tard, murmura Jessica. Il était déjà sur moi. Il me serrait le cou avec son bras. Il m'a entraînée derrière le monument. Il m'a forcée à me pencher. On a glissé, dérapé dans la neige et…

Jessica se mordit les lèvres, ferma les yeux avant de se redresser subitement.

— Il a perdu son bonnet. Il a les cheveux *bleachés*. Il riait en me demandant mon nom…

Carole tendit aussitôt vers elle un bassin en métal, mais Jessica parvint à maîtriser ses haut-le-cœur.

— Pourquoi est-ce que je viens juste de m'en souvenir ?

Carole tenta de la rassurer : c'était normal que sa mémoire soit perturbée après un tel choc. Graham, elle, se félicitait que Jessica puisse ajouter des détails au portrait-robot déjà établi. Mais elle devait éviter de l'influencer. Rester neutre, attentive et empathique, mais jamais directive. Elle était quasi persuadée maintenant que l'agresseur n'avait pas versé du Rohypnol dans le cocktail de Jessica. Ses souvenirs étaient du plus en plus précis. Ce serait très difficile pour la jeune femme de faire face à ces réminiscences, mais c'était préférable à l'oubli créé par des drogues. Les victimes qui avaient été droguées par un criminel cherchaient désespérément à retracer les événements sans y parvenir. Elles avaient l'impression qu'on leur avait volé toute une partie de leur vie, qu'elles n'étreignaient que du vide lorsqu'elles forçaient vainement leur mémoire. À l'horreur de l'agression s'ajoutaient mille questions sans réponse qui deviendraient mille obsessions.

— À part ses cheveux, demanda Graham, as-tu remarqué autre chose ?

— Sa veste de cuir. Elle était chaude.

Chaude ? Alors qu'on était en décembre ? L'agresseur s'était abrité en attendant Jessica. Dans une entrée d'immeuble ? Dans sa voiture ? Graham dressait la liste de toutes les vérifications qu'il faudrait effectuer.

— Est-ce qu'il portait des gants ?

— Je ne sais pas. Mais son bonnet, il l'a perdu. Je me suis débattue, je suis sûre que je me suis débattue... mais il était trop fort. J'étais par terre, il pesait sur moi.

— Et il avait pour lui l'effet de surprise, dit Carole.

— J'avais peur qu'il me tue. J'avais tellement peur !

Jessica se mit à pleurer et l'infirmière l'entoura de ses bras, tenta de la bercer pour l'apaiser.

— Il a dit qu'il m'étranglerait si je criais.

Il ne l'avait donc pas bâillonnée ? Il était sûr que la terreur musellerait sa proie ?

— Il a dit autre chose ?

— Je... non... je ne m'en souviens pas... mais il y avait un anneau en métal.

— Il portait une boucle d'oreille ? demanda Graham.

— Non, sur la manche de sa veste de cuir. Je sentais le métal contre ma gorge.

Jessica toucha aussitôt son cou comme pour le protéger.

— Ensuite, il est parti.

Jessica ferma de nouveau les yeux, puis les rouvrit et s'écria qu'elle avait vu un lapin dans la neige.

— Ça ne se peut pas. Je deviens folle !

— Non, c'est possible, fit Graham. Je te jure que tu n'as pas rêvé. Dors, maintenant. Tu ne veux pas qu'on appelle quelqu'un pour toi ?

— Non. Quand je rentrerai à la maison, si je ne me sens pas bien, j'irai voir ma voisine. Elle est vraiment gentille avec moi, depuis que je me suis installée à Québec. Elle me donne souvent des muffins.

Graham se contenta de sourire sans insister. Elle avait renoncé à poser des questions trop directes sur le viol. L'examen médical lui fournirait en partie les informations dont elle avait besoin. Elle laisserait Jessica se reposer et reviendrait plus tard sur ces moments de douleur. Elle détestait forcer les victimes à revivre leur terreur, mais elle n'avait pas le choix. Elle devait connaître les moindres détails et pouvoir les répéter si elle était appelée en cour pour témoigner contre l'agresseur. Non, se corrigea-t-elle, *quand* elle serait appelée. Car elle arrêterait ce violeur.

— Je te laisse te reposer, fit Maud Graham, mais je reviendrai te voir à la fin de la journée.

— Je veux rentrer chez moi, gémit Jessica.

— Tu as reçu un sérieux coup à la tête, rappela Carole. On te garde en observation encore un peu.

Jessica soupira, mais sembla se résigner. Carole replaça les oreillers, remonta les couvertures, lui caressa la joue en lui disant qu'elle demeurait tout près. Qu'elle pouvait l'appeler n'importe quand.

Dès qu'elles furent sorties de la chambre, Maud Graham dit à Carole que Jessica devait rester à l'hôpital encore un moment.

— Je viendrai lui montrer le portrait-robot plus tard. Je ne veux pas qu'elle rentre chez elle maintenant.

— Vous avez un portrait-robot ?

Graham chercha l'image dans son téléphone cellulaire, la montra à l'infirmière.

— Je ne pouvais pas demander à Jessica de l'identifier sans lui présenter d'autres portraits. Je ne dois pas l'influencer. Mais je suis certaine que c'est lui. Et qu'il portait des gants, même si Jessica n'en a pas parlé. Vous n'avez pas trouvé de sperme. J'espère que son bonnet est resté dans le parc, que personne ne l'a ramassé. J'envoie tout de suite des agents là-bas. Notre chance, c'est qu'il est tôt… Si personne n'est déjà sorti pour promener son chien, on retrouvera peut-être ce bonnet. Des marques de chaussures. Et le lapin. Jessica a vu un lapin.

— Au moins, il n'a pas neigé.

— Oui, un temps parfait pour les empreintes.

Graham appela au poste pour s'assurer que des patrouilleurs sécuriseraient au plus vite le parc et ses environs. Elle remercia de nouveau Carole de l'avoir prévenue et lui demanda les coordonnées de la bonne Samaritaine qui avait amené Jessica à l'hôpital. Elle jeta un coup d'œil à sa montre et dit qu'elle attendrait un peu avant de lui téléphoner.

— Il a fait beaucoup de victimes? s'enquit Carole.

— On a reçu trois plaintes. Mais il doit y avoir d'autres femmes qui…

— Pourquoi n'avez-vous pas mis ce portrait dans le journal?

Avait-elle perçu une note de reproche dans la voix de Carole?

— Parce qu'on l'a modifié récemment à la suite du témoignage de la troisième victime. On avait montré le premier portrait-robot, mais un témoin nous a dit que ses cheveux étaient plus pâles, qu'il avait un peu de barbe. Comme l'a dit la troisième victime. On a refait le tour des bars de Limoilou, de Saint-Roch avec le nouveau portrait. Il va être affiché partout et publié sur tous les réseaux.

— Vous n'avez pas l'air confiante des résultats?

— Je pense que cet homme change souvent son image. Ses traits sont réguliers, sans rien de spécial, sans signe distinctif.

Il suffit qu'il porte des lunettes, qu'il se rase le crâne, personne ne le reconnaîtra.

— J'espère que vous trouverez le bonnet, dit Carole. S'il y a des cheveux, vous pourrez analyser son ADN.

— Je le souhaite aussi, avoua Graham même si elle n'évaluait pas à un très haut niveau les probabilités qu'il y ait concordance avec la banque de données.

Nguyen avait évidemment étudié les dossiers des criminels sexuels dont le groupe d'âge correspondait à celui de l'agresseur. Il avait comparé les façons de procéder et les descriptions physiques, sans résultat. Il fallait que l'agresseur commette une erreur. Mais pour cela, il devait y avoir un nouveau viol. Graham refusait de l'envisager. Elle repensait à Coralie qui était sortie du bar avant Jessica : comment Maxime aurait-il réagi si son amoureuse avait été violée ? Et maintenant, elle devait la prévenir qu'un prédateur rôdait près des endroits qu'elle fréquentait, sans trahir le secret de Jessica Lapointe. Il aurait été préférable que celle-ci veuille se confier à une amie, mais Maud Graham ne pouvait l'y contraindre. Elle espérait que Carole parviendrait à faire comprendre à Jessica qu'elle avait besoin d'être entourée. Qu'elle ne devait pas rester seule avec les images de l'agression. Elle se promit de revenir à l'hôpital avant la fin de la journée. Elle tenait à ce que Jessica soit assurée de sa compassion.

La bise saisit Maud Graham quand elle quitta l'hôpital et la secoua de la torpeur qui l'avait gagnée avec la chaleur qui régnait dans la chambre de la victime. Il lui sembla que ses idées étaient plus claires, plus optimistes. On trouverait des indices, des empreintes au parc. Il venait de neiger au moment de l'agression de Jessica, mais cela n'avait pas duré longtemps. Le froid avait sûrement figé les traces. Une volée d'oiseaux noirs traversa le ciel à l'instant où elle gagnait sa voiture et elle s'immobilisa pour suivre leur trajectoire : étaient-ils des oiseaux de bon ou de mauvais augure ? Elle se rappela son émerveillement, à Magog, alors qu'Alain et elle se relayaient pour ramer sur le lac étale : un rapace s'était mis à décrire des cercles dans le ciel, se laissant planer sans jamais descendre en vrille pour saisir une proie. Alain et elle avaient vu deux, puis trois, dix, puis vingt rapaces le rejoindre pour danser dans l'azur. Elle aurait aimé pouvoir déterminer s'il s'agissait de faucons, de buses, d'aigles ou d'éperviers, mais cette lacune n'avait en rien gâché son éblouissement devant cette valse céleste, à la fois grave et joyeuse.

Elle appela Joubert pour lui faire part de deux éléments dans la déclaration de Jessica : l'agresseur avait demandé son prénom à la jeune femme. Avait-il agi ainsi avec les autres victimes même si elles ne l'avaient pas mentionné ? Et il avait commis ce viol un dimanche. Était-ce important qu'il n'ait pas eu lieu un samedi comme les précédents ?

: :

Les ombres des branches dénudées des érables étiraient de fines lignes sur la neige nacrée du parc où s'affairaient les patrouilleurs à la recherche d'indices qui pourraient aider les enquêteurs. Graham songea à un tatouage, aux dessins sur une peau très pâle. Comme si le parc était vivant. Elle secoua la tête : elle manquait de sommeil pour avoir des idées aussi étranges. Le patrouilleur Gaétan Péloquin sourit en la voyant. Ils se connaissaient depuis qu'elle avait commencé à travailler pour la ville de Québec et ils partageaient tous deux une préférence pour le travail sur le terrain. Péloquin tenait à rester patrouilleur et Graham le comprenait parfaitement.

— On a retrouvé le bonnet ! dit-il de sa voix grave.

Maud Graham se rappela que Péloquin faisait partie d'une chorale. Elle l'avait entendu lors des funérailles de leur collègue Moreau. Elle avait senti sa gorge se serrer lorsqu'il avait entonné de sa voix de baryton le *Panis Angelicus*. Elle s'était dit qu'elle aimerait bien qu'il chante à ses propres funérailles.

— Vous avez le bonnet! s'écria-t-elle.

— Le lapin aussi. On l'a retrouvé plus bas, loin de la croix. Et il y a de bonnes empreintes, ajouta Péloquin. La neige était molle cette nuit, car il y avait eu une petite chute, mais elle a durci ensuite. Et il n'est rien tombé depuis. On a vu des empreintes groupées près du bonnet, mais on a arrêté d'avancer pour préserver la scène pour les techniciens.

— Vous avez fait vite et bien, le remercia Graham.

Elle le suivit vers l'allée qui traversait le parc, tout en évaluant la distance entre celle-ci et la 10e Rue qu'avait empruntée Jessica en quittant la 3e Avenue. Si l'agresseur attendait au chaud dans sa voiture, il fallait qu'il soit posté tout près. Et qu'il ait ouvert sa portière sans que sa victime l'entende, sinon elle se serait retournée et aurait réagi. À moins qu'elle ait vraiment trop bu? Jessica était sûrement distraite, elle avait dit qu'elle avait eu subitement envie de faire l'ange dans la neige. Et peut-être qu'elle portait des écouteurs comme la plupart des jeunes de son âge. Combien de fois Maud avait-elle répété à Maxime qu'elle comprenait qu'il aime écouter de la musique, mais que ça le rendait moins attentif à ce qui se passait autour de lui, plus vulnérable? Jessica avait dit à Carole qu'elle ne se rappelait pas à quelle heure elle avait quitté la 3e Avenue. Il devait être assez tard, sinon le parc n'aurait pas été désert. Les splendides maisons qui donnaient sur le parc auraient été éclairées, il y aurait eu des témoins.

— D'après ce que j'ai vu, il y a beaucoup d'empreintes semblables autour de l'endroit où Brodeur a trouvé le bonnet et le lapin. On peut voir aussi des empreintes plus petites. Ensuite, les plus grandes semblent aller vers la rue, mais elles ont été partiellement piétinées par des chiens.

— Et les petites? s'enquit Graham en s'approchant du périmètre que lui indiquait Péloquin.

— Pas en ligne droite. Vers la gauche, puis vers la droite, comme si la personne ne savait pas où elle allait. Puis on les perd.

Graham tira son calepin de la poche intérieure de son Kanuk, relut les notes qu'elle avait prises en écoutant l'infirmière : la femme qui avait amené Jessica à l'hôpital l'avait trouvée appuyée contre le mur d'un immeuble. Est-ce que les locataires de cet immeuble avaient vu Jessica ? À quoi ressemblait l'éclairage de ce parc ? Un locataire pouvait-il avoir aperçu quelque chose de son balcon ? C'était l'hiver, mais des fumeurs sortaient pour assouvir leur vice. Même en pleine nuit. Graham eut tout à coup tellement envie d'une cigarette qu'elle fut étonnée de la force de ce désir. Elle avait cru qu'il diminuerait avec le temps puisqu'elle ne pensait plus chaque jour à fumer. Mais voilà que la tentation surgissait, puissante, impérieuse. Heureusement, aucun des patrouilleurs présents ne se permettait de fumer sur les lieux d'une scène de crime. Son désir s'évanouirait.

Elle chassa cette envie qui parasitait ses pensées, se rapprocha encore un peu de l'endroit où Éloi Brodeur avait déniché le bonnet, demanda à le voir. Un patrouilleur alla chercher le sac dans lequel Brodeur l'avait soigneusement déposé. Elle tenta de distinguer à travers le plastique s'il y avait des cheveux sur le bonnet. Elle se raisonna : c'était impossible qu'il n'y en ait pas. Les techniciens les analyseraient bientôt. Et quand ils lui diraient que les racines des cheveux étaient d'une autre couleur que les pointes, elle saurait que le violeur de Jessica s'était bien décoloré les cheveux après avoir agressé les deux premières victimes. Il faudrait que tous les policiers gardent à l'esprit que le criminel pouvait avoir encore modifié son apparence. On distribuerait un nouveau portrait-robot où les cheveux seraient éclaircis quand Jessica aurait décrit l'agresseur au dessinateur. Il faudrait faire le tour du quartier avec ce portrait, sonner aux portes, n'oublier aucun commerce. L'arrogance, l'impudence de l'agresseur intriguaient Maud Graham ; il n'avait pas l'air inquiet de se montrer dans un bar peu de temps avant de commettre son crime. Se foutait-il vraiment que quelqu'un se souvienne de lui ? Pourquoi se sentait-il si invulnérable ? Était-il stupide ou imbu de sa toute-puissance ? Mais d'où tenait-il ce sentiment d'impunité qui le poussait à laisser un lapin sur les lieux de ses crimes ?

Gaétan Péloquin interrogea Maud Graham sur la victime. Quel âge avait-elle ?

— Une jeune, autour de vingt ans. Peut-être moins.

— Ma cadette vient d'avoir dix-huit ans, lui apprit Péloquin. Ça me stresse tellement qu'elle sorte dans les bars. Elle peut rencontrer n'importe qui. J'ai beau la mettre en garde, on dirait qu'elle ne me croit pas. Mais tu peux être certaine que je vais lui montrer le portrait-robot en rentrant à la maison. Elle va comprendre pourquoi je préfère qu'elle reste chez nous.

— Tu ne pourras pas toujours l'empêcher de sortir, commença Graham.

— Je le sais bien, l'interrompit Péloquin. Mais, des fois, je me dis que j'aurais aimé mieux avoir juste des garçons.

— Tu t'inquiéterais pour autre chose.

— C'est sûr qu'il y a plus d'accidents de la route avec des gars. Péloquin poussa un long soupir.

— On voit trop de choses dans notre métier. Ensuite, on dirait qu'on regarde tout à travers un filtre noir.

— Maxime étudie à Nicolet, confia Graham. Je ne peux pas m'empêcher de penser à tout ce qui pourra lui arriver quand il sera patrouilleur.

Péloquin hocha la tête, esquissa un sourire. Ils étaient pourtant encore là tous les deux, indemnes, après toutes ces années de métier.

— Indemnes ?

Péloquin haussa les épaules avant de dire que chanter lui permettait de mieux dormir. Au lieu de revoir des scènes d'accident en boucle lorsqu'il se couchait, il chantait dans sa tête.

— Je ne pourrais pas, s'esclaffa Graham. Je fausse tellement qu'aucune chorale ne voudrait de moi…

Le bruit d'un véhicule qui ralentissait derrière eux la fit se retourner. Elle reconnut un technicien au volant du camion, lui sourit.

— Faites de votre mieux.

— On fait toujours de notre mieux.

— Je le sais bien, dit Graham avant de lui demander où était le lapin.

: :

Lundi 12 décembre, avant-midi

— Je ne pouvais pas savoir, à propos d'Étienne, dit Mila à Catherine Fortin. Sinon, je ne lui aurais pas envoyé de message.

— Qu'est-ce que tu lui as écrit ? demanda Catherine qui redoutait d'entendre la confession de l'adolescente, devinant qu'elle s'était moquée d'Étienne.

— Que je... je ne voulais pas sortir avec lui, marmonna Mila.

— Dans ces mots-là ?

Mila échangea un regard avec Rosalie qui hocha la tête ; elle devait tout dire à leur professeur. De toute manière, on finirait bien par découvrir qu'elle avait écrit à Étienne Frappier.

— Je lui ai dit que je ne sortirais jamais avec un *loser*, que son poème était vraiment débile. Je sais que c'est le meilleur en français et que vous le trouvez très bon, mais je vous jure que son poème était nul. Et je ne pouvais pas savoir que...

Mila se mit à pleurer et Catherine sortit une boîte de mouchoirs d'un des tiroirs de son bureau en songeant que la gamine était venue se confesser pour être exonérée, pour se débarrasser de sa culpabilité. Elle pleurait au moins autant sur elle que sur le sort tragique d'Étienne Frappier. Catherine Fortin aurait probablement dû lui prodiguer des paroles réconfortantes, mais elle voulait que Mila regrette réellement d'avoir été méprisante avec Étienne. S'interrogerait-elle vraiment sur son attitude ou balaierait-elle ses doutes dans une semaine ou deux ? Mila était très jolie et le savait. Elle n'avait que douze ans, mais mesurait déjà son pouvoir auprès de ses pairs. Elle savait que les garçons la regardaient, que les filles la jalousaient et voulaient profiter de son aura. L'enseignante la laissa pleurer durant un bon moment avant de lui dire qu'elle avait eu raison de venir lui parler. Qu'elle rapporterait discrètement ses propos aux policiers.

— À la police ? s'écria Rosalie. Mais Mila…

— Ils doivent connaître toutes les hypothèses, expliqua Catherine Fortin.

— Je ne veux pas parler aux policiers, gémit Mila. Je ne peux rien leur dire de plus. C'est juste ça que j'ai écrit à Étienne. Rien de plus. C'était juste un message. Juste un.

— Mais ce qui est arrivé à Étienne est grave, dit Catherine.

— On le sait, protesta Rosalie, mais on n'était pas toutes seules à rire de lui. Samuel Francoeur a raconté toutes sortes de choses avant que…

— Quelles choses ?

— Je ne sais pas trop, fit Rosalie. Il s'est vanté de savoir quelque chose sur Étienne et il n'a rien dit de plus. Mais je suis certaine que Lucas et Jason sont au courant. Ils sont toujours ensemble maintenant.

— Est-ce que d'autres élèves ridiculisaient Étienne ?

Mila et Rosalie haussèrent les épaules avant de secouer la tête et de préciser qu'Étienne n'était pas complètement un *reject*. Juste un peu. Pas comme Manon.

— Vous avez bien fait de venir me voir, répéta Catherine en se disant que le nom de Jason remontait toujours à la surface.

Après le départ des adolescentes, elle fouilla dans son portefeuille pour trouver la carte que lui avait laissée l'enquêtrice. Elle doutait qu'Étienne se soit donné la mort parce que Mila s'était moquée de lui, mais ce n'était pas à elle d'en juger.

Aurait-elle pu s'apercevoir qu'Étienne s'était entiché de Mila ? Et que devait-elle faire pour Manon Corriveau ?

Elle jeta un coup d'œil à l'horloge murale, puis se décida à appeler Tiffany McEwen. Celle-ci lui suggéra aussitôt de la rejoindre dès la fin du dernier cours et la remercia d'avoir pris la peine de lui téléphoner.

— On veut vraiment savoir ce qui s'est passé, expliqua-t-elle. Toute l'équipe. Ce genre de drame ne devrait jamais arriver.

: :

Lundi 12 décembre, après-midi

Quelle heure était-il ? Un rai de soleil qui réussissait à s'infiltrer entre les pans des lourds rideaux de la chambre avait fait plisser les yeux de Morgan Bachelet. Il avait mal à la tête, mal au cœur. Il n'aurait pas dû boire un cognac en rentrant à l'appartement qu'il partageait avec sa mère. Il n'aimait pas le cognac, mais il ne restait plus de vodka. Et il avait besoin de se calmer pour pouvoir dormir. Faire baisser son taux d'adrénaline. En même temps, il n'en avait pas envie, il voulait revivre sa soirée, le moment où il avait su qu'il pourrait soumettre Jessica. C'était sa deuxième Jessica. Il avait souri quand elle lui avait dit son prénom, avait trouvé amusant de comparer ses performances avec celles de la précédente. Avait été déçu. Elle était trop ivre pour se débattre longtemps, tout s'était terminé trop vite. Morgan ne comprenait pas les types qui mettaient du Rohypnol dans le verre de leurs proies pour en abuser plus facilement. Quel intérêt de posséder une fille sans réaction ? C'étaient le guet, la chasse, puis l'assaut qui pouvaient vous donner des sensations fortes. Il aurait dû se douter que Jessica ne serait pas à la hauteur. Mais c'était parce qu'elle avait trop bu qu'elle ne s'était pas méfiée. La salope l'avait tout de même griffé au front avant qu'il réussisse à l'immobiliser. Il effleura de son index ces éraflures, grimaça, la maudit. Heureusement, c'était l'hiver, il pourrait garder son bonnet pour camoufler ces marques. Même à l'intérieur. De nombreux étudiants portaient des bonnets en toute saison. Barbes et bonnets. Morgan n'aimait pas particulièrement cette mode, mais elle était néanmoins très pratique. Et il avait bien fait de laisser pousser sa barbe qui l'avait protégé des ongles de Jessica. Il s'étira, repoussa les couvertures, il avait besoin d'un café. Il hésita, décida de se doucher avant de faire couler l'expresso. Dans le miroir de la salle de bain, il examina de plus près les marques sur son front, pesta de nouveau contre Jessica. En se frictionnant, il remarqua qu'il avait des bleus aux avant-bras, se rappela qu'il s'était frappé contre un bloc de glace en immobilisant la petite brune. Tout était plus compliqué l'hiver. Il jura en constatant qu'il ne restait plus de café. Il devrait sortir dans le froid. Il soupira, s'habilla en râlant, mit son blouson, chercha en vain son bonnet noir, jura, se mit à fouiller pour trouver un autre bonnet et quitta l'appartement en se disant qu'il mangerait un pain au chocolat. Le sucre aiderait à chasser son mal de tête. Il n'avait pourtant pas l'impression d'avoir bu tant que ça. Ni qu'il était si tard. 15 h 20? Il avait dormi plus longtemps qu'il ne le pensait.

Après avoir commandé un cappuccino pour accompagner la pâtisserie, il s'assit près d'une fenêtre du café et s'apprêtait à vérifier s'il avait reçu des messages quand il sentit qu'on l'observait. Il tourna la tête, jeta un coup d'œil à sa voisine. Quinze? Seize ans?

— On se connaît?

— Oui. Non. On s'est déjà vus ici. Je viens souvent.

Morgan sourit à l'adolescente même s'il n'aimait pas les blondes. Malgré son gros pull, il devinait une poitrine épanouie. Très ferme sûrement, cette fille était si jeune. Comme sa première conquête. Trois ans plus tôt. Le souvenir de la facilité avec laquelle il l'avait prise s'imposa à son esprit: il avait été étonné que ce soit si simple. Il n'avait eu qu'à lui dire qu'il la tuerait si elle n'était pas gentille. Elle l'avait déçu par sa docilité. Il avait mis son manque de combativité sur le dos de sa jeunesse et avait ensuite choisi des filles un peu plus vieilles. Pour que le plaisir dure plus longtemps. La blonde qui lui souriait était trop jeune.

— Moi, c'est Jasmine, dit-elle en enlevant son chandail.

Son tee-shirt en coton moulait des bras longs, musclés et la poitrine qu'avait imaginée Morgan.

— Moi, c'est Thomas. Mais tout le monde m'appelle Tom. Je suppose que tu étudies au cégep.

— Et toi ? demanda Jasmine pour éviter de mentir.

— Non, je suis à Laval. Où est-ce que tu patines ? dit-il en désignant le sac déposé sous la table.

— Place d'Youville. Ce n'est pas grand, mais ça fait changement de l'aréna où je m'entraîne.

— Tu t'entraînes ?

— Patinage artistique, précisa Jasmine.

— Ma sœur patinait, elle aussi, dit Morgan.

À Québec ? Peut-être que je la connais.

— Ça me surprendrait. Elle est morte dans un accident d'auto.

La surprise qui se peignit sur le visage de Jasmine fit très vite place à la compassion. Ce mensonge était toujours aussi efficace.

— Désolée…

— Ça va, ça fait longtemps. J'étais jeune quand c'est arrivé. Mais je l'ai vue sur la glace, c'est un beau souvenir. Tu t'entraînes beaucoup ?

— Trois fois par semaine. Entre le tennis et la danse irlandaise.

— Une vraie sportive, lança Morgan d'un ton admiratif avant d'attaquer sa chocolatine.

En goûtant la pâte feuilletée, il sentit l'appétit lui revenir. Et la forme. La blonde était peut-être plus intéressante qu'il ne l'avait cru. Une sportive. Forte, nerveuse, tout en muscles. Elle devrait se débattre avec vigueur…

— Moi, c'est le vélo, reprit-il. J'ai commencé quand j'habitais en France. Je pédalais toute l'année. Ici, avec la neige, c'est plus compliqué. Mais je vais changer de bécane pour pouvoir rouler en ville en toute saison.

— Où vivais-tu ? questionna Jasmine.

— À Versailles. Mais pas au château…

Jasmine eut un petit rire avant de dire qu'elle aimerait visiter ce palais. Elle était déjà allée à Paris avec ses parents et elle adorait la France.

— Je voudrais vivre là-bas. C'est mon rêve !

— C'est vrai ? fit Morgan.

— Québec, c'est trop petit. Tu ne trouves pas ?

— Oui, mais c'est sympa. Les gens sont gentils, pas coincés comme à Paris. Ici, on se parle facilement même si on ne se connaît pas. À Paris, si j'avais voulu discuter avec une fille comme toi, elle m'aurait rabroué. Les gens sont soupçonneux, là-bas.

— Ça fait longtemps que tu as déménagé à Québec ?

— Depuis cet été, répondit Morgan en terminant son café.

— Dans quel quartier ? s'enquit Jasmine.

— Tu es de la police ? dit Morgan qui vit le visage de Jasmine se refermer. Allez, je te taquine ! Je n'ai rien contre les flics. Je suis d'ailleurs en train d'écrire un roman policier.

— Un roman ? Wow ! Tu étudies en littérature ?

— Oui. Je situe l'action dans le quartier. Tu habites dans le coin ?

— Non, mais on vient souvent ici. C'est notre café préféré.

— On ?

— Avec mes amies.

— Et le soir ? Où sortez-vous ? À la Buvette ? À la Chope ? Au Lézard ?

Morgan savait qu'il flatterait Jasmine en lui laissant croire qu'il la pensait assez âgée pour fréquenter ces bars.

— Ça dépend, hésita Jasmine. Toi ?

— Ça dépend des soirs. Et avec qui. Avec toi, j'irais dans un bar plus chic.

— Chic ?

Jasmine toucha le chandail qu'elle venait d'enlever d'un air de doute, mais elle se félicitait d'avoir mis son tee-shirt noir qui la faisait paraître plus vieille.

— Tu portes des vêtements de sport, mais tu restes élégante.

Jasmine rougit comme Morgan l'espérait. Il fit semblant d'être embarrassé à son tour avant de lui dire qu'ils pourraient se retrouver un soir.

— Si tu me donnes ton numéro…

Il saisit son téléphone, lui sourit, attendant qu'elle lui dicte son numéro.

— C'est la fin de la session. J'ai trop de travaux à remettre, cette semaine, expliqua-t-il. Mais après, on pourrait se voir. Durant les fêtes. Ou même avant. À moins que tu partes?

Jasmine secoua la tête. Elle resterait à Québec. Rien ne l'en ferait bouger.

— Il faut que je retourne étudier, dit-il. Je t'appelle bientôt.

Il fit semblant d'hésiter, puis se pencha et l'embrassa sur la joue avant de lui sourire à nouveau. Il se dirigea vers la caisse, paya, sortit du café. Derrière la fenêtre, elle vit qu'il lui faisait un signe d'au revoir. Elle y répondit, le regarda s'éloigner, traverser la rue. Dès qu'il disparut de son champ de vision, elle envoya un texto à Mylène. Elle avait tellement eu raison de lui conseiller d'aller au café! « Tom est encore plus beau que dans mes souvenirs. » Elle avait tant de choses à lui dire. « J'ai hâte que tu me racontes ça », répondit immédiatement son amie. Jasmine faillit lui texter que Thomas était en train d'écrire un roman, mais se ravisa. Ce serait plus excitant de le lui dire en personne.

Elles échangèrent des textos durant quelques minutes, puis Jasmine finit son café avant d'effleurer de sa main droite l'endroit où Tom lui avait fait la bise. Lorsqu'elle voulut payer son café, la serveuse lui dit qu'on avait réglé sa note. Jasmine lui sourit et allait pousser la porte du commerce quand la serveuse la héla : elle oubliait son sac de sport.

C'est seulement au bout de dix minutes, alors qu'elle attendait un bus qui tardait, que Jasmine s'aperçut qu'elle n'avait pas
pensé à la mort d'Étienne depuis une heure, qu'elle avait oublié
le chagrin qui ravageait Matis. Elle se sentit légèrement coupable
d'être si heureuse de sa rencontre avec Tom. Mais se morfondre à
la maison ne ramènerait pas Étienne. Elle avait du mal à imaginer
qu'il était vraiment mort. Ses parents avaient dit qu'ils pouvaient
en parler ensemble, mais elle n'avait aucune envie de rester avec
eux dans le salon à évoquer le souvenir d'Étienne. C'était l'ami
de Matis, pas le sien. Elle ne le connaissait pas vraiment. Tout
ça était tellement bizarre. Mais elle promettrait à sa mère qu'elle
serait gentille avec son cadet, qu'elle s'arrangerait même pour
dîner avec lui au collège si ça lui tentait. Ça ne coûtait rien de
faire cette promesse à sa mère, Jasmine était certaine que Matis
ne voudrait pas manger avec elle. Son frère préférerait rester avec
Simon.

Elle effleura sa joue de sa main : Tom l'avait-il vraiment
embrassée ? Cela avait duré une fraction de seconde, elle avait
à peine eu le temps de respirer son odeur. Il sentait si bon ! Il
était si beau ! En montant dans l'autobus, elle se dit qu'elle aimerait tellement avoir une photo de lui. Mais elle ne pouvait pas lui
demander ça. Elle aurait l'air trop intéressée.

Mylène pourrait peut-être s'en charger ? Si Tom la rappelait, s'ils se revoyaient, elle supplierait Mylène de les suivre et
de prendre Tom en photo. Ce devait être réalisable avec son
téléobjectif.

: :

Jean-René Frappier s'était armé de patience, avait fouillé dans
ses papiers et avait fini par mettre la main sur le numéro de téléphone du motard à qui il avait vendu un équipement de moto
deux mois plus tôt. Quand il l'avait rejoint, Mike Boily s'était

montré réticent à le rencontrer, mais Jean-René Frappier lui avait fait miroiter l'occasion de gagner de l'argent sans faire aucun effort, hormis celui de passer quelques minutes en sa compagnie. À l'endroit, à l'heure de son choix. Peu après, Jean-René, attablé dans une taverne de la basse-ville, scrutait la porte d'entrée, guettant l'arrivée du motard. Avait-il raison de s'en remettre à lui ? Mais qui d'autre pourrait lui procurer une arme à feu ? Il était prêt à payer cher pour en avoir une. C'était le seul choix qui lui restait. Quand il la tiendrait entre ses mains, peut-être que le poids qui l'empêchait de respirer depuis la mort d'Étienne se ferait un peu moins lourd ?

Jean-René Frappier sortit du bar une heure plus tard avec la promesse d'obtenir ce qu'il voulait rapidement. Il rentra chez lui et fut soulagé de constater qu'Evelyne était couchée dans leur chambre avec sa sœur Elizabeth. Il ne voulait pas lui parler. Qu'aurait-il pu lui dire ? Les mots étaient inutiles. Avec Evelyne. Comme avec Mary. S'il n'avait pas eu cette liaison, il aurait compris que son fils était en danger. Il aurait mesuré l'importance des ravages causés par l'agression de Cristelle Bouchard. Il avait tout raté.

::

L'odeur de la fumée de cigarette incita Maud Graham à fuir les abords de l'Hôtel-Dieu. Pourquoi avait-elle de nouveau ces envies furieuses d'en griller une ?

Elle aurait dû être rassurée de savoir que la voisine de Jessica lui avait proposé de dormir chez elle, être contente que Jessica ait identifié son agresseur parmi les photos qu'elle lui avait montrées, mais elle ne pouvait s'empêcher de penser que l'écart de temps entre les viols s'était rétréci. De combien de jours disposait-elle pour éviter la prochaine agression ? Elle se dirigea vers sa voiture en espérant, sans trop y croire, que Marion Lacasse aurait des éléments à lui fournir sur les événements de la veille : avait-elle remarqué quoi que ce soit de suspect quand elle avait porté secours à Jessica ? Au téléphone, elle avait dit à Graham qu'elle n'avait rien à ajouter à ce qu'elle avait déjà raconté lorsqu'elle était arrivée à l'urgence de l'Hôtel-Dieu, mais Graham tenait tout de même à la rencontrer. Elle frissonna en se glissant dans sa voiture, maudit l'humidité. Par chance, Marion Lacasse n'habitait pas en banlieue. Elle pourrait ensuite rentrer chez elle rapidement et faire réchauffer la minestrone.

10

Mardi 13 décembre, matin

Cristelle Bouchard regardait Lucas s'éloigner vers le collège. Il lui avait demandé de le déposer au coin de la rue plutôt qu'en face de l'établissement comme elle le faisait chaque matin. Elle avait été si surprise par cette requête qu'elle n'avait pas protesté, mais elle sentait maintenant la rage l'envahir : est-ce que son propre fils allait se détourner d'elle ? Comme Mylène qui avait décidé de prendre l'autobus pour se rendre au collège, qui ne lui avait pas adressé un seul mot depuis des jours malgré les remontrances de David qui lui répétait qu'elle devait témoigner plus de respect à sa mère. Des paroles. Encore des paroles. Toujours des paroles. L'éternel blabla de David. Éternel et inutile puisqu'aucune sanction n'accompagnait ses sermons. Mylène l'écoutait, hochait la tête, mais continuait à l'ignorer. Combien de temps durerait ce manège ? Et qu'imaginait-elle obtenir en agissant ainsi ? Croyait-elle qu'elle dicterait sa loi à la maison ? Que sa mère plierait devant ses caprices d'adolescente ? Encore heureux que Mylène n'ait pas été présente lorsque les policières avaient sonné chez eux.

Cristelle donna un coup de poing sur le volant : elle détestait penser à cette rencontre, même si David l'avait assurée qu'elle n'avait rien à craindre de la justice. Maud Graham avait eu vent de l'incident avec les garçons ? C'était embêtant, certes, mais aucune

plainte n'avait été déposée contre elle. Cette enquêtrice et son aco-
lyte avaient voulu faire du zèle en l'interrogeant. Il n'y aurait pas
de suite à leur conversation. Probablement que David avait raison.
Elle aurait dû en être soulagée, c'était exactement le contraire. Elle
était furieuse d'avoir dû parler à David de la visite des policières,
furieuse du ton supérieur avec lequel il lui avait dit de ne pas s'inquiéter puisque, pour une fois, elle avait réussi à se contrôler et
semblait avoir répondu posément aux questions des deux femmes.
Bien sûr qu'elle avait conservé son calme ! Elle n'était pas idiote ! Il
l'avait pourtant interrogée sur ses réponses aux policières avec ce
ton méfiant et condescendant. Elle avait vraiment failli l'envoyer
balader, mais David aurait été trop heureux de la prendre en défaut.
D'avoir raison contre elle. De la rabaisser. Elle s'était donc efforcée de lui rapporter ses propos sans s'énerver : elle avait donné aux
détectives sa version de l'incident avec les garçons, en admettant
qu'elle avait fait une erreur et qu'elle en était désolée. Elle comprenait que les parents d'Étienne puissent avoir besoin d'un bouc
émissaire pour expliquer le geste de leur fils. Elle restait cependant
persuadée qu'Étienne avait des problèmes depuis longtemps. Elle
avait pu l'observer quand il venait à la maison avec Simon et Matis.
C'était un garçon trop réservé, trop secret qui n'avait jamais l'air
de vraiment s'amuser. Elle n'avait pas bronché non plus quand
Maud Graham s'était étonnée qu'elle s'en soit prise aux amis de
son fils. Qu'est-ce qui l'avait poussée à agir ainsi ?

— Ils étaient sans cesse sur le dos de Lucas. Ils ont déchiré son
anorak, volé sa casquette. Mon mari me reproche de m'être mêlée
des chicanes des garçons, mais je ne voulais pas que ça aille plus
loin. Je voyais que mon fils était malheureux d'être mis à l'écart.
Alors que notre maison a toujours été ouverte pour ses copains.
Chaque fin de semaine, il y en a qui viennent se baigner. Je fais
des lunchs pour tout le monde…

— Lucas ne méritait pas d'être traité comme un paria ? avait
dit Maud Graham. C'est ça ?

— Écoutez, si je suis coupable de quelque chose, c'est d'être un peu trop mère poule. Et dans cette situation, j'ai dépassé les bornes en faisant tous ccs reproches aux garçons.

Cristelle avait confessé qu'elle avait des sautes d'humeur depuis la fin de l'été, qu'elle ne se sentait pas au sommet de sa forme. Elle avait fixé Maud Graham durant quelques secondes avant de dire qu'elle pensait être en préménopause.

— Vous comprenez ce que je veux dire…

Maud Graham n'avait pas répondu, s'était contentée de prendre des notes dans son calepin. Pendant qu'elle écrivait, Tiffany McEwen lui avait demandé comment Lucas réagissait à la mort de Jérôme et d'Étienne.

— Comment voulez-vous qu'il réagisse? avait murmuré Cristelle.

Elle avait ensuite observé un moment de silence. Elle ne voulait pas avouer qu'elle ne pouvait pas répondre à cette question, qu'elle ignorait ce que Lucas ressentait, qu'il ne s'était pas confié à elle.

Maud Graham lui avait demandé si Jérôme Poitras et Jason Gascon étaient les amis de Lucas. Cristelle avait haussé les sourcils, répété qu'à cet âge les amitiés se font et se défont.

— Ils sont déjà venus ici. Ils devaient être là au party d'Halloween.

Cristelle avait marqué une pause avant d'ajouter que ce qui était arrivé à Jérôme Poitras était vraiment triste.

— Lucas a joué au hockey avec lui?

— Oui.

— Est-ce qu'il vous a parlé de ce qui s'est passé à l'aréna?

— Pas vraiment, avait répondu Cristelle. Il était dans le vestiaire quand Jérôme s'est blessé.

— Il n'a pas parlé de Jason? Qui a lancé la rondelle sur Jérôme?

Cristelle avait haussé les épaules: bien sûr que Lucas avait évoqué l'accident, même s'il n'avait rien de spécial à dire à ce sujet.

— Moi, j'ai sauté sur l'occasion pour lui rappeler qu'il ne doit jamais enlever son casque tant qu'il est sur la patinoire.

Elle n'avait pu s'empêcher de questionner les policières. Quel était le rapport avec le suicide d'Étienne ? Est-ce que leur travail ne consistait pas plutôt à traquer des criminels ?

— Deux décès dans la même semaine, dans le même collège, ça fait beaucoup, avait répondu Graham. Alors on explore toutes les pistes. On essaie de comprendre. Est-ce qu'il y a eu de la négligence quelque part ?

— De la négligence ?

— Ou de la malveillance. On ne sait encore que peu de choses, avait répété Graham. Est-ce que l'entraîneur fait bien son boulot, par exemple ?

Elle avait feuilleté son calepin, relevé le nom de Gilbert Cloutier.

— Qu'est-ce que vous pensez de lui ?

— Je ne le connais pas beaucoup, avait murmuré Cristelle, c'est un nouvel entraîneur.

Elle n'allait pas raconter aux policières qu'elle s'était mis à dos l'entraîneur. Ces détails n'avaient rien à voir avec l'enquête sur la mort d'Étienne. Enquête qui l'intriguait de plus en plus : c'était un suicide, non ? Pourquoi ces policières fouinaient-elles à droite et à gauche ? Quand elle avait interrogé David, il avait haussé les épaules. Ces détectives devaient justifier leur salaire. Il n'y avait pas assez de meurtres à Québec pour les mobiliser. Elles cherchaient tout simplement à montrer leur implication au travail.

Maud Graham et Tiffany McEwen avaient fini par se lever, avaient remercié Cristelle de sa collaboration. Au moment où elle leur ouvrait la porte, la plus jeune avait dit que Lucas lui ressemblait vraiment.

— Vous l'avez rencontré ?

— Oui, au collège.

— C'est vrai, avait dit Cristelle, j'avais oublié qu'il m'en avait parlé.

Elle avait refermé la porte derrière les policières avec un sentiment de confusion; elle avait l'impression d'avoir répondu correctement à leurs questions, mais pensait néanmoins que les deux femmes avaient douté de ses réponses. C'était ridicule. Oui. Ridicule. Qu'est-ce qui lui arrivait? Elle n'avait pas l'habitude d'être aussi peu sûre d'elle-même. Elle avait évoqué la préménopause avec la policière afin de gagner sa sympathie en jouant sur la solidarité féminine, mais si cette ruse qui s'était révélée vaine cachait un fond de vérité? Non, c'était impossible, elle était trop jeune. Ses enfants étaient des adolescents! Elle avait bien eu une sensation subite de chaleur quand les policières s'étaient présentées à la maison, mais c'était normal: tout le monde est impressionné d'avoir affaire à des représentants de l'ordre. Même elle. Surtout elle. Qui se rappelait parfaitement les policiers qui avaient sonné à leur porte, à la recherche de son frère aîné. Qui étaient revenus pour leur annoncer qu'on avait retrouvé son corps. Guerre de gangs.

Cristelle frappa de nouveau le volant. Non! Elle n'allait pas commencer à penser à sa famille; elle l'avait reléguée dans un coin de son cerveau et elle allait y rester. Cadenassée. C'était Mylène qui la mettait dans tous ses états! Comment sa propre fille pouvait-elle se montrer si dure avec elle?

Elle repensa aux paroles de Ian Boisvert qui disait que Jasmine, elle, aurait aimé avoir une mère plus présente. Pourquoi Mylène ne ressemblait-elle pas à son amie? C'est une fille comme elle qu'elle aurait aimé avoir.

Même si les magasins n'étaient pas encore ouverts, elle fit redémarrer sa voiture et fila vers la Place Sainte-Foy. Elle boirait un café en attendant de faire les boutiques pour s'acheter une nouvelle robe. Rouge. Elle avait envie d'une robe rouge. Qu'elle porterait la prochaine fois qu'elle rencontrerait Ian Boisvert. La tournure que prenait leur relation l'étonnait et elle se répétait qu'elle devait continuer à se méfier de lui. D'un autre côté, c'était elle qui avait les cartes en main. Il serait bien obligé de faire ce qu'elle voulait : elle ne croyait pas du tout qu'il avouerait son passé à Mary. Il avait eu l'air surpris par sa proposition de se joindre à son entreprise, mais avait vite compris quel était son intérêt en songeant à tous les contacts qu'elle avait. Elle sourit, certaine que David serait furieux qu'elle travaille. Elle consulta le cadran numérique, décida de se rendre tout de suite au gym. Avec l'entraînement jumelé au jogging qu'elle s'imposait chaque soir, elle avait reperdu le poids gagné en novembre. Elle était sûre que Ian Boisvert avait admiré sa silhouette quand elle s'était éclipsée pour aller aux toilettes lorsqu'ils avaient pris un verre ensemble. Il devait avoir mesuré l'effet qu'elle pourrait créer sur sa clientèle.

::

Mardi 13 décembre, après-midi

Ian Boisvert avait facilement trouvé le numéro de série du véhicule de Jean-René Frappier dans les dossiers de l'entreprise et il attendait le départ de son associé pour faire une clé de son X3 dont il aurait besoin pour ouvrir le capot. Il avait quatre jours devant lui pour préciser son plan d'action, devant agir après les funérailles d'Étienne. Quatre jours pour prendre en compte tous les paramètres qui garantiraient une parfaite réussite. Quatre jours pour prévoir l'imprévisible. Une stratégie de repli, si jamais… Non. Il ne voulait pas envisager un échec. Il ne pouvait pas y avoir d'échec, car il n'y aurait pas de deuxième chance. Cristelle devait disparaître dans les délais qu'il s'était fixés. Il devait la tuer durant les heures qui suivraient les funérailles.

Il aurait ensuite tout le temps de réfléchir à ce qu'il réserverait à Mary. Des semaines, des mois pour y penser, car il devrait mettre en veilleuse ses idées de vengeance après le meurtre de Cristelle. Si Mary mourait trop vite, les enquêteurs s'étonneraient que deux femmes qui se connaissaient décèdent brutalement en si peu de temps. Il lui faudrait faire preuve de patience.

Les funérailles d'Étienne auraient lieu vendredi, il passerait à l'action samedi. Il avait suivi Cristelle. Il savait qu'elle empruntait toujours le même circuit pour faire son jogging après avoir déposé les enfants au collège ou à l'aréna. Il se rappelait l'avoir entendue se vanter à la soirée d'Halloween de ne jamais déroger à cette discipline. Elle courait tous les jours. Lui-même irait reconduire Matis comme il le faisait chaque samedi. Ne surtout rien changer à sa routine.

Pour la voiture de Jean-René, ce serait plus compliqué. Heureusement, il n'y avait qu'un garage intérieur chez les Frappier et il abritait la Z4 d'Evelyne. Le véhicule de Jean-René était garé sous l'abri Tempo. Ian devrait agir aussi rapidement que silencieusement. Quitter la maison sans que Mary s'en aperçoive. Il préparerait un bon souper, expliquerait qu'ils avaient tous besoin de réconfort après une semaine aussi triste. Un *mac'n cheese*, les enfants aimaient ça autant que Mary. Il ouvrirait une bonne bouteille. Un meursault pour être certain que Mary ne pourrait y résister. Il avait remarqué qu'elle faisait attention à sa consommation d'alcool depuis quelques semaines, voulant perdre deux kilos avant les fêtes. Mais un meursault? Elle flancherait. Il mettrait des somnifères dans son verre. Il serait sûr d'avoir la paix.

: :

Mercredi 14 décembre

— L'enquête de proximité n'a rien donné, maugréa Bouthillier. On s'y est repris à trois fois pour parler à tous les gens qui habitent près du parc et tout le monde était couché quand la victime a été agressée.

— Et dans les bars, fit McEwen, seulement trois employés se souviennent de lui.

— Il ne doit pas s'attarder, dit Michel Joubert. Il entre, fait le tour de la place pour repérer une proie, boit son cocktail et repart. Il doit y aller au moment où il y a le plus de clients et il se noie dans la masse.

— Les employés des commerces de la 3e Avenue ont tous vu le portrait-robot. Ils nous appelleront sûrement en fin de semaine, ajouta Maud Graham pour encourager ses collègues. Il va y avoir plus d'agents dans le quartier. Si on a un appel, ils seront aussitôt prévenus et pourront suivre le suspect.

— Sous quel prétexte devra-t-on l'intercepter ? questionna un jeune patrouilleur.

— Contrôle d'identité.

— Contrôle d'identité ? Il peut refuser.

— Faites semblant d'être maladroits en révélant un faux motif pour l'aborder. Dites-lui que vous savez qu'il a de la *dope* sur lui. Faites-lui vider ses poches. Il en déduira alors que vous ne l'arrêtez pas pour les viols, qu'il y a erreur sur la personne et que, après avoir vidé ses poches, il aura la paix. Vous lui demanderez tout de même son nom, son adresse après vous être excusés.

— Comme si on faisait un rapport d'incident ?

— Exactement. Il faut qu'on en sache plus sur lui. Rappelez-vous l'affaire Lalonde. C'était la parole du violeur contre celle de sa victime et ça s'est mal terminé pour elle, parce que l'avocat a réussi à semer le doute dans…

— Mais là, on a plus d'une victime, la coupa Bouthillier. Je ne peux pas croire qu'un juge permettra au violeur de s'en tirer.

— Les juges ne ressemblent pas tous à la juge Turmel, dit Graham. On a besoin d'un dossier en béton.

— On a quatre victimes pour l'identifier ! répéta Pascal Bouthillier. Quatre.

— Les descriptions des deux premières parlent d'un homme brun, rappela Graham.

— Qu'est-ce qui t'inquiète ? demanda Joubert. Jessica a reconnu notre suspect sur le dernier portrait-robot.

— L'arrogance du violeur. Il se montre à visage découvert dans des bars. Juste avant d'agresser ces jeunes femmes. Comme s'il n'avait rien à craindre. Comme s'il était protégé.

Elle regarda les patrouilleurs et les détectives un à un avant de livrer le fond de sa pensée : soit le violeur était le fils d'un diplomate ou d'une personnalité très haut placée, soit son impudence était plutôt un signe de stupidité ou de déséquilibre, de folie.

— Il a été vu tout près de Jessica au Lézard, fit remarquer McEwen. On dirait qu'il se moque qu'il y ait ou non des caméras dans la place.

— Non, protesta Joubert. Vous oubliez qu'il a changé de look, qu'il s'est teint les cheveux.

— Pour le fun, répondit McEwen.

Non, insista Joubert. Il portait un bonnet. C'est pendant l'agression qu'il l'a perdu. Le barman a vu un blond, oui, mais pas quand il parlait avec les filles. Il n'a pas établi de lien direct entre notre suspect et ses clientes.

— S'il est stupide ou fou, il va faire des erreurs, dit Nguyen.

— Il peut surtout faire n'importe quoi s'il se sent piégé, fit Graham. Passer à autre chose. Je n'aime pas du tout qu'il signe ses viols avec ces peluches, c'est très malsain. Tout comme demander leur nom aux victimes. Elles ont toutes confirmé ce point.

— C'est vraiment pervers, frissonna McEwen.

Le silence se fit dans la salle de réunion, puis la voix de Gaétan Péloquin retentit.

— Il faut qu'on le trouve ! Qu'on se débarrasse de lui.

Il y eut des murmures d'approbation, puis le capitaine eut un geste pour renvoyer les équipes au travail. Graham attendit que le brouhaha s'estompe avant de répondre à McEwen qui venait de lui annoncer qu'elle irait aux funérailles d'Étienne Frappier.

— Je ne sais pas si c'est une bonne idée, admit-elle, mais il me semble que je dois y aller. Je repense tout le temps au secret d'Étienne. On n'est pas certains qu'il s'est tué à cause de l'agression de Cristelle Bouchard, parce qu'il avait peur d'être ridiculisé au collège. Il me semble que…

— Ce n'est pas une raison suffisante ?

— Non. Oui. S'il avait vraiment vu Jason viser sciemment Jérôme et qu'on l'ait menacé pour qu'il se taise ? Si ces menaces avaient pris toute la place dans son esprit et que l'incident avec Cristelle Bouchard ait été la goutte de trop ? J'ai rencontré Samuel Francœur. Il a admis avoir dit à Jason et à Lucas qu'Étienne avait uriné dans son pantalon. Mais il jure que ni lui ni ses deux copains n'ont laissé filtrer quoi que ce soit sur les réseaux.

— Et, bien sûr, il n'était pas à l'aréna quand Jason a lancé la rondelle, dit Bouthillier. Il ne sait rien, n'a rien vu, mais il est certain que c'est un accident.

— Nous n'avons aucune preuve, aucune certitude, soupira Maud Graham. J'aurais bien voulu vous dire que Matis m'a éclairée, mais Étienne ne s'était pas confié à lui. Ni à Simon.

— Leurs parents t'ont permis de leur parler ?

Graham pencha la tête, répéta que les adolescents n'avaient rien ajouté de probant à ce qu'ils savaient tous déjà.

— On ne peut pas porter des accusations qui s'appuient sur des on-dit. Deux jeunes sont décédés, mais pour l'instant on ne parle pas de meurtre. Et comme me l'a rappelé tantôt le commandant, on a mis déjà beaucoup de temps sur ces dossiers qui…

— Ostie de crisse ! tonna Tiffany McEwen.

Elle surprit autant Graham que Nguyen qui était resté dans la salle de réunion. Ils avaient rarement entendu sacrer leur collègue.

— Ce sont quand même des crimes ! reprit-elle. Frapper quelqu'un, en pousser un autre à se tuer ! Je ne peux pas croire que personne ne va payer ! Le petit William est sûr qu'Étienne savait quelque chose. La prof de français nous a rapporté qu'une certaine Mila l'avait rejeté. Elle nous a parlé des rumeurs qui couraient sur Étienne.

— Des rumeurs, juste des rumeurs, soupira Graham. C'est assez pour tuer. Mais pas suffisant pour accuser. J'ai reparlé à ses parents, à son entourage. Et toi aussi. Et tu n'as pas plus que moi l'impression que les Frappier maltraitaient leur fils. Ni personne autour de lui. Reste ce qui se passait au collège, mais on n'a rien relevé de précis. Juste des suppositions.

— Tu les abandonnes, marmonna McEwen.

Maud Graham dévisagea McEwen : de quel droit osait-elle lui adresser des reproches ? Elle ne pouvait quand même pas faire de miracles !

— Je ne peux pas inventer des preuves ! Je comprends que tu sois choquée par le suicide du gamin. On l'est tous. Mais Étienne est mort avec les raisons qui l'ont poussé à s'enlever la vie. C'est la faute de beaucoup de monde, probablement. Et ce ne sont pas nécessairement ces personnes-là qui se sentent coupables, mais celles qui pensent qu'elles auraient dû voir venir le drame. Ses parents. Ses enseignants. Ses amis. Et moi.

— Toi ?

— Je me suis demandé si je n'ai pas accéléré les choses en appelant chez les Frappier, en disant que je devais impérativement parler à Étienne. Comme Nguyen qui s'est aussi questionné sur sa visite. Mais nous n'avons pas à éprouver cette culpabilité. Nous faisons notre boulot.

— Tandis que Cristelle Bouchard, elle… murmura Tiffany McEwen.

— Elle ne semble pas être le genre de femmes à admettre ses torts, d'après ce que vous nous avez rapporté de votre rencontre, nota Nguyen.

— Elle ne se reproche qu'une chose : être trop mère poule ! À l'entendre, elle a seulement défendu son fils contre les attaques de ses amis. Il n'a tout de même pas quatre ans…

— Mme Bouchard croit aussi à son impunité, dit Graham. Et elle pense qu'elle peut nous mentir. Elle nous a dit qu'elle connaissait à peine Gilbert Cloutier, mais je l'ai vue l'enguirlander à l'aréna. Et il m'a confirmé avoir eu plusieurs discussions pénibles avec elle. Il est persuadé que Cristelle Bouchard a tenté d'obtenir son congédiement.

— Elle est décidément sympathique, fit Nguyen.

— Oui, dit Graham. Très sympa. Mais même si Nathalie Hervieux portait plainte contre Cristelle Bouchard, ça ne donnerait rien.

— Elle ne le fera pas.

— Non, admit Graham. Elle l'aurait déjà fait. Il faut oublier ces familles-là et se concentrer sur notre violeur. Parce qu'il doit sûrement penser à sa nouvelle proie.

: :

Mercredi 14 décembre, soir

Jean-René Frappier avait marché jusqu'au parc où Étienne s'était pendu. Il voulait se tenir sous l'arbre, exactement là où son fils avait rendu son dernier souffle, mais le périmètre dressé par les patrouilleurs était toujours protégé. Quand donc pourrait-il se recueillir à l'endroit qu'avait choisi Étienne pour disparaître ? Qu'attendaient les policiers pour retirer ces maudits rubans jaunes ? Ils avaient pris des photos, relevé des empreintes, avait dit Maud Graham. Est-ce qu'elle avait vraiment dit ça ? Pourquoi avaient-ils besoin des empreintes des gens qui avaient marché dans ce coin-là ? Ça ne rimait à rien. Ce n'était pas un meurtre, c'était un suicide. Non, c'était un meurtre, et c'était lui qui l'avait commis. C'était lui qui était responsable de la mort de son fils. Sa passion pour Mary l'avait rendu aveugle à la détresse d'Étienne, à son isolement.

Il sortit l'arme que lui avait vendue le motard, la fixa durant un long moment. Il se demandait s'il saurait s'en servir, quand il entendit du bruit derrière lui. Qui se pointait à cette heure-là? Il rangea l'arme dans la poche intérieure de son anorak, se retourna pour faire face à l'intrus et leva les mains en signe de protestation lorsqu'il reconnut Mary. Elle tenait contre elle un bouquet de fleurs blanches que la lune rendait phosphorescentes.

— J'ai voulu…

— Va-t'en, dit Jean-René.

— J'ai pensé que tu serais peut-être ici.

— Va-t'en. On n'a plus rien à se dire. On ne peut plus rien se dire.

— Je sais que tu as tellement mal que…

— Va-t'en. C'est mieux que tu t'en ailles.

Il lui tourna le dos, l'entendit répéter son nom à plusieurs reprises, mais il demeura immobile. Ne comprenait-elle pas qu'il avait été puni d'avoir abandonné sa famille? Qu'il n'aurait jamais dû s'approcher d'elle? Pourquoi mettait-elle tant de temps à repartir d'où elle était venue? Pourquoi ne retournait-elle pas chez elle retrouver son mari et ses enfants qui étaient vivants? Elle n'avait pas été éprouvée dans sa chair, elle ne pouvait pas comprendre dans quel enfer il brûlait. Elle ne pouvait pas savoir que la notion même du temps lui échappait. Que les secondes s'étiraient dorénavant comme des heures. Les minutes comme des mois. Les heures comme des années. Des années de plomb. Et ce goût de cendre constant dans la bouche qu'aucun des cafés qu'il avait bus n'avait pu effacer. Et ces cafés qui n'avaient pas réussi non plus à chasser la sensation d'étouffer lentement, tels ces oiseaux piégés autrefois avec de la glu ou immobilisés par une marée noire. Une marée sombre, si sombre. Il avait l'impression de se mouvoir au ralenti, s'étonnait d'avoir pu mettre un pied devant l'autre pour se rendre jusqu'au parc où la lumière de la neige blessait son regard. La lumière, les sons, les odeurs, tout le blessait, sauf le froid qui l'anesthésiait un peu. Mais pas assez. Il avait envie de se coucher là où on avait étendu Étienne et d'y rester jusqu'à ce que le gel ait paralysé son cœur.

— Tu ne pouvais pas savoir, s'entêta Mary.

— Va-t'en !

Comme il n'entendait aucun mouvement derrière lui, il se tourna de nouveau, dévisagea Mary avant de hurler qu'elle se trompait, qu'il aurait dû savoir que son fils se sentait aussi mal.

— Je n'ai rien vu, parce que je ne voyais que toi ! Va-t'en ! Je ne veux plus jamais te parler !

Mary faillit répliquer, mais lut un tel désespoir dans le regard de son amant qu'elle recula en secouant la tête, refusant d'assimiler ses dernières paroles. Refusant d'admettre que tout était fini entre eux, que Jean-René la tiendrait au moins aussi responsable que lui de la mort de son fils. Elle laissa tomber le bouquet de fleurs et courut loin du parc, se demandant ce qu'elle devait faire, ne sachant où aller. Elle ne voulait pas rentrer chez elle, affronter le chagrin de Matis, son regard chargé d'interrogations. Elle ne pouvait pas lui expliquer le geste d'Étienne. Elle ne pouvait que serrer Matis contre elle et lui répéter qu'elle l'aimait. Tenter de se nourrir de cet amour. Même si elle savait qu'une faille s'était ouverte en elle. Une faille qui menaçait de l'engouffrer. Pourrait-elle la dissimuler encore longtemps ? Que deviendrait-elle ? Que deviendrait Jean-René ? Elle aurait dû savoir comment l'aider, trouver les mots justes, s'entêter à rester auprès de lui, mais son désespoir la dépassait. Elle était incompétente. Incompétente avec son amant. Avec ses enfants. Et avec Ian, même s'il l'ignorait. Elle ne s'était pas assez souciée de lui, alors qu'il était évidemment bouleversé par ce qui était arrivé à Étienne. Elle avait bien vu comment il regardait Jasmine et Matis depuis l'événement, des coups d'œil furtifs, à la dérobée, comme s'il les surveillait, comme s'il craignait qu'ils ne disparaissent aussi. Mais cela n'arriverait pas, Matis et Jasmine étaient bien dans leur peau, tandis qu'Étienne…

Mary s'immobilisa. Elle se mentait à elle-même. Étienne se comportait comme n'importe quel garçon quand il venait jouer chez eux. Elle l'avait entendu rire avec Matis. Pourquoi pensait-elle que son fils et lui étaient si différents? Et surtout pourquoi n'avait-elle pas décelé sa détresse? Elle avait toujours eu l'impression qu'Étienne l'aimait bien. Il s'attardait parfois dans la cuisine quand il restait à souper à la maison. Il avait l'air content qu'elle lui dise que Matis lisait un peu plus grâce à lui. Si seulement il s'était confié à elle…

Est-ce que Matis lui cachait autant de choses qu'Étienne semblait l'avoir fait avec ses parents? Et Jasmine? Mary n'était pas dupe, ses enfants avaient évidemment des secrets. Jusque-là, elle n'avait jamais imaginé qu'ils puissent dissimuler une forme de désespoir. Elle sentit son cœur se serrer. Non, elle ne connaissait pas autant Matis et Jasmine qu'elle l'avait toujours cru. Mais comment les amener à s'ouvrir à elle? Ou à Ian? Comment les protéger d'eux-mêmes? Devait-elle tenter de percer leurs secrets? Ces secrets que Jasmine devait confier à Mylène. Qui devaient concerner des garçons. Elle aurait aimé que sa fille lui parle de ses rêves amoureux, mais elle-même, à cet âge, n'aurait rien dit à sa mère. Jasmine avait droit à son intimité. Il fallait seulement qu'elle soit consciente que la réserve de Mary et le respect de ses silences ne cachaient pas un désintérêt: elle serait toujours là pour sa fille et pour son fils. Et elle le leur dirait plus souvent.

::

Vendredi 16 décembre, midi

Morgan Bachelet sirotait son cappuccino en repensant au rêve qui avait agrémenté sa nuit, aussi excitant que surprenant. Il avait été étonné de constater que cette Jasmine qu'il n'avait vue qu'une fois soit apparue dans ses songes. Car même s'il l'avait imaginée nue quand il l'avait rencontrée au café, il n'y avait plus repensé par la suite. Il n'avait jamais fantasmé sur les blondes, les trouvant trop fades. Mais cette Jasmine était différente. Sa jeunesse avait un éclat, une énergie qui avaient manifestement frappé son subconscient. Il se remémorait ses paroles ; elle patinait, dansait, jouait au tennis. Elle devait porter un soutien-gorge qui comprimait sa poitrine quand elle disputait des matchs. Il s'imagina le découpant au couteau. Des scènes de son rêve revinrent à son esprit, il commença à bander. Tout en se masturbant, il se rappela qu'il avait noté les coordonnées de la gamine. Il était certain qu'elle lui avait menti, qu'elle n'était pas majeure, même si elle était probablement déjà allée dans des bars. Quand sortait-elle ? Avec qui ? Elle habitait sûrement chez ses parents. Étaient-ils cools ou s'inquiéteraient-ils de ne pas voir leur fifille rentrer à l'heure convenue ? Morgan aurait dû repousser ses fantasmes, il le savait. Une mineure. Danger, danger. Sauf que le coefficient de difficultés supplémentaires l'émoustillait au lieu de l'inciter à la retenue. Il voulait même la garder plus longtemps avec lui, faire durer le plaisir. Et puis, il n'avait jamais aimé le froid. Pourquoi baiser dans la neige alors qu'il pouvait entraîner Jasmine au chaud ?

Il devrait seulement être très prudent avec elle.

Jasmine au nom prédestiné : ne portait-il pas une eau de toilette qui sentait le jasmin et le vétiver ? Quelle était l'odeur intime de Jasmine ? Salée, iodée, sucrée ? Elle serait vite balayée par celle très âcre et si enivrante de la terreur. Toutes les femmes exhalaient ces notes à la fois aigres et lourdes quand il les abordait.

: :

Elizabeth observait sa sœur Evelyne et Jean-René, assis devant elle dans leur salle à manger. Elle avait envie de demander à Evelyne si elle savait que son mari trimbalait une arme à feu, mais son aînée avait toujours l'air aussi égarée et ce même regard fixe si inquiétant, cette manière de répondre à ses questions d'une façon mécanique. Elizabeth s'était absentée deux jours et était revenue la veille pour aider Evelyne à se préparer pour les obsèques, mais elle avait l'impression d'avoir un automate, un pantin en face d'elle. Si on coupait les fils de cette marionnette, elle s'écraserait au sol pour ne plus jamais se relever.

Mais Elizabeth avait vu le revolver ! Pourquoi son beau-frère avait-il un revolver en sa possession ? Les gens qui possèdent une arme veulent soit se protéger, soit s'en servir. Contre qui Jean-René pouvait-il vouloir se défendre ? Sur qui voulait-il tirer ?

Comment l'interroger sur ses intentions ? S'il se protégeait, c'est qu'il était mêlé à quelque chose de louche. Pourquoi serait-il en danger ? Qu'avait-il fait d'illégal ? Quel était le lien avec la mort d'Étienne ? Est-ce que son fils s'était enlevé la vie parce qu'il avait découvert un secret le concernant ? Et si Jean-René était armé pour faire feu sur quelqu'un, était-ce cette Cristelle dont avait parlé Nathalie Hervieux quand elle était venue présenter ses condoléances à Evelyne et Jean-René ? Cristelle Bouchard ou une autre personne que Jean-René devait tenir pour responsable de la mort d'Étienne ? Qui ? Qui avait pu en vouloir à Étienne au point de le pousser à se pendre ? Ça ne tenait pas debout ! Mais Elizabeth avait pourtant bien vu cette arme et une autre hypothèse bousculait les précédentes : son beau-frère voulait rejoindre son fils dans la mort. Et ça, elle devait l'en empêcher. Elle avait bien constaté que sa sœur et Jean-René s'étaient éloignés l'un de l'autre, mais Evelyne avait besoin de lui. Il ne pouvait pas l'abandonner ! Et lui-même devait avoir besoin d'elle. Ils vivaient des moments si terribles qu'ils étaient incapables de voir qu'ils devaient se soutenir. Mais il le fallait ! Jean-René n'avait pas le droit de la quitter. Elle devait le confronter.

Ou appeler la police ? Cette enquêtrice qui était allée dans la chambre d'Étienne ? Elle avait vu sa carte sur la table du salon.

Mais Evelyne avait répété *ad nauseam* qu'elle ne voulait plus jamais lui parler, ni à elle ni à aucun autre policier. Si mêler la police à sa découverte compliquait tout ? Cette Maud Graham poserait sûrement des questions à Evelyne sur Jean-René.

Elle devait discuter elle-même avec son beau-frère à propos de cette arme. Au pire, il lui mentirait. Mais peut-être qu'il serait soulagé de se confesser. Elle lui parlerait avant les funérailles. Il fallait que tout se déroule le plus normalement possible. Il fallait que la paix, une certaine paix revienne dans cette maison. Que sa sœur entreprenne un travail de deuil.

: :

Jasmine ne parvenait pas à détacher son regard du cercueil d'Étienne. Elle sentait la main de Matis qui broyait la sienne, l'odeur florale du parfum de sa mère qui était debout à côté d'elle, devinait que son père balayait l'église des yeux, décidait où ils s'assoiraient. Il leur désigna un banc sur la gauche où ils s'installèrent en silence. Et ce silence intrigua Jasmine. Pourquoi était-il plus dense dans cette église ? Le silence, c'est le silence. Que ce soit à la montagne, dans sa chambre ou ici. Pourquoi s'interrogeait-elle sur le silence ? Qu'est-ce qui n'allait pas avec ses pensées ? Elle n'arrivait pas à les ordonner, se sentait coupable d'être heureuse que Tom l'ait appelée, mais s'était remémoré vingt fois, cent fois les paroles qu'il avait prononcées. Elle secoua la tête : elle n'avait pas le droit de songer à Tom, à leur sortie, alors qu'elle assistait à des funérailles ! Elle devait penser à Étienne et à ses parents. Evelyne et Jean-René étaient déjà assis au premier rang quand les gens étaient entrés dans l'église, mais une femme qui s'était présentée comme une des sœurs d'Evelyne les avait accueillis à la porte principale de l'église. Jasmine l'avait entendue parler des bouquets de fleurs, il y en avait tant qu'on ne savait plus où les mettre. Au moment où elle s'était débarrassée de son manteau, elle avait cru reconnaître une des policières qui étaient venues au collège. Tiffany Mcquelquechose. Elle se rappelait son prénom. Elle le trouvait élégant. Pourquoi pensait-elle à ce prénom ? Pourquoi n'arrivait-elle pas à se concentrer sur Étienne ? À écouter les paroles de l'officiant ? Mais qu'est-ce que la police faisait ici ? Jasmine se retourna pour voir où s'était assise cette Tiffany sans parvenir à la repérer.

— Arrête de bouger, murmura Mary.

Jasmine reporta de nouveau ses yeux sur le cercueil en chêne blond, repoussa les images qui voulaient parasiter son esprit : le corps d'Étienne qui se desséchait contre le satin capitonné du cercueil, le corps qui disparaîtrait bientôt sous terre, qui y gèlerait, qui serait dévoré par les insectes au retour du printemps. Non ! Elle ne devait pas laisser courir son imagination, il valait encore mieux songer à Tom.

Elle n'en revenait pas qu'il l'ait appelée ! Elle aurait préféré qu'il lui envoie un courriel ou un texto qu'elle aurait pu relire aussi souvent qu'elle l'aurait voulu, mais il avait téléphoné. Et même si elle était certaine de l'avoir entendu, même si elle pouvait répéter chacune des cinq phrases qu'il avait prononcées, elle arrivait à douter de cet appel. Mais comment aurait-elle inventé cette conversation ? Ça lui semblait miraculeux, mais c'était réel. Réel. Pourquoi lui avait il téléphoné ? Tout le monde envoie des textos. « Parce qu'il voulait entendre ta voix, avait dit Mylène. C'est sûr. Tu as une belle voix. » Jasmine n'avait jamais réfléchi à sa voix. Peut-être que Mylène avait raison. Mylène qui n'était pas présente aux funérailles. Évidemment, cette histoire avec sa mère. C'était nul. Tellement nul pour Mylène.

Un mouvement autour d'elle tira Jasmine de sa rêverie, elle imita ses parents et s'agenouilla, sentit la cuisse de son frère contre la sienne. Elle se tourna vers lui pour lui adresser un sourire d'encouragement et fut surprise de le trouver aussi blême. Elle posa une main sur la sienne, s'étonna de sa taille. Son cadet avait grandi sans qu'elle s'en aperçoive. Il serait aussi grand qu'elle, à l'été. Il était cependant trop jeune pour un tel chagrin. Leur mère devait avoir remarqué la pâleur de Matis, car, dès que les porteurs soulevèrent le cercueil pour gagner la sortie, elle poussa Matis à les suivre.

— C'est clair que tu ne te sens pas bien, lui dit-elle. On va rentrer tout de suite à la maison.

— Mais maman…

— On rentre.

— C'était mon ami, tout le monde va se réunir.

Ian qui avait remarqué que Mary avait évité depuis le début de la cérémonie de regarder en direction de Jean-René Frappier plaida la cause de Matis.

— C'est sain de se retrouver après les funérailles. D'autres élèves seront là, des enseignants. Ils ont besoin d'être ensemble.

— Allez-y si vous voulez, fit Mary. Je rentre, je me sens étourdie. Il faisait trop chaud dans l'église.

Jasmine hésita un moment, puis emboîta le pas à sa mère, tandis que Ian posait une main protectrice sur l'épaule de Matis qui le suivit au sous-sol de l'église. Nathalie Hervieux et son fils Simon étaient déjà assis à une table. Ian se demanda s'ils devaient aller vers eux ou si Nathalie lui en voulait encore de ne pas avoir porté plainte contre Cristelle Bouchard. Si elle avait pu deviner qu'il ferait bien mieux que ça…

: :

Vendredi 16 décembre, soir

Ian Boisvert fixait la machine à café pendant que coulaient les premières gouttes de son expresso.

— Tu bois un café ? dit Mary en élevant la voix pour couvrir le bruit de la *Saeco*.

— Un déca, mentit Ian. J'ai envie d'un truc chaud. J'espère que Jasmine s'est changé les idées. C'est une bonne chose qu'elle soit allée au cinéma. On a eu une dure journée.

— Oui, Matis est épuisé. Il n'a rien mangé au souper. On verra plus tard dans la soirée.

— Parce qu'il a bouffé des sandwichs et des cupcakes après les funérailles. Tu aurais dû venir au lunch. Ça s'est bien passé compte tenu des circonstances, même si Matis avait l'air un peu perdu. Simon aussi, d'ailleurs. Mais moins qu'Evelyne et Jean-René. Lui semblait très…

— J'avais mal au cœur, le coupa Mary. Ça doit être l'encens à l'église. Matis était là, c'est le principal. C'était important pour lui, tu avais raison. J'espère qu'il passera une bonne nuit et sera plus en forme demain matin.

— Oui, il faut que la vie normale reprenne. Ici comme au collège.

Ian, qui avait rejoint Mary au salon, remplit son verre de vin avant de se laisser tomber près d'elle sur le canapé.

— Il s'est passé tellement de choses tellement vite. En même temps, j'ai l'impression que ça dure depuis une éternité. J'essaie d'imaginer comment se sentent les parents de Jérôme, ceux d'Étienne et je me demande comment ils survivront à tout ça. Evelyne et Jean-René semblent dévastés.

— C'est normal, répondit Mary en s'emparant de la télécommande. On aurait dû faire comme Jasmine, sortir, aller voir un film pour s'aérer l'esprit. Mais j'ai une grosse journée demain avec Noël qui arrive…

Elle regarda son verre de vin, hésitant à le boire.

— Je devrais prendre un café ou une tisane.

— Bois ton vin, ça va te détendre. C'est seulement parce que j'ai bu mon verre trop vite que je prends un café. Reste couchée plus tard demain matin, tu n'es pas obligée d'être à la boutique à la première heure. Comme tu l'as dit, tu vas avoir de grosses journées avec Noël qui s'en vient.

— C'est certain que c'est toujours une période achalandée. Mais je ne vais pas me plaindre que Noël soit payant pour la boutique.

Comment sa femme parvenait-elle à parler de Noël, alors qu'elle aurait sûrement voulu être auprès de son amant pour le soutenir ? Si elle l'aimait au point de le retrouver dans des auberges de campagne, elle devait bien s'inquiéter pour lui. Avoir vu à quel point il avait maigri. Même ses cheveux avaient paru plus blancs à Ian. Il le regrettait presque : il aurait aimé détruire un ennemi en meilleure forme. Là, ce serait quasiment trop facile. Mais tout de même pas tant que ça. S'il fallait qu'il tombe plus de neige que prévu, les rues devraient être nettoyées. Les charrues, les camions sillonneraient la ville. Il se raisonna : on avait annoncé moins de dix centimètres. Il n'était pas question d'une tempête, mais d'une légère chute de neige, rien qui puisse nuire à ses travaux sur la voiture de Frappier. Et ses allées et venues avec ce véhicule, puis ses propres pas seraient effacés à la moindre poudrerie. Tout se déroulerait comme prévu. Il offrirait un bol de céréales à son fils et attendrait qu'il somnole avant de quitter la maison. Mary devrait aussi s'endormir avec le somnifère qu'il avait mis dans son vin. Si tout allait bien, tout serait réglé rapidement.

: :

Morgan Bachelet vit l'image de sa mère disparaître de l'écran sans cesser de sourire. Elle retardait son arrivée à Québec, ne serait pas de retour avant Noël. Neuf jours. C'était parfait, il n'aurait pas à jouer au bon fils avant neuf jours. Il pourrait se consacrer entièrement à ses projets. Il ne comprenait pas pourquoi il pensait à Jasmine si souvent, mais son image s'imposait à lui régulièrement. Il aimait imaginer son épouvante quand elle découvrirait qu'il n'était pas le gentil étudiant avec qui elle avait eu tant de plaisir à jaser au café. Il éprouvait presque autant d'excitation dans l'anticipation que dans le passage à l'acte.

Après un coup d'œil au thermomètre extérieur, Morgan se dit qu'il avait bien raison d'envisager une rencontre au chaud avec Jasmine. En tapotant les oreilles des lapins en peluche qu'il avait alignés sur l'étagère du salon, il songea qu'il devrait se résigner à utiliser du Rohypnol avec Jasmine, sinon il ne pourrait jamais l'emmener chez lui. Ni effacer ses souvenirs. Il ne fallait pas que Jasmine puisse se rappeler l'appartement, le décrire avec précision. Ils y accéderaient par la sortie de secours où il n'y avait pas de caméras. Elle ne pourrait jamais faire la distinction entre tel ou tel immeuble, tel ou tel appartement, tel ou tel étage. Et il emprunterait un chemin compliqué pour y arriver, prétextant chercher un stationnement près de chez lui. Peut-être que Jasmine pourrait se remémorer leur rencontre au café, mais ensuite? Si jamais elle portait plainte, elle décrirait un type aux cheveux *bleachés* en pure perte. Il était l'as de la transformation, il modifierait aisément son apparence comme il l'avait fait tant de fois avec succès. Il avait toujours aimé se déguiser, avait toujours eu des panoplies pour ses anniversaires et aucune fête ne lui plaisait autant que l'Halloween qui permettait toutes les libertés. Et réservait des surprises : la Marilyn qu'il avait repérée au bar, ce soir-là, avait triché avec un soutien-gorge bien rembourré. Mais ce n'était pas grave, elle s'était bien débattue.

: :

Mylène était couchée depuis une trentaine de minutes, mais n'arrivait pas à dormir, songeant que Jasmine avait utilisé sa méthode préférée pour obtenir ce qu'elle désirait : la flatterie. Elle avait vanté ses talents pour la photo avant de lui dire que ce serait vraiment formidable si elle réussissait à prendre des clichés de Tom, si celui-ci la rappelait.

« Tu voudras quoi ensuite ? Quand j'aurai transféré les photos, tu passeras ton temps à les regarder. Tu diras que tu ne peux pas sortir avec moi, parce qu'on a trop d'examens et de travaux. Mais tu as eu le temps d'aller au café. Sans moi. Tu m'avais juré que ce que ma mère avait fait ne changerait rien à rien, mais je ne suis pas allée souper chez toi depuis que c'est arrivé. Des promesses. Tu es très bonne pour faire toutes sortes de promesses.

« Tu as encore répété que je suis la meilleure. Ta *best*. Mais tu t'es bien gardée de t'informer de ce qui se passait chez nous. Tu ne sais pas quoi me dire quand je parle de ma mère. Et je suis certaine qu'Éléonore et toi en avez discuté ensemble. Éléonore qui veut s'avancer dans ton orbite. Nous sommes toutes des satellites gravitant autour de toi. Nous voulons toutes que ta lumière rejaillisse sur nous. Qu'est-ce que ça fait d'être la fille la plus *hot* du collège ? Est-ce que tu oublieras qu'on se connaît depuis longtemps ? Éléonore n'est arrivée ici que l'an dernier. Et elle n'est pas aussi intelligente que moi. Mais elle n'a pas une mère qui embarrasse tout le monde. Sa mère a eu la bonne idée de quitter la maison. La mienne ne nous fera jamais ce plaisir. Et Éléonore est plus vieille. Dix-sept ans. Tu peux sortir avec elle le soir. Pas avec moi.

« Est-ce que je vais prendre des photos de Tom ?

« Est-ce que je pense qu'il te rappellera ?

« Oui. Il n'a rien à perdre, tout à gagner. Mais peut-être que lui, à son tour, te trouvera trop jeune pour sortir avec toi. Tu verras ce que ça fait d'être mise de côté. »

: :

Mais où est passé ce damné chat ? se demanda Fernand Lavigueur. Pourquoi Méphisto ne détestait-il pas la neige comme tous les matous qu'il avait eus avant lui ? Cela faisait bien une heure qu'il était sorti, il aurait dû être rentré. Le retraité hésita, devait-il enfiler son manteau, chausser ses bottes pour partir à la recherche de Méphisto ? Il n'aurait jamais dû acheter un jeune chat. Non seulement il avait marqué son territoire à plusieurs reprises dans la maison, mais, n'étant pas encore castré, il était toujours prêt à courir après les femelles des alentours. Le vétérinaire lui avait dit que certains chats étaient matures sexuellement autour de huit ou neuf mois, mais qu'il arrivait que certains le soient plus tôt. Méphisto venait d'avoir six mois! Baptême! Il prendrait rendez-vous demain à la clinique. S'il le retrouvait! Il l'appela de nouveau sans succès, se décida à s'habiller et sortit en espérant que son chat n'est pas allé courir trop loin. Il était quasiment minuit, il voulait rentrer se coucher. Il ne le laisserait plus jamais sortir après 20 h.

Fernand Lavigueur finit par retrouver Méphisto dans une rue voisine et, tout en le glissant dans son manteau pour l'empêcher de fuguer à nouveau, il s'étonna de voir une voiture grise ralentir et se garer derrière un véhicule identique. Même modèle, même couleur. Drôle de hasard. Le conducteur de la deuxième voiture devait trouver cela amusant, lui aussi. Fernand Lavigueur attendit quelques secondes afin d'échanger quelques mots avec lui, mais l'homme restait dans son auto. Lavigueur allait s'approcher du véhicule quand Méphisto tenta de s'échapper de son manteau. Il raffermit sa poigne et accéléra le pas, pressé de mettre l'animal en lieu sûr.

: :

Il était enfin parti! soupira Ian Boisvert en voyant l'homme coiffé d'une casquette s'éloigner de son champ de vision. Qu'est-ce qu'il foutait là, à minuit? Il avait presque gâché la satisfaction que Ian avait éprouvée en constatant que la voiture de Jean-René n'était pas garée dans l'abri Tempo où il pouvait distinguer une Volvo. Il se demanda à qui elle pouvait appartenir sans cesser d'observer les alentours. Puis il se décida à sortir de la voiture, glissa le double de la clé du BMW X3 dans son gant gauche. Il devait agir vite, même s'il avait vérifié deux fois plutôt qu'une que les lumières étaient éteintes chez Jean-René Frappier, ainsi que chez ses voisins. Il se tint immobile pendant une longue minute, puis s'avança vers le véhicule de Jean-René, déverrouilla les portières, s'installa derrière le volant et démarra aussitôt. À cette heure-là, les rues étaient vides et il arriva rapidement au garage. Il composa le code du système d'alarme, ouvrit la double porte, récupéra les toiles de plastique qu'il avait dissimulées plus tôt dans la journée et remonta au volant de la voiture de Frappier, avança de quelques mètres avant de s'immobiliser au milieu des toiles. Il revêtit une combinaison de plastique et se mit au travail. Il ouvrit le capot et commença à dévisser les boulons qui retenaient la grille avant du véhicule. Heureusement que ce n'était pas la première fois qu'il exécutait ces gestes ! Il ne devait pas laisser la nervosité le ralentir, il en avait pour une bonne heure. Il devait se concentrer sur chaque vis, chaque boulon. Il sentit une résistance avec la dernière pièce, mais elle céda et il put enfin retirer la grille qu'il déposa sous un établi. Il récupéra la grille maculée du sang de Cristelle qu'il avait enlevée plus tôt et cachée dans le garage, puis revint vers la voiture de Jean-René Frappier en prenant garde à n'effacer aucune trace de sang. Il dut s'y reprendre à deux fois sur chaque boulon pour arriver à fixer la grille au X3 de Frappier. Les gouttes de sueur qui glissaient le long de ses tempes et de son cou trahissaient son énervement. Il avait l'impression d'entendre les battements de son cœur. Une fois sa grille en place sur le véhicule de Frappier, il devait maintenant étendre du sang à la hauteur des phares avec le chiffon qu'il avait précieusement conservé. Il était conscient que cette dernière partie de l'opération n'était pas parfaite, mais c'était bien le sang de Cristelle Bouchard que les techniciens relèveraient sur le véhicule de Jean-René Frappier et c'était ça qui importait. Frappier ne pourrait nier les résultats scientifiques. Ni le sang ni la grille légèrement bosselée du côté droit. Il aurait beau dire qu'il avait frappé un chevreuil quelques semaines auparavant, les traces laisseraient croire que l'auteur du *hit and run* avait tenté de les effacer. Il se souvint avec étonnement du choc, plus intense qu'il ne l'avait prévu, comme si Cristelle Bouchard pesait davantage que ses soixante et quelques kilos. C'était sûrement dû à la vitesse à laquelle il l'avait heurtée. Elle avait été propulsée dans les airs avant de retomber vers le bas-côté. Il avait ralenti, puis avait reculé pour se garer le plus près possible de sa victime en espérant qu'elle était bien morte. Il n'avait pas envie de finir le travail avec le bloc de glace qu'il avait apporté. Il ne s'était pas inquiété des traces qu'il laisserait : il traînerait le corps sur ses propres pistes de façon à ce que les enquêteurs y voient un désir de dissimuler des traces compromettantes, puis il ferait rouler le cadavre sur le côté de la route et reviendrait vers le véhicule à genoux. Aucun technicien ne pourrait donc relever l'empreinte de ses bottes. Personne ne devinerait qu'il s'était accroupi près de Cristelle pour s'assurer de son décès, qu'il avait imbibé un bout de chiffon de son sang et l'avait glissé dans un sac de plastique.

Avait-il oublié quelque chose ? Non. Il avait même eu la présence d'esprit de récupérer le portable de Cristelle Bouchard, alors que ça ne faisait pas partie de son plan initial. Heureusement qu'il avait eu cette intuition. Et qu'elle avait apporté avec elle le téléphone.

Après avoir ôté la combinaison de plastique et l'avoir fourrée dans un sac poubelle avec les gants de chirurgien qu'il portait depuis le début de la soirée, Ian monta dans la voiture de Frappier, recula, sortit de la voiture pour refermer la porte du garage après avoir rangé les toiles, remonta dans la voiture et la fit démarrer en s'essuyant le front. Il se surprit à trembler : comment pouvait-il avoir à la fois chaud et froid ? Il accéléra tout en réglant le chauffage à fond et s'efforça de se remémorer le déroulement de la soirée minute par minute, tout en se répétant qu'il était hautement improbable que Jean-René Frappier soit sorti de chez lui en pleine nuit pour utiliser son véhicule. Il éteignit pourtant les feux de sa voiture en s'approchant du domicile des Frappier, roula très lentement avant de s'arrêter à quelques mètres du BMW X3 identique à celui de Jean-René qu'il avait laissé sur place au cas où ce dernier aurait regardé dans la rue. Il devait croire que son véhicule était toujours là, sinon il appellerait la police pour déclarer le vol. Mais les lumières étaient demeurées éteintes chez les Frappier. Tout s'était bien passé! Parce qu'il avait tout prévu. Hormis ce promeneur de minuit qui ne s'était heureusement pas attardé, les étapes de son plan s'étaient déroulées comme il les avait imaginées. Une fois à bord de son véhicule, il s'autorisa à pousser un long soupir de contentement, puis s'empressa de s'éloigner. Il roula jusqu'au parc d'exposition où dormaient des dizaines de véhicules et gara la voiture à l'endroit où il l'avait prise trois heures plus tôt, puis il marcha jusqu'à son propre X5 stationné deux rues au nord. Il se répéta qu'il était impossible que les enquêteurs demandent à visionner les bandes des caméras de surveillance. Comment pourraient-ils remonter jusqu'à lui? Il serait probablement interrogé comme tous les gens qui connaissaient Cristelle et parce que leurs enfants étaient proches, mais cela n'irait pas plus loin. Et même si… il avait pris soin de déplacer tous les BMW X3 une semaine auparavant pour les garer au fond du parc d'exposition, dans cette partie, près du boulevard, que l'œil de la caméra ne pouvait balayer.

Dans combien de temps découvrirait-on le corps de Cristelle Bouchard?

Dans combien de temps les enquêteurs sonneraient-ils à la porte de Jean-René Frappier pour lui poser quelques questions?

Quand saisiraient-ils son véhicule?

11

Samedi 17 décembre

David Lenoir tenait ses enfants serrés contre lui et percevait chaque sanglot qui les traversait. Il répétait des paroles de réconfort sans parvenir à réagir au choc, à balayer cet abrutissement qui le paralysait depuis que les policiers étaient sortis de la maison. Il devait se ressaisir pour Mylène et Lucas! Il devait aller à l'hôpital comme le lui avaient demandé les agents, mais il ne pouvait laisser ses enfants seuls après une telle nouvelle! Il n'arrivait pas à se décider à appeler à l'aide. Il ne savait pas à qui s'adresser. Son unique frère vivait au Japon, il ne pourrait pas être à Québec avant des jours. Francine, la plus vieille amie de Cristelle habitait à Toronto, Nadia était en Martinique. Peut-être Josée avec qui elle courait parfois? Non, elle serait trop bouleversée pour être utile. Il ne pouvait tout de même pas demander à l'un de ses collègues de venir s'occuper de ses enfants à cette heure-là! Le soleil se levait à peine. Il eut enfin une idée: il appellerait Lydia, leur ancienne gardienne. Elle serait sûrement choquée comme eux tous, mais il avait confiance en elle. Elle avait toujours su s'y prendre avec Mylène et Lucas.

— Je vais demander à Lydia de venir ici pendant que j'irai à l'hôpital. Je ne partirai pas longtemps et je…

— Non, s'écria Mylène. Je veux voir Jasmine.

— Ma chérie, Jasmine n'est pas…

David ne termina pas sa phrase. Sa fille avait raison. Elle avait besoin de sa meilleure amie.

— Je vais appeler les Boisvert, dit David en se détachant de ses enfants. Je reviens tout de suite. Où est-ce que j'ai mis mon téléphone ?

En se levant, il eut l'impression que ses pieds pesaient vingt kilos et il pensa aux criminels qui envoyaient leurs victimes au fond du fleuve, lestées de bottes de ciment. Comment pouvait-il songer aux motards alors qu'on venait de lui apprendre que Cristelle avait été victime d'un accident ? Cristelle avec qui il s'était disputé, Cristelle qui était sortie de la maison en colère. David retint un gémissement. Il devait penser aux enfants. Seulement aux enfants. Joindre les Boisvert. Puis prévenir la famille de Cristelle. Il savait que Cristelle aurait été furieuse qu'il communique avec sa famille qu'elle avait reniée, mais il ne pouvait pas leur cacher sa mort. Il fixa le guéridon du hall d'entrée : que faisait-il là ? Il entendit Mylène derrière lui. Elle lui tendait son propre téléphone d'une main tremblante. Elle lui semblait si frêle. Il la serra contre lui en tenant l'appareil contre son oreille.

Mary répondit à la deuxième sonnerie, lui fit répéter trois fois que Cristelle était morte, mais promit qu'elle et Jasmine seraient là en moins de quinze minutes. Puis David reconnut la voix de Ian qui lui dit qu'ils pouvaient s'occuper des enfants, les ramener chez lui pendant qu'il serait à l'hôpital pour Cristelle. Il lui proposa même de l'accompagner tandis que Mary resterait avec les enfants chez lui s'il préférait cette solution. David refusa, mais, en revenant vers le salon, il songea qu'il avait mésestimé Ian Boisvert, que c'était un homme fiable et généreux. Il n'avait pas hésité une seule seconde à proposer son aide. Il préviendrait Gilbert Cloutier que ni Lucas ni Matis n'iraient au centre sportif aujourd'hui. Ian avait aussi suggéré de se charger de parler à leurs voisins si David le souhaitait. Il y en avait sûrement qui avaient remarqué la présence d'une voiture de police devant leur domicile. Il fallait à tout prix éviter que les voisins posent des questions aux enfants.

Oui, Ian Boisvert était un homme bien. Qui avait eu de surcroît la délicatesse de ne pas lui demander de détails sur la mort de Cristelle.

::

Morgan Bachelet relut le texto pour une troisième fois : Jasmine refusait de sortir avec lui. Sous prétexte que sa meilleure amie avait besoin d'elle. D'où sortait cette histoire de copine qui ne pouvait pas se passer d'elle ? Du grand n'importe quoi ! Pourquoi avait-elle changé d'avis ? Elle semblait si contente la veille à l'idée de le revoir. Que s'était-il passé ? Avait-il dit quelque chose qui l'avait inquiétée ? Mais quoi ? Ils avaient à peine parlé deux minutes au téléphone. Il ne comprenait pas l'attitude de Jasmine. Ou plutôt, il la comprenait trop bien : Jasmine était une allumeuse. Elle disait oui, puis non, puis oui, puis minaudait, pensant mesurer ainsi son pouvoir de séduction. Elle verrait bientôt qu'on peut se brûler à ces jeux-là…

::

— C'est Nguyen qui a pensé à m'appeler, dit Graham. Quand il a entendu le nom de Cristelle Bouchard au poste.

— Je suppose que tu vas nous dire que tu ne crois pas aux coïncidences, souligna Tiffany McEwen.

— Vous non plus, j'en suis certaine, répondit Graham avant d'ouvrir la boîte de muffins qu'elle avait achetés en route.

Elle en choisit un à l'érable et le mordit avec plus de rage que d'appétit. Pourquoi devait-elle encore renoncer à son samedi avec Alain ? Alors qu'elle aurait dû éprouver de l'empathie pour la victime, elle lui en voulait de s'être fait tuer à ce moment-là. Elle soupira ; manquait-elle de compassion parce qu'elle avait trouvé Cristelle Bouchard antipathique quand elle l'avait rencontrée ? Ou parce qu'elle avait mal dormi, des bouffées de chaleur l'ayant réveillée à trois reprises ? Elle s'était levée aussitôt, ne voulant surtout pas qu'Alain s'aperçoive de ses malaises. Ni lui ni personne. Ni à la maison ni au poste. Jusque-là, les inconvénients de la ménopause étaient supportables et elle pouvait les dissimuler à son entourage, mais ces bouffées qui se multipliaient la perturbaient beaucoup trop pour qu'elle puisse faire son travail correctement. Comment se concentrer lorsqu'on manque toujours de sommeil ? Le médecin lui avait promis que les hormones la soulageraient. Quand ? Personne ne devait s'apercevoir des changements qu'elle vivait. Elle-même les oublierait dès que les hormones feraient effet et elle cesserait de penser qu'elle avait six ans de plus qu'Alain et qu'elle commençait à en payer le prix.

— Tu te souviens que Cristelle Bouchard nous avait menti ? demanda McEwen.

— À propos de l'entraîneur, oui. Tu penses qu'elle peut nous avoir leurrées sur d'autres sujets ?

— Pourquoi pas ?

— Soit elle a été victime d'un chauffard, dit Nguyen, peut-être ivre au volant, un récidiviste qui aura traîné son corps sur le bas-côté pour le camoufler, soit on l'a volontairement heurtée. Si elle avait des choses à cacher comme vous semblez le supposer…

— Elle doit avoir tapé sur les nerfs de beaucoup de monde, fit Tiffany McEwen. Je sais que je ne devrais pas dire ça d'une victime, mais c'était une snob. Elle détaillait la façon dont nous étions habillées. Comme si on déparait son beau salon. Et elle a pris soin de nous répéter que son mari était juge. Oui, et après ? Pensait-elle nous impressionner ?

Graham comprenait que McEwen s'exprime ainsi, mais elle se força à intervenir. Oui, Cristelle Bouchard leur avait déplu, mais elles n'avaient pas parlé avec elle assez longtemps ni assez souvent pour la juger. Peut-être que derrière son attitude hautaine se cachait une certaine crainte. Graham avait cru déceler une volonté de tout gérer, de tout organiser. Quand un élément venait perturber ses plans, Cristelle Bouchard devait avoir l'impression de perdre le contrôle. Et en ressentait peut-être de l'anxiété. Graham devait s'avouer qu'elle-même n'aimait pas trop que les situations lui échappent dans sa vie privée, elle n'appréciait pas vraiment les surprises, même bonnes, alors qu'elle pouvait faire preuve de souplesse au travail. Changer de cap au cours d'une enquête était fréquent. Parce qu'il fallait en permanence envisager toutes les options. Est-ce qu'elle énervait Alain avec son besoin de certains rituels dans leur relation?

— C'est vrai que Cristelle Bouchard ne nous a pas été sympathique, admit-elle, mais maintenant c'est une victime. On doit la respecter. Que vous a raconté le mari?

— Au début, il ne nous croyait pas, dit Nguyen. Il avait l'air vraiment surpris quand j'ai sonné chez eux. Il ne comprenait pas ce que je lui disais. Je pense qu'on l'a réveillé. Il m'a répété que sa femme était couchée, qu'il était sûr de ça. Il est monté à l'étage pour aller la chercher.

— Ça pourrait être une mise en scène, fit Bouthillier.

— Je l'ai suivi. Il a vraiment blêmi quand il a vu que Cristelle Bouchard n'était pas dans leur chambre. Il a répété que je devais me tromper, mais il commençait à comprendre ce que j'étais venu lui annoncer. Il a regardé dans le *walk-in* comme s'il espérait la trouver là, puis il m'a fixé pendant un moment. On est sortis de la chambre, il a jeté un coup d'œil aux portes des autres pièces, a ouvert celle de la chambre qui est au bout du corridor, l'a refermée, s'est arrêté devant deux autres portes. Puis il m'a chuchoté qu'il ne fallait pas réveiller ses enfants et nous sommes descendus au rez-de-chaussée où il m'a demandé de lui redire tout ce que je savais, tout en m'entraînant vers le sous-sol où il y a deux chambres d'amis. Mais évidemment sa femme n'y était pas. On est remontés. J'avais pris une photo des pièces d'identité de Cristelle Bouchard et je la lui ai montrée. Il s'est laissé tomber sur le canapé et Charlebois lui a raconté qu'un automobiliste avait distingué, tôt ce matin, le corps de Mme Bouchard. Qu'il devait nous suivre à l'hôpital.

— David Lenoir nous a tout de même dit que Jean-René Frappier avait menacé sa femme à l'aréna, rappela Alexandre Charlebois.

Le policier patrouillait avec Gaétan Péloquin au moment où l'homme avait téléphoné au poste. Ils avaient rejoint ce dernier quelques minutes plus tard. Il se tenait immobile près du corps de Cristelle Bouchard qu'il avait dissimulé sous une couverture qu'il avait dans sa voiture. « Par respect », avait-il expliqué aux agents.

— Ça partait d'une bonne intention, maugréa Péloquin, mais en marchant autour du corps, il doit avoir effacé une partie des traces de pas du chauffard.

— Ou de Jean-René Frappier, reprit Charlebois. Si M. Lenoir ne s'est pas trompé.

— Il ne vous a pas menti, dit McEwen. C'est vrai que Jean-René Frappier a menacé Cristelle Bouchard.

— Vous le saviez ? s'étonna Charlebois. Elle avait peur de lui ? C'est pour ça que vous l'aviez déjà rencontrée ?

— Non, c'est plutôt l'inverse, expliqua Maud Graham. Plusieurs personnes avaient envie de porter plainte contre elle.

Elle rapporta les propos de Nathalie Hervieux au sujet de l'incident du 2 décembre. Elle conclut à regret que, comme Jean-René Frappier avait menacé publiquement Cristelle Bouchard, ils n'avaient pas le choix de l'interroger, même s'il venait d'enterrer son fils.

— Mais on fait des recherches sur la victime, l'assura Nguyen. On saura ce qu'elle a pu nous cacher, si elle avait des ennemis.

— Et ce Jean-René Frappier? demanda Charlebois. Il aurait été assez stupide pour tuer une femme après l'avoir menacée devant tout le monde?

— Il est désespéré par la mort d'Étienne, rappela Michel Joubert. Il a pu agir sur un coup de tête.

— Pas tant que ça, le contredit Graham. Cristelle Bouchard n'a pas été heurtée en face de chez elle, mais à trois kilomètres de son domicile, sur une route secondaire. Soit elle se trouvait à la mauvaise place au mauvais moment, soit elle a été suivie. Ce qui suppose une certaine préméditation. Qui n'exclut évidemment pas Jean-René Frappier.

— C'est sûr qu'il la détestait! dit McEwen. Peut-être que le choc des funérailles a été trop grand, qu'il est fou de douleur, qu'il a voulu que Cristelle paie pour la mort d'Étienne.

— Il serait allé espionner les Lenoir, supposa Nguyen, aurait attendu que Cristelle Bouchard sorte de la maison, l'aurait suivie pendant qu'elle courait pendant près de trois kilomètres, puis aurait accéléré pour la renverser? Je sais que c'est possible, mais je trouve ça tiré par les cheveux.

Il se tourna vers Alexandre Charlebois.

— Tu as demandé si Frappier était stupide? Non, il ne m'en a pas donné l'impression. Alors pourquoi aurait-il choisi de tuer Cristelle Bouchard avec sa voiture en sachant qu'il serait inévitablement soupçonné?

— Parce qu'il s'en fout, avança Graham. Il se fout des conséquences. Plus rien ne compte pour lui. C'est un homme dévasté.

Elle se tut quelques secondes avant de soupirer: dévasté ou non, Frappier devait être interrogé et fournir un alibi pour les dernières heures.

— Sa femme aussi doit détester Cristelle Bouchard, ajouta-t-elle. Et on doit vérifier l'alibi de David Lenoir. Il a dit qu'il dormait, mais qui peut en témoigner? Ses enfants qui étaient couchés ? Il ne s'est pas inquiété que sa femme ne rentre pas ? Elle part courir vers 20 h, mais ne revient pas…

— Il a dit qu'il s'était endormi sur le canapé de son bureau, expliqua Nguyen.

— Ça lui arrive souvent ?

— Je ne sais pas.

— Peut-être que David Lenoir n'aimait plus sa femme, dit Graham. Peut-être qu'il ne dormait plus dans la chambre conjugale. Il a ouvert les portes des chambres quand vous étiez au sous-sol, non ? Elle y dormait peut-être à l'occasion ? Ou lui ? S'ils se disputaient…

— Ou simplement parce que l'un des deux ronfle, fit Nguyen. Ou pour lire plus tard sans gêner l'autre.

— Tu ne crois vraiment pas que c'est lui, nota Maud Graham. Pourquoi en es-tu si sûr ?

Nguyen protesta, il n'avait pas de certitude, juste l'impression que la stupeur du juge Lenoir n'était pas feinte.

— En tout cas, Cristelle Bouchard était motivée, fit remarquer Joubert. Pour aller courir à la noirceur, un vendredi après le souper…

— Il faut savoir si c'était son horaire habituel, si elle courait plusieurs fois par semaine.

— Et qui connaissait cette routine, compléta Charlebois.

Graham hocha la tête avant de tapoter une des photos de la scène de crime.

— Je pense que Cristelle Bouchard joggait régulièrement. Regardez son survêtement à bandes réfléchissantes. Elle voulait être visible quand elle courait.

— Donc le chauffard l'a vue.

— Je suppose qu'avec la neige qui est tombée, on doit oublier les traces de pneus, fit McEwen.

— Les techniciens sont sur les lieux, dit Nguyen. Ils font ce qu'ils peuvent.

Le silence qui suivit témoignait du peu d'espoir que les enquêteurs entretenaient quant aux possibilités de relever des traces significatives.

— Je change de sujet, mais avez-vous eu des résultats du labo pour le bonnet du violeur ? s'enquit Gaétan Péloquin. J'espère qu'on ne l'a pas ramassé pour rien.

— Il y avait des cheveux, dit Graham, mais on n'a pas de concordance. Pour l'instant. Quand on aura arrêté le violeur, on saura si c'est bien son bonnet que tu as récupéré sur les lieux du crime.

— Il faudrait qu'il sorte de son trou pour qu'on lui mette la main dessus, marmonna Nguyen. On dirait que personne ne l'a vu. J'ai rejoint tous les serveurs, toutes les serveuses, tous les commerçants de Limoilou pour rien.

— Non, pas pour rien, protesta Graham. Tu leur rappelles de continuer à ouvrir l'œil. À être vigilants quand le violeur refera surface.

— S'il est toujours dans ce quartier, dit Péloquin. S'il est toujours à Québec.

— Il faut qu'il soit encore ici et qu'on l'arrête ! s'énerva McEwen. Sinon, il recommencera ailleurs.

— On n'a pas eu de concordance absolue sur un modus operandi, fit Nguyen. Que ce soit dans les dossiers de la SQ, du SPVM, de la GRC, il y a eu des viols qui présentent des similitudes avec ceux qui ont été commis ici : tard le soir, à la sortie d'un bar, une victime plutôt jeune surprise par-derrière. Mais ça peut s'appliquer à beaucoup d'agressions. Si notre type a violé d'autres femmes avant d'arriver à Québec, rien n'indique avec précision qu'il a commencé sa carrière dans une autre ville, une autre province. C'est le lapin qui fait toute la différence, mais je n'ai pas relevé la moindre mention d'une peluche dans les dossiers que j'ai consultés.

— Je suis certaine qu'il a déjà commis des agressions avant, martela Graham. Il est à la fois prudent et insolent. Oui, il s'est présenté au bar, en public, mais il avait un bonnet la dernière fois. C'est seulement parce qu'elle était près de lui que Jessica a vu des mèches décolorées sous son bonnet. Il s'est placé dans un angle qui le dissimulait des caméras. Même chose pour Stéphane, le serveur qui l'a aussi vu de près, qui l'a reconnu sur les enregistrements vidéo grâce à sa veste de cuir. Il a beau l'avoir identifié, notre suspect a pris soin de baisser la tête en entrant dans le bar. On ne distingue pas ses traits. On ne peut pas en tirer une photo valable, mais on a maintenant un bon portrait-robot avec les modifications apportées par Stéphane Laperrière et confirmées par Jessica. Ce portrait est dans tous les commerces du quartier. C'est impossible que cela ne donne rien.

— Il doit l'avoir vu et s'être éloigné, marmonna McEwen. C'est ce que je ferais à sa place.

— Ou il a vraiment modifié son apparence, suggéra Nguyen. Avec une barbe, des lunettes, d'autres vêtements. Il doit éviter les bars, ces jours-ci, se faire oublier. On n'aurait pas dû afficher ce portrait-robot.

— Et laisser d'autres filles se faire violer au lieu de les mettre en garde ? riposta McEwen. On n'avait pas le choix.

— Sauf qu'il a disparu de nos radars. Là, on perd notre temps, conclut Nguyen.

Graham faillit rétorquer que ce défaitisme n'aidait personne, mais elle se leva en annonçant qu'il n'y avait justement pas de temps à perdre, qu'il fallait interroger tous les proches de Cristelle Bouchard.

— Je m'occupe de son mari et de ses enfants avec Joubert, puis on reverra l'entraîneur pour savoir exactement ce qu'avait dit Frappier. Bouthillier et McEwen rencontreront Frappier et sa femme. Nguyen, tu fais des recherches sur Cristelle Bouchard.

— Et sur son mari, acquiesça-t-il. J'ai déjà commencé.

— Même si David Lenoir n'était pas avocat au criminel avant d'être nommé juge, il peut avoir gêné quelqu'un, avança Graham.

Tu penses qu'il n'est pour rien dans la mort de sa femme, mais vous savez comme moi…

— Que le premier suspect est toujours le mari, compléta McEwen.

— Et que tu ne crois pas aux coïncidences, renchérit Nguyen, imité par tous les autres sauf Alexandre Charlebois qui était le seul à ne pas avoir encore entendu Graham répéter régulièrement cette phrase.

Maud Graham fit semblant d'être vexée qu'on se moque d'elle, mais elle était ravie qu'Andy Nguyen ait changé d'humeur. Beaucoup de boulot l'attendait; il était conscient qu'il devrait avancer prudemment en faisant ses recherches sur Cristelle Bouchard et son époux, prendre les précautions nécessaires pour n'éveiller aucun soupçon sur ce dernier. Pour qu'il ne se doute de rien, s'il était coupable. Et pour qu'aucune ombre n'entache sa réputation s'il était innocent. Si Nguyen découvrait des éléments qui ternissaient l'image du juge, mais n'avaient aucun lien avec le meurtre de sa femme, il devrait se taire même s'il pensait que les représentants de la Justice devaient être d'une totale probité. Graham avait déjà dit à Nguyen qu'il rêvait en couleur; les avocats, les policiers, les juges étaient des êtres humains. Donc faillibles. Et prêts à dissimuler leurs travers pour montrer une meilleure image d'eux-mêmes.

: :

— Qu'est-ce que je vais lui dire? demanda Jasmine à sa mère.

— Que tu es là pour elle, qu'elle peut compter sur toi, répondit Mary.

— Je capoterais si c'était toi qui t'étais fait frapper! Mais je ne peux pas dire ça à Mylène, ça ne l'aidera pas. D'un autre côté, moi, je t'aime, mais Mylène détestait Cristelle. Elles se disputaient tout le temps. Tu le sais, elle t'en a parlé quand elle est venue souper chez nous, la dernière fois.

— Ne dis pas ça, voyons. Elles s'aimaient.

— Mylène voulait partir de chez elle pour ne plus la voir, s'entêta Jasmine.

— C'est normal d'être en conflit avec nos parents, dit Mary. Ça ne change rien aux sentiments. C'était sa mère. Les liens familiaux, c'est plus fort que tout.

— Pourquoi papa ne voit jamais son frère ? rétorqua Jasmine.

— Ne mêle pas tout, ma chérie, fit Mary après quelques secondes. L'important, aujourd'hui, c'est de penser à Mylène. Il faudra lui répéter qu'elle n'a pas à s'en vouloir, même si elle se disputait avec Cristelle. Elle aura besoin de l'entendre. Tu iras avec ton cœur. Qu'est-ce qu'elle t'a raconté au téléphone ?

— Rien, elle pleurait, s'impatienta Jasmine, je te l'ai déjà dit. Pourquoi Matis ne vient pas avec moi ?

— Lucas n'est plus vraiment ami avec lui, tu le sais bien.

— Oui, mais là, c'est différent. Sa mère est morte !

— Je comprends que tu te sentes mal à l'aise, la rassura Mary, ce n'est pas une situation facile. Mais va mettre ton manteau, je t'emmène chez eux.

— Tu vas entrer avec moi ? Je ne veux pas entrer là tout seule. C'est trop *weird*.

Mary hocha la tête en songeant que sa fille qui lui disait souvent qu'elle serait bientôt majeure, qu'elle était mature, qu'elle souhaitait avoir plus d'indépendance et le droit de rentrer à l'heure qu'elle voulait, redevenait une gamine qui comptait sur elle pour affronter cette situation qui la dépassait.

« Qui me dépasse aussi », pensa Mary, toujours sous le choc de cette nouvelle. Elle se répétait que Jean-René ne pouvait pas être responsable de cette mort. C'était impossible. Il détestait Cristelle, mais il ne l'aurait pas tuée. Elle n'avait pas le droit d'imaginer une telle chose. Elle l'aurait su, elle l'aurait senti si c'était un être violent! Jamais elle n'aurait aimé un tel homme! Elle devait enfouir ces horribles doutes au plus profond de son esprit. Jean-René était anéanti, démoli, vidé de toute son énergie. Il n'était certainement pas sorti de chez lui, la nuit après les funérailles, pour aller assassiner Cristelle! Elle avait été renversée par un chauffard. C'est d'ailleurs ce qu'avait confirmé Nathalie quand elle l'avait appelée, peu de temps après que David eut prié Jasmine de venir soutenir Mylène. Elle ne savait pas grand-chose de plus que ce que David avait dit : Cristelle s'était fait heurter par une voiture. Elle allait téléphoner aux Frappier pour les mettre au courant. David ne les appellerait sûrement pas, puisqu'ils ne se parlaient plus depuis l'incident avec les garçons.

— C'est bizarre, murmura Jasmine, tirant Mary de ses réflexions. C'est *fucké*. Jérôme qui meurt, Étienne qui se suicide, puis Cristelle qui se fait tuer. Qu'est-ce qui se passe, maman? On dirait une malédiction! Peut-être qu'il va aussi nous arriver quelque chose...

— Tais-toi, intima Mary à Jasmine d'un ton trop sec qu'elle atténua en lui effleurant la joue d'un geste tendre. Ça n'existe pas, les malédictions.

Et si elle se trompait? Si cet accident n'était que la pointe de l'iceberg? Si Jean-René était devenu fou?

Non. C'était impossible. C'était un ivrogne qui avait tué Cristelle Bouchard. Un ivrogne récidiviste!

Mary ne pouvait s'empêcher de se demander si la mort de Cristelle apaisait la douleur de Jean-René. S'il se sentait un peu vengé. Moins responsable. Si, avec le temps, beaucoup de temps, il reviendrait vers elle. Elle ne pouvait pas croire qu'elle devait l'oublier. Qu'il pensait vraiment que leur liaison avait joué un rôle dans le suicide d'Étienne. Alors que ce dernier n'en avait jamais rien su. C'était absurde. Tout était trop absurde! Elle avait l'impression d'être fractionnée, qu'une partie d'elle-même conduisait cette voiture qui les menait chez David Lenoir, que cette Mary saurait trouver les mots pour calmer Mylène et Lucas, offrir son aide à David. Que cette Mary rentrerait ensuite chez elle préparer des plats qu'elle apporterait chez les Lenoir, tandis qu'une autre Mary n'aurait qu'une envie : se terrer dans un coin et attendre que cette série noire se termine, que la vie reprenne son cours normal. Comme avant. Quand tout était calme.

Avant qu'Étienne se tue ?

Ou avant que Jean-René devienne son amant ? Avant qu'elle commence à mentir à son mari ?

Et si la malédiction la rattrapait ?

Elle secoua la tête pour écarter ces divagations oiseuses. Elle devait se concentrer sur le moment présent, aider Mylène pour qui elle éprouvait une réelle affection. Mylène qui heureusement ne ressemblait pas à sa mère. Mary se sentit coupable de manquer de charité envers une morte et s'efforça de penser aux qualités de Cristelle. Une seule lui venait à l'esprit : Cristelle était dynamique. Elle-même n'aurait jamais eu l'énergie pour sortir courir après le souper, soir après soir.

: :

Jean-René Frappier serrait son téléphone si fort que sa belle-sœur le remarqua.

— Qu'est-ce qui se passe ? Tu es pâle comme un drap.

Elizabeth toucha l'épaule de sa sœur pour la prendre à témoin. Qui avait appelé Jean-René ? Pourquoi ? Étienne était mort et enterré. Que pouvait-il leur arriver de plus ?

— C'était Nathalie, commença-t-il. Nathalie Hervieux.

Il se tut, fixa son téléphone comme s'il doutait de l'avoir ouvert quelques secondes plus tôt, d'avoir entendu la voix de Nathalie. Était-il en train de devenir fou ? Oui. Probablement. Et ça ne le dérangeait pas du tout. Au contraire, il voulait perdre la tête, être décérébré, décapité de ses émotions, tout oublier.

— Parle !

— C'était Nathalie, répéta-t-il. Il paraît que Cristelle est morte.

— Quoi ?

— Elle se serait fait frapper par une voiture. Mais ça ne se peut pas.

— Cristelle Bouchard ? s'étonna Elizabeth en se tournant vers sa sœur. C'est cette femme qui avait menacé Étienne ?

Evelyne dévisageait son mari : avait-il vraiment dit que Cristelle Bouchard était morte ?

— Jean-René ?

Comme il se taisait, elle contourna la table de la cuisine, saisit ses bras pour le secouer.

— Qu'est-ce que tu as dit ? s'écria Evelyne sans se rendre compte qu'elle touchait à son mari pour la première fois depuis des jours.

— Ça ne se peut pas, murmura Jean-René. Elle a eu un accident d'auto.

— Est-ce qu'elle est morte ?

— Il me semble que oui. Mais je n'en suis pas sûr.

Evelyne saisit le téléphone que Jean-René avait laissé glisser sur le comptoir de la cuisine, composa en tremblant le numéro de Nathalie Hervieux. Celle-ci répondit à la première sonnerie et lui répéta que Simon avait reçu un texto de Matis lui annonçant la nouvelle.

— Je n'ai pas beaucoup d'informations, reconnut Nathalie, mais personne n'en a pour le moment. Même pas Mary, mais elle en saura plus tantôt. Matis a écrit à Simon que Jasmine est partie chez les Lenoir avec leur mère. Mylène voulait la voir. Je suppose qu'elles y resteront un peu, il faudra bien que David aille à l'hôpital ou… Il devra sûrement s'entretenir avec les policiers. Mais si j'ai bien compris, leur ancienne gardienne arrivera vers midi pour s'occuper des enfants.

— Il n'y a personne de sa famille qui peut venir ?

— Je ne sais pas du côté de David, mais certainement pas du côté de Cristelle. Elle ne voit plus personne de sa famille depuis des années.

— Es-tu certaine qu'elle est morte ?

— Je n'en reviens pas plus que toi ! Mary non plus. Cristelle qui se fait bêtement renverser par une voiture en pleine séance de jogging…

— Il me semble que ça ne se peut pas, balbutia Evelyne.

— Je n'aurais peut-être pas dû vous appeler, dit Nathalie. Après la journée d'hier, vous devez être épuisés. Mais je ne voulais pas que vous l'appreniez par…

— Tu as bien fait, l'interrompit Evelyne. C'est arrivé ce matin ?

— Je ne sais pas. Cristelle fait toujours son jogging après le souper. Ou elle y va… elle courait aussi le matin. Oui, ça doit être ça. Sinon les policiers seraient allés hier soir chez David. J'ai de la difficulté à y croire…

— Oui, c'est… étrange. Merci d'avoir appelé, dit Evelyne avant de couper la communication.

Son regard alla de Jean-René à Elizabeth, puis elle hocha la tête.

— C'est vrai.

— Quand est-ce que ça s'est passé ? s'enquit Elizabeth.

— On ne le sait pas. Et on s'en fout.

Dans le silence qui suivit, ils entendirent les branches de l'érable griffer la fenêtre de la cuisine, le ronronnement du réfrigérateur, les gargouillements de la machine à café. Les bruits de cette maison qu'ils connaissaient si bien et qui leur paraissait pourtant étrangère maintenant qu'Étienne avait disparu.

— Ça ne me fait rien qu'elle soit morte, laissa tomber Jean-René.

— À moi non plus, dit Evelyne. Mais c'est parce que je n'y crois pas. Je ne crois plus à rien. Il va falloir que je la voie dans sa tombe.

Le ton de sa voix s'étirant sur le dernier mot inquiéta Elizabeth, mais la sonnette de la porte d'entrée l'empêcha de s'interroger sur la santé mentale de sa sœur. Elle jeta un coup d'œil à Jean-René qui lui fit signe d'aller répondre. Ni lui ni Evelyne ne voulaient parler à qui que ce soit. Ne voulaient voir personne. Se lever, se laver, s'habiller avaient épuisé leurs énergies. Ils avaient bu machinalement le café préparé par Elizabeth, mais n'en avaient aucun souvenir.

En reconnaissant quelques instants plus tard la voix de Tiffany McEwen, ils comprirent qu'ils n'auraient pas le choix de discuter avec elle.

— Je les ai conduits dans le salon, dit Elizabeth en revenant à la cuisine. Est-ce que je prépare du café?

Evelyne et Jean-René passèrent devant elle sans lui répondre, s'avancèrent vers Tiffany McEwen qui parlait à voix basse avec un policier qui surveillait les allées et venues dans la rue, debout devant la fenêtre du salon. Il se tourna vers le couple au moment où McEwen tendait la main à Evelyne en se présentant et en nommant son collègue. Pascal Bouthillier leur adressa un signe de tête sans quitter son poste d'observation.

— Qu'est-ce que vous guettez? demanda Jean-René Frappier.

— Des collègues doivent nous rejoindre.

— Pour quoi faire?

Tiffany McEwen fit semblant d'hésiter avant de répondre que c'était une opération normale.

— Je suis bien consciente qu'on vous dérange. Et j'en suis désolée, mais il s'est passé un événement et…

— On sait que Cristelle Bouchard est morte, l'interrompit Jean-René Frappier.

— C'est donc vrai? dit Evelyne.

McEwen hocha la tête avant d'annoncer qu'elle devait leur poser quelques questions.

— C'est la procédure.

— La procédure? répéta Evelyne.

— On doit s'entretenir avec les personnes qui connaissaient Mᵐᵉ Bouchard, expliqua McEwen, savoir quand elles lui ont parlé, quand elles l'ont vue. Ce genre de choses. C'est la routine.

— On ne l'a pas vue, dit Jean-René Frappier.

— On ne lui a pas parlé, renchérit Evelyne. C'est la dernière personne à qui on voulait parler. C'est parce que Jean-René l'a engueulée devant tout le monde ? C'est ça ?

— On est bien obligés d'en tenir compte, admit Bouthillier.

Il venait de hocher la tête en regardant sa partenaire : une voiture ralentissait près de la maison. Dans quelques secondes, des agents s'affaireraient autour du véhicule de Jean-René Frappier. Ils prendraient des photos, comme le leur avait demandé McEwen, après l'avoir sommairement examiné. Elle avait été aussi surprise que Bouthillier quand il lui avait indiqué des traces roses près des phares du BMW X3.

— Ça ressemble à du sang.

— Il me semble que c'est trop simple, avait marmonné McEwen. Du sang sur le devant de son véhicule, garé en face de la maison, à la vue de tous ?

— Il pensait avoir tout essuyé, avait dit Bouthillier.

— C'est trop gros, s'était entêtée Tiffany.

— Trop gros ?

— Trop évident. Mais on verra ce que nous apprendront les techniciens.

Elle avait fait une nouvelle fois le tour du véhicule, pris d'autres photos des traces de pneus et de pas qu'on pouvait déceler sur le sol avant de se diriger vers la maison. Éblouie par le soleil, McEwen avait failli rater la première marche du perron.

— C'est vrai que j'ai insulté Cristelle Bouchard à l'aréna, dit Jean-René Frappier. Tout le monde le sait.

Il se tourna vers Tiffany McEwen qui confirma : oui, ils en avaient déjà parlé. Toutefois, dans les circonstances, il leur fallait à nouveau les interroger.

— C'est la procédure, répéta-t-elle. Le plus simple, c'est de répondre à nos questions. On peut rester ici ou aller dans la cuisine, tandis que mon collègue discutera avec Mme Marchand et sa sœur. Cela vous convient ? On fera notre possible pour ne pas vous ennuyer longtemps.

Jean-René haussait les épaules quand il perçut un mouvement à l'extérieur. Il s'approcha des grandes fenêtres du salon, s'étira le cou et vit deux hommes près de sa voiture. Il se dirigea vers le hall d'entrée, puis s'immobilisa, se tourna vers Tiffany McEwen qui ne le quittait pas du regard.

— Ils sont venus avec vous ?

McEwen acquiesça, guettant les réactions de Jean-René Frappier, mais il se contenta de soupirer.

— On ne restera pas longtemps, promit à son tour Bouthillier. J'ai juste quelques questions à vous poser.

— À moi ? s'étonna Elizabeth.

— On suit seulement la procédure.

Elizabeth fixa les enquêteurs durant quelques secondes avant de leur offrir un café.

— Ou du thé. Du thé noir.

Pascal Bouthillier accepta en souriant, il ne refusait jamais un bon café. Ils pourraient jaser dans la cuisine tandis que Tiffany McEwen resterait dans le salon avec Jean-René Frappier.

McEwen esquissa un geste pour inviter Jean-René Frappier à s'asseoir dans un des fauteuils et s'installa en face de lui en déboutonnant son manteau.

— Je ne sais pas ce que je pourrais ajouter à ce que j'ai déjà raconté, murmura Frappier.

— Me dire où vous étiez hier soir, dit McEwen après avoir déposé son téléphone cellulaire sur la table de chêne.

— Ici. On est revenus ici après les funérailles, puis le lunch dans le sous-sol de l'église. Où est-ce qu'on aurait pu aller ?

— Quelle heure était-il ?

— Autour de 16 h. Le soleil s'était couché. Le soleil se couche de bonne heure, c'est l'hiver. Étienne n'aimait pas l'hiver. Il préférait le printemps. Mais pas l'été. Même si c'étaient les vacances. On aurait dû se poser des questions : un enfant qui n'aime pas l'été, c'est bizarre, non ?

— Mon amoureux n'aime pas l'été non plus. Il trouve que la lumière est trop dure.

Jean-René Frappier hocha la tête.

— Êtes-vous sorti durant la soirée ?

— Pour aller où ? soupira-t-il. Je suis resté avec Evelyne et Elizabeth. Devant la télé.

— Qu'est-ce que vous avez regardé ?

— *Narcos*, sur Netflix. Puis une émission sur le sport.

— Avez-vous soupé avant ?

— Soupé ?

— Devant la télé ? suggéra McEwen.

— Oui.

— Est-ce que votre femme est sortie ? Ou sa sœur ?

— Non. Evelyne s'est couchée. Elizabeth est restée avec moi durant un moment, puis elle est allée se coucher aussi.

— Est-ce qu'il était tard ?

Jean-René Frappier secoua la tête.

— Non. J'étais seul pour regarder le sport.

Il marqua une pause avant d'ajouter qu'il pensait que son fils n'avait jamais vraiment aimé le basket ni le hockey, qu'il y avait joué pour suivre ses amis.

— Qu'est-ce qui vous fait croire ça ?

— Simon et Matis discutent des parties avec moi, mais Étienne fait rarement des commentaires. Quand on va manger une bouchée après…

Il se tut. Il n'emmènerait plus jamais les garçons dévorer une pizza ou un sous-marin après un match. Il n'irait plus jamais à l'aréna, ne respirerait plus jamais l'odeur humide de la glace.

— La dernière fois que je suis allé à l'aréna, c'était pour engueuler Cristelle Bouchard. J'ai fait honte à Étienne.

Il grimaça, s'étouffa en tentant de réprimer un sanglot avant de croiser les bras, baisser la tête et se mettre à pleurer. McEwen attendit quelques instants, puis se leva, lui tendit un mouchoir et posa une main sur son épaule.

— Peut-être que non, dit-elle. Peut-être qu'Étienne a senti que vous le défendiez. Que vous étiez de son côté.

— Il n'était pas là, mais je sais que Matis lui a rapporté ce que j'avais dit à Cristelle. Je ne pouvais quand même pas rester sans rien faire ! Elle avait menacé Étienne ! Une adulte qui s'en prend à un enfant ! J'étais tellement fâché que…

— Que M. Cloutier et M. Soldevilla vous ont traîné hors de l'aréna.

— Je l'aurais battue ! avoua Jean-René Frappier. Elle me regardait comme si elle ne savait pas de quoi je lui parlais ! Comme si j'inventais tout ce qui s'était passé avec Étienne. Elle l'a secoué de toutes ses forces en le menaçant !

— Vous lui avez dit qu'elle ne s'en tirerait pas comme ça, rappela McEwen.

— C'est possible, reconnut Jean-René Frappier.

— Vous auriez pu porter plainte.

— Je voulais juste lui dire en pleine face ce que je pensais d'elle, sauf que je me suis un peu emporté.

— Assez pour qu'on vous expulse de l'aréna, fit McEwen. Est-ce que vous avez aussi perdu les pédales hier soir ? Vous veniez d'enterrer Étienne, vous étiez sous le choc. Il y avait des témoins à l'aréna, vous avez dû repartir. Mais hier soir ? Personne n'était là pour vous empêcher de vous venger de Cristelle Bouchard.

Jean-René Frappier dévisagea Tiffany McEwen. C'était là où elle voulait en venir ? Elle pensait qu'il avait tué Cristelle Bouchard ?

— Je ne pense rien, monsieur Frappier, répondit McEwen. À cette étape, on pose des questions de routine.

— C'est sûr que je la détestais.

Il observa un moment de silence avant d'ajouter qu'il était surpris de ne pas se réjouir de la mort de Cristelle Bouchard.

— Il me semble que ça devrait me faire plaisir. Mais je ne ressens rien.

Il posa les mains sur son estomac.

— C'est comme s'il y avait un trou. Un vide qui aspire tout.

— Vous n'êtes pas sorti hier soir ? répéta McEwen.

— Non.

— Vous savez qu'on va examiner votre véhicule. Les traces autour. Qu'on peut le saisir pour fins d'analyse.

— Pour voir s'il y a des bosses ? la coupa Frappier. Ou du sang ?

McEwen acquiesça.

— C'est possible qu'il y en ait. Je suis allé à la chasse le mois dernier. J'ai frappé un chevreuil.

— Un chevreuil ?

— Il est sorti du bois d'un coup, je n'ai pas pu l'éviter.

— Qu'est-ce que vous chassez ?

— Les oies.

— Vous étiez avec des amis ? s'enquit Tiffany.

Durant un instant, elle imagina le vol brisé d'une de ces magnifiques bernaches, sa chute, les traces ensanglantées sur les plumes. Elle secoua cette image en se rappelant qu'elle aimait leur viande, qu'elle ne pouvait pas déplorer la chasse tout en dégustant ses produits.

— Non, dit très vite Jean-René Frappier. Non.

La rapidité de sa réponse, le ton catégorique surprirent McEwen. Comme si Frappier avait déjà réfléchi à cette question. Mais pourquoi s'y serait-il préparé ?

— Je vois beaucoup de monde avec mon commerce, expliqua Jean-René Frappier. J'ai besoin d'avoir la paix de temps en temps. Je pars dans le bois. C'est rare que je chasse pour vrai. Je n'ai rien rapporté cette année.

— Où allez-vous ?

— En Mauricie.

— Vous avez plusieurs armes ?

— Non, j'ai… j'ai une carabine.

Cette fois-ci, c'est une légère hésitation qui titilla McEwen. Il était normal pour un chasseur de posséder une carabine. En quoi cette question pouvait-elle embarrasser Frappier ?

— L'arme n'est pas enregistrée ?

— Si. Je l'ai depuis des années. Je peux vous la montrer.

— Vous n'avez pas fait laver votre véhicule depuis que vous êtes revenu de la chasse ?

Jean-René Frappier dévisagea Tiffany McEwen avant de lui dire qu'elle avait raison. C'est vrai, il avait oublié qu'il était allé au garage.

— J'ai fait poser les pneus d'hiver en même temps.

— Où ?

— Chez Ian. Ian Boisvert. Boisvert Autos. Ça ne vous dit rien ? Garage et concessionnaire. Matis, son fils est… était l'ami d'Étienne. Un bon garçon. Lui et Simon. Ils étaient tout le temps ensemble. Comme des frères. Étienne aurait aimé avoir un frère ou une sœur.

Tiffany McEwen observait Jean-René Frappier : était-ce cette extrême lassitude qui l'habitait qui empêchait toute curiosité ? Il n'avait posé aucune question sur les circonstances de la mort de Cristelle Bouchard. Parce qu'il s'en foutait ou parce qu'il les connaissait déjà ? Mais s'il l'avait heurtée avec sa voiture, pourquoi n'avait-il pas nettoyé correctement celle-ci ? Il savait bien qu'il ferait partie de la liste des suspects. Il avait eu toute la nuit pour s'en charger.

— Donc, vous n'avez pas bougé de la maison depuis que vous êtes revenus des funérailles.

— Ni moi ni Evelyne.

— Votre belle-sœur ?

Jean-René émit un rire rauque : McEwen soupçonnait-elle Elizabeth ?

— Elle ne connaissait même pas Cristelle Bouchard. Ça ne tient pas debout.

— Comme je vous l'ai dit, fit McEwen d'un ton conciliant, on doit respecter la procédure, faire le tour de toutes les possibilités, ne rien oublier. J'aime mieux poser trop de questions maintenant que de me faire taper sur les doigts plus tard pour négligence.

— Je ne sais pas ce qu'on pourrait dire de plus. On est restés ici devant la télé. Puis Evelyne a pris des anti-inflammatoires et son somnifère, elle s'est couchée. Sa sœur l'a imitée une heure plus tard. Et moi ensuite.

— Avec un somnifère aussi ?

— Oui. C'est notre menu depuis le 10 décembre : pilules la nuit, café le jour. Vous voulez du café ?

— Non, merci.

— C'est vrai, Elizabeth vous en a offert tantôt. Je l'avais oublié. J'ai oublié un paquet de choses. Le médecin qui a vu Evelyne a dit que c'était normal d'être distrait après un deuil. Elle a rangé ses lunettes dans le frigo. Moi, j'ai laissé ma tablette sur le siège de l'auto. Les portes n'étaient même pas verrouillées. N'importe qui aurait pu la voler.

— Vous avez eu de la chance que…

Jean-René Frappier fixa McEwen qui rougit, confuse d'avoir si mal choisi ses mots.

— Oui, c'est vrai, murmura-t-il, je suis un homme plutôt chanceux ces jours-ci.

— Excusez-moi. Ça s'est passé quand ?

— Je ne sais pas. Un jour cette semaine. Et en plus je ne trouvais pas les clés de l'auto. J'ai été obligé de retourner à la maison pour prendre le double.

— Avez-vous retrouvé vos clés ? demanda McEwen.

— Non. Mais je ne les ai pas vraiment cherchées. Je les récupérerai peut-être dans le lave-vaisselle ou le frigo. Logiquement, je dois les avoir laissées dans l'auto. Pourquoi quelqu'un prendrait-il les clés d'un véhicule si ce n'est pas pour partir avec? Et en laissant la tablette? Je peux les avoir perdues n'importe où. Ça n'a pas d'importance.

Tiffany McEwen acquiesça, même si elle ne partageait pas cette impression: et si quelqu'un avait eu accès au véhicule de Jean-René Frappier?

— Vous êtes allé au magasin?

— Oui, mais aucun de mes employés n'a vu mes clés. C'est un mystère.

— Vous avez réussi à travailler?

L'homme poussa un long soupir en guise de réponse avant de dire qu'il n'était bon à rien.

— C'est normal de vous sentir dépassé dans les circonstances...

Qu'est-ce que vous en savez? s'écria-t-il en tapant du poing sur la table basse, faisant sursauter McEwen. Avez-vous perdu un enfant? Non? Vous ne savez rien! Vous arrivez ici avec vos questions, vous nous faites répéter sans arrêt les mêmes affaires. Pourquoi? Ça ne nous ramènera pas Étienne!

Il se leva brusquement, se cogna contre le pied de la table.

— Allez-vous nous laisser tranquilles?

Tiffany McEwen observait Jean-René Frappier. Cet homme était peut-être détruit par le chagrin, mais il n'était certainement pas vidé de sa colère. Comment arriver à savoir s'il était resté chez lui, hier soir? Que sa femme et sa belle-sœur affirment qu'il ne les avait pas quittées n'était pas une garantie. Il avait dit qu'il était seul pour regarder l'émission de sport. Il faudrait vérifier l'heure précise de diffusion. Savoir à quelle heure Cristelle était partie courir. En supposant qu'elle avait été heurtée peu de temps après avoir quitté le domicile. Était-ce au départ de la course ou quand elle revenait vers la maison? McEwen espéra que Maud Graham avait pensé à toutes ces questions. De son côté, elle laisserait les Frappier en paix pour le moment, mais reviendrait plus tard. Peut-être avec un mandat. Elle repensait à la réaction de Frappier quand elle l'avait interrogé sur son arme et elle avait le sentiment qu'il lui avait menti à ce moment précis. Alors qu'il avait été honnête jusque-là ? Oui ? Non ? Il avait raison sur un point : elle ne savait pas ce que représentait la perte d'un enfant. Mais elle était capable d'imaginer la rage incandescente d'un père.

— C'est possible qu'on ait encore des questions, dit-elle. Et on doit faire des examens plus poussés de votre véhicule. Ne vous éloignez pas.

— Faites ce que vous voulez avec l'auto. Je n'ai nulle part où aller.

— Et celle de votre femme.

— Sa Z4 n'a pas bougé du garage depuis… Evelyne avait des rendez-vous, mais elle ne quitte plus la maison.

— Et sa sœur ?

— Quoi, sa sœur ?

— Elle est venue ici en voiture ?

— Oui, sa vieille Volvo. Un cancer ! Elle a calé juste à l'entrée de l'abri Tempo. On a dû la pousser. Je ne suis pas certain qu'elle redémarrera.

Tiffany McEwen aurait voulu souhaiter une bonne journée à Jean-René Frappier, mais elle se contenta de boutonner son manteau en attendant que Bouthillier la rejoigne. Ils esquissèrent un signe de tête avant de sortir et restèrent quelques secondes sans bouger sur le perron de la maison.

— Qu'est-ce que tu as appris d'intéressant ? demanda Bouthillier.

Tiffany prit trois longues inspirations avant de lui rapporter son échange avec Jean-René Frappier. Elle éprouvait le besoin de sentir l'air glacé pénétrer dans ses poumons, son corps, son esprit pour chasser ce sentiment d'oppression qui l'avait étouffée tandis qu'elle interrogeait un homme brisé.

— Donc, s'il a fait laver sa voiture, le sang qu'on a vu ne peut pas être celui d'une bête.

— Ce serait étonnant, dit Tiffany McEwen en regardant un photographe s'affairer autour du véhicule de Frappier. Et puis, il ne serait pas si clair. Ce qu'on a ici, c'est du sang frais.

Elle garda le silence durant un moment avant d'ajouter que Frappier lui cachait quelque chose.

— Quoi?

Elle jeta un coup d'œil à la maison, certaine que Frappier se tenait derrière la fenêtre du salon.

— Je ne sais pas, admit-elle avant qu'un des techniciens les interpelle pour leur dire qu'ils étaient prêts à se saisir du véhicule pour fins d'analyse.

— Et la voiture qui est dans le garage? s'enquit Bouthillier.

— Elle n'a pas bougé depuis un moment, dit le technicien.

— Les empreintes autour du véhicule du mari? s'informa Bouthillier.

— Pas très nettes, avec la neige qui est tombée.

McEwen haussa les épaules, ce n'était pas une surprise.

— Moi aussi, je pense qu'on ne m'a pas tout dit, fit Bouthillier tandis qu'ils regagnaient leur voiture.

— Qu'est-ce qu'Evelyne Marchand t'aurait dissimulé?

— Pas elle, sa sœur. Quand je lui ai demandé si elle avait remarqué quelque chose de différent au cours des derniers jours, elle a commencé à me dire que tout était bizarre depuis la mort d'Étienne, puis elle s'est arrêtée de parler subitement. Comme si elle avait failli me dire un truc, puis s'était ravisée. J'ai insisté. Avait-elle entendu ou vu quelque chose d'inhabituel? Mais elle a répété que tout était étrange sans préciser sa pensée.

— Elle protège sa sœur?

— Elles affirment toutes les deux qu'elles sont allées se coucher tôt. Qu'elles étaient épuisées par la journée.

— Ce qui est compréhensible, commenta McEwen. Frappier m'a dit aussi qu'elles s'étaient couchées avant lui.

— Ça ne nous avance pas pour les alibis. Ils peuvent tous se protéger. Mentir pour couvrir l'autre. Peut-être qu'ils sont sortis ensemble.

— Ils auraient voulu tuer Cristelle Bouchard en duo ou même en trio ? demanda McEwen. Le problème, c'est que je n'y crois pas. Ce n'est pas lui. Je n'y croyais pas avant d'arriver et je n'y crois pas davantage maintenant.

— Même s'il y a du sang sur la voiture ?

La jeune femme se contenta de hausser les épaules.

— C'est tout de même le suspect le plus évident pour le moment, reprit Bouthillier.

— Ça dépend. Peut-être que Graham et Nguyen ont fait des découvertes intéressantes. Qu'est-ce qu'Elizabeth Marchand pourrait t'avoir caché ?

Bouthillier monta le chauffage avant de répondre qu'il n'en avait aucune idée.

— Je ne suis certain que d'une seule chose : on reviendra dans cette maison.

12

Jasmine repensait à l'appel de Thomas en tentant de se persuader qu'elle ne l'avait pas trop agacé. Il avait dit qu'il ne lui en voulait pas d'avoir reporté leur rencontre, la veille, mais elle avait cru déceler une certaine impatience dans sa voix lorsqu'elle lui avait appris qu'elle ne pourrait pas non plus le voir en soirée.

— Toujours à cause de ton amie ? avait-il demandé.

— Oui. C'est compliqué.

Il n'était pas question qu'elle lui avoue que ses parents ne la laisseraient pas sortir après le souper. Son père avait insisté pour qu'ils passent la soirée en famille, leur avait rappelé à quel point ils avaient de la chance d'être vivants, en bonne santé, unis. Des drames avaient frappé leurs amis, ils ne devaient jamais l'oublier.

— Si tu aimes mieux voir ton amie, je vais…

— Ce n'est pas ça, Tom, je te le jure, l'avait coupé Jasmine. Je pourrai te voir cette semaine. Je te le promets !

— Tu me le promets ? Et si ton amie te demande encore de rester avec elle ?

— Non, ça n'arrivera pas, sauf si…

— Si quoi ?

— S'ils enterrent sa mère, murmura Jasmine en se sentant honteuse d'espérer que les funérailles de Cristelle ne l'empêcheraient pas de voir Thomas.

— C'est la femme qui a été victime d'un chauffard dont on a parlé à la télé ? Tu ne me l'avais pas dit.

— C'est elle.

— Il y aura une enquête. Elle ne sera sans doute pas inhumée cette semaine.

Inhumée, s'était répété Jasmine. Thomas choisissait toujours ses mots. Il écrivait sûrement très bien. Peut-être qu'il deviendrait un célèbre romancier. Qu'elle l'inspirerait.

— On pourrait prendre un café, avait-elle dit.

— Bonne idée, avait approuvé Thomas. Ou un verre. Quel soir ?

Quel soir ? avait songé Jasmine. Si c'était mardi, elle n'aurait pas le temps de revenir se changer à la maison après le cours de tennis. Ni le jeudi. Elle était idiote : inutile de passer chez elle, elle apporterait ses vêtements dans son sac de sport. Elle dirait qu'elle irait chez Mylène passer la soirée pour la réconforter. Mylène ne lui en voudrait pas de l'utiliser comme alibi pour pouvoir sortir en pleine semaine.

— On pourrait se retrouver en après-midi si cela te convient mieux, avait proposé Thomas. Ça dépend de ton horaire au cégep. As-tu des plages disponibles dans la journée ?

En après-midi ? s'était interrogée Jasmine. Oui, elle pourrait quitter le collège à midi en simulant un mal de ventre. Elle irait retrouver Thomas, puis elle reviendrait chez elle avant que ses parents rentrent pour souper. Elle resterait dans sa chambre, demanderait à sa mère de lui signer un mot pour justifier son absence. Elle n'irait évidemment pas au cours de danse irlandaise, sinon sa mère s'étonnerait qu'elle se soit sentie mal toute la journée et qu'elle soit en forme à 19 h pour aller danser.

— Mardi après-midi, avait-il décidé. Ou mercredi.

Pas mercredi! Elle ne pouvait pas rater l'examen d'anglais.

— Ça va être difficile…

— Sois franche avec moi, Jasmine. Si ça ne te tente pas de me voir, dis-le clairement. On perdra moins de temps.

— Non, non, s'était-elle écriée. Ce serait parfait mardi, si tu peux.

— Tu es certaine?

Elle avait juré qu'elle le rejoindrait au café où ils s'étaient vus la dernière fois. Il avait dit «Les Brûleries? Parfait», puis il avait coupé la communication. Elle l'avait énervé, c'est sûr! Il devait se demander si elle serait au rendez-vous, penser qu'elle n'était qu'une petite agace. Mais ce n'était pas ça, tout était tellement compliqué ces jours-ci. À commencer par ses parents qui étaient plus souvent à la maison. Elle reprit son téléphone pour appeler Mylène, se ravisa. Mylène ne devait pas avoir envie de l'entendre raconter ses inquiétudes, ses craintes d'avoir exaspéré Thomas. Mais elle était si contente qu'il l'ait rappelée. Elle avait eu si peur de ne plus jamais avoir de ses nouvelles! Ça, Mylène pouvait le comprendre. Ou peut-être que non, elle semblait ne rien saisir depuis que sa mère était morte. Quand elle lui parlait, elle avait l'impression que Mylène ne l'entendait pas, que ses paroles de réconfort ne se rendaient pas jusqu'à son esprit. Mais dès qu'elle se taisait, le silence qui s'installait était si terrifiant qu'elle se remettait à lui parler. Puis Mylène recommençait à sangloter.

Qu'est-ce qu'elle pourrait bien lui dire pour qu'elle cesse de pleurer? Elle lui avait répété vingt fois qu'elle n'avait pas à se sentir coupable de s'être chicanée avec sa mère, mais Mylène lui avait répondu chaque fois que c'était sa faute si Cristelle était morte. Elle était sortie pour jogger parce qu'elle l'avait poussée à bout. Faux, avait rétorqué Jasmine, Cristelle courait régulièrement. Quotidiennement. Elle avait même tenté de les persuader de l'imiter, Mylène ne s'en souvenait-elle pas?

Jasmine entendit sa mère l'appeler. Elle glissa son téléphone dans la poche de son jean. Elle parlerait à Mylène plus tard. De toute façon, elle devait être occupée avec son frère.

Occupée à quoi ? se demanda Jasmine. Que pouvait donc faire Mylène avec Lucas ? Qu'est-ce qu'on fait quand notre mère meurt ?

Elle frémit, repoussa ces questions trop angoissantes, s'installa devant son ordinateur pour avancer son travail de français. Elle faisait équipe avec Mylène. Elle lui dirait qu'elle avait fait tout le boulot, qu'elle n'avait pas à s'inquiéter pour ce travail. Ni pour les autres cours. Elle l'aiderait quand elle reviendrait au collège. Et les profs seraient cools avec Mylène.

Que leur diraient-ils à son sujet demain ?

Jasmine fixa longtemps l'écran avant d'écrire une première ligne. Songea à Thomas qui aurait sûrement pu l'aider pour ce travail de français. Est-ce qu'il lui ferait lire son roman ?

Elle entendit Mary l'appeler de nouveau et sortit de sa chambre pour gagner la salle à manger : elle ne savait pas ce que voulait sa mère, mais elle lui dirait oui. Elle voulait lui montrer qu'elle l'aimait. Étouffer le sentiment de culpabilité qu'elle ressentait en lui cachant l'existence de Thomas, parce qu'elle savait que Mary le trouverait trop vieux pour elle. Mais peut-être qu'il ne viendrait pas à leur rendez-vous mardi. Peut-être qu'elle ne le reverrait plus jamais.

Pourquoi un aussi beau gars s'intéresserait-il à elle ? Elle revoyait la fossette qui creusait sa joue droite, son menton carré, ses lèvres charnues. Elle était certaine qu'il embrassait divinement bien. Et ses yeux si sombres, noirs comme de l'onyx, si mystérieux. Il fallait qu'il vienne aux Brûleries mercredi ! Elle avait besoin qu'il se passe quelque chose d'agréable dans sa vie.

: :

Lund 19 décembre

— Peut-être qu'on aura les résultats plus vite, dit Michel Joubert.

— Ce serait une bonne chose, répondit Bouthillier.

Joubert esquissa une moue dubitative : il se réjouirait comme tout le monde de savoir si le sang recueilli sur le véhicule de Frappier était celui de Cristelle Bouchard, mais il serait mal à l'aise si le processus était accéléré parce que la victime était la femme d'un juge et non un clochard anonyme. Il n'aimait pas l'idée d'une justice à deux vitesses. Vitesses. Le mot était ironique. Tout prenait toujours tellement de temps : pourquoi avait-il ce genre de scrupules alors que ce qui comptait était de faire progresser l'enquête ? Alors que toute information serait la bienvenue ? Il regarda Nguyen étouffer un bâillement, imité aussitôt par McEwen : comme lui, comme Graham, comme Bouthillier, ils étaient restés tard au poste la veille, soucieux de découvrir des éléments qui les lanceraient sur une piste. Conscients que Gagné leur rappellerait qu'il faudrait donner des réponses aux médias rapidement.

— Comme c'est souvent le cas quand un crime se produit la nuit, dit Graham, les gens dormaient. Ou nous disent qu'ils dormaient. Des alibis bien fragiles.

— Mais qu'on ne peut pas contester pour le moment, dit Joubert. David Lenoir a affirmé qu'il s'était endormi sur le canapé de son bureau. On a pu vérifier qu'il avait envoyé des courriels après le départ de Cristelle Bouchard. Elle est sortie pour aller jogger vers 20 h. Le juge a envoyé un long message à un avocat à 21 h 25. Celui-ci lui a répondu à 21 h 30. Ensuite, Lenoir se serait assoupi.

— Leur fille nous a dit qu'elle a vu son père endormi sur le canapé de son bureau vers 22 h, quand elle est allée à la cuisine pour manger des céréales.

— Elle ne s'est pas inquiétée de ne pas voir sa mère ? demanda McEwen.

— D'après ce que j'ai compris, fit Graham, les relations étaient tendues entre elles. Elle a mangé ses céréales, est remontée à l'étage, est allée voir son frère, mais Lucas s'était aussi endormi devant sa télé. Elle l'a éteinte, puis elle est retournée dans sa chambre et s'est couchée. Comme je l'ai dit, tout le monde dormait…

— Même chose chez les Frappier, commenta McEwen. Ils se sont tous couchés tôt. Mais eux, c'est compréhensible, ils étaient épuisés après les funérailles. En plus, avec les jours qui sont si courts, on a tous envie de se mettre plus tôt sous la couette.

Des murmures approbateurs se firent entendre. Puis Bouthillier s'adressa à Graham et à Joubert. Qu'avaient-ils découvert quand ils avaient interrogé David Lenoir à l'hôpital ?

— Qu'il se sent coupable, dit Joubert.

— Il nous l'a lui-même avoué, précisa Graham. Il nous a raconté que sa femme et lui avaient des problèmes de communication depuis quelques semaines, qu'elle lui reprochait de trop travailler. Et qu'elle avait probablement raison. Il venait d'être nommé juge et voulait montrer qu'il prenait son rôle au sérieux. Bien sûr, s'il avait su ce qui allait se passer, il aurait agi autrement. Il s'est accusé de ne pas s'être assez occupé des enfants, il sait que l'adolescence était un passage difficile. Sa fille Mylène et sa femme se heurtaient souvent. Il dit qu'il aurait dû mieux gérer tout ça, retenir Cristelle quand elle est sortie pour courir. La retenir et discuter. Mais il voulait avancer dans un dossier et il l'a laissée partir.

— Vous le croyez ? dit Bouthillier.

— On ne peut pas confirmer son alibi, répéta Joubert, mais pourquoi David Lenoir aurait-il tué sa femme ? Si leur relation était pourrie, il n'avait qu'à divorcer.

— Peut-être qu'il a jugé que ça lui coûterait cher, avança Nguyen. Ça dépend de leur contrat de mariage.

— Ou il a pensé que cela pouvait nuire à son image ? suggéra McEwen.

— On n'est plus en 1950, dit Graham. Divorcer, aujourd'hui, n'est pas un problème. Si Lenoir a tué sa femme, c'est qu'il y a été poussé par un motif beaucoup plus grave. C'est parce qu'il y a peut-être des squelettes dans les placards de leur belle grande maison. Dans ce cas, pourquoi nous a-t-il remis l'ordinateur de Cristelle sans sourciller? Nous l'avons accompagné chez lui après l'avoir rencontré à l'hôpital. Il nous a donné l'ordinateur familial, la tablette électronique de sa femme après avoir répondu à toutes les questions qu'on lui a posées. Il m'a semblé bien plus inquiet de l'état dans lequel se trouvaient ses enfants que des éventuelles découvertes qu'on pourrait faire en fouillant dans les affaires de son épouse. Cela dit, c'est étrange qu'on n'ait pas pu mettre la main sur le téléphone de Cristelle Bouchard. David Lenoir a composé le numéro devant nous, espérant que la sonnerie nous guiderait vers l'appareil, mais s'il était dans la maison, on ne l'a pas trouvé.

— Et il n'était pas sur les lieux de l'accident. Pas dans le périmètre dressé par les agents, ce qui signifie que…

— Ce n'est pas un chauffard qui l'a renversée, dit McEwen. Un chauffard n'aurait pas volé son téléphone. Ou alors il aurait aussi volé son argent.

— Tu as raison, dit Joubert, Cristelle Bouchard avait deux billets de cent dollars dans une des poches de sa veste.

— Deux cents dollars, répéta McEwen. Je n'ai jamais autant d'argent sur moi quand je vais jogger. Pourquoi avait-elle besoin de deux cents dollars pour courir? Que pouvait-elle acheter sur son trajet?

— Je ne l'imagine pas magasiner en survêtement, dit Graham. Et si elle devait remettre cet argent à quelqu'un?

— On l'aurait fait chanter?

Maud Graham haussa les épaules. À ce stade de l'enquête, tout était envisageable.

Elle se tourna vers Nguyen.

— Andy, as-tu trouvé des trucs étranges au sujet de Cristelle Bouchard ?

— Elle n'avait aucun contact avec les membres de sa famille.

— Ils sont nombreux ?

— Quatre. Je creuse la question… Elle était active sur Facebook, multipliait les statuts et les photos, mais sa correspondance privée était limitée. Et pas du tout personnelle. Comme si elle n'avait pas d'amis intimes.

Nguyen consulta ses notes, puis ajouta que Cristelle Bouchard avait fait récemment des recherches sur des cours de diététique.

— Je ne vois pas le rapport avec l'accident, fit McEwen. Des cours pour devenir diététiste ? À son âge ?

— Je vous transmets ce que j'ai trouvé, fit remarquer Nguyen. Je n'ai pas de réponses.

— Ça serait intéressant de savoir pourquoi elle avait coupé les ponts avec sa famille, dit Joubert.

— Et s'il y avait un secret inavouable dans son passé ? Que son mari ignorait, mais qu'un membre de sa fratrie connaissait ?

— À qui elle devait peut-être donner ces deux cents dollars ? suggéra Bouthillier.

— Mais dans ce cas, objecta McEwen, si un frère ou une sœur la faisait chanter, pourquoi l'assassiner ? Pourquoi tuer la poule aux œufs d'or ?

— Elle connaissait son meurtrier, affirma Graham. S'il a volé son portable, c'est qu'il savait que son numéro figurait dans l'historique de l'appareil. Qu'on remonterait jusqu'à lui. Il n'y a vraiment aucun courriel plus particulier sur sa tablette ? Ou dans son ordinateur ?

— Non, dit Nguyen. L'ordinateur est celui de la famille. Je vous l'ai dit, ce qui est le plus étrange, c'est qu'elle semblait avoir une vie excitante sur Facebook, alors que j'ai ressenti une impression de vide, d'un grand vide en lisant ses courriels. D'abord parce qu'il y en avait très peu.

— Elle devait préférer parler au téléphone, supposa Maud Graham. Personnellement, je n'envoie pas beaucoup de courriels. C'est peut-être une question de génération…

— Arrête de suggérer que tu es un dinosaure, la coupa Joubert. Tu n'aimes pas davantage parler au téléphone.

— Dis tout de suite que je suis sauvage, protesta Graham.

— Ce n'est pas un scoop, plaisanta Joubert avant de reprendre son sérieux.

— Pour être franche, avoua Graham, c'est que j'ai peur de faire des fautes. Peut-être que c'était la même chose pour Cristelle Bouchard. J'ai eu l'impression que cette femme ne voulait jamais être prise en défaut.

— Cristelle Bouchard devait bien avoir un répertoire où elle notait les adresses et numéros de ses amis, dit Bouthillier.

— Non, fit Joubert. Selon son mari, elle gardait tout dans son portable.

— Je n'ai pas fini mes recherches, reprit Nguyen, il faut que je retrace ce qui a été effacé.

— On apprendra peut-être à qui Cristelle pouvait causer des problèmes, dit Joubert. Qu'est-ce que vous avez déniché de votre côté ?

McEwen échangea un regard avec Bouthillier avant de résumer leur visite chez les Frappier.

— Ils nous cachent quelque chose, mais ni Frappier ni sa femme ne semblaient inquiets de nous voir. Frappier a à peine réagi quand je lui ai annoncé qu'on devait saisir son véhicule. On dirait qu'il se fout de tout. Il m'a même dit qu'il aurait dû être content que Cristelle soit morte, mais que ça ne le soulageait pas.

— Moi, j'ai rencontré les deux sœurs. Evelyne Marchand est lente. Lente à répondre, lente à réagir, elle prend beaucoup de calmants. Je ne l'imagine pas sortir pour aller écraser Cristelle Bouchard. Ni sa sœur. Cependant, celle-ci a failli me dire un truc, puis s'est ravisée. Et je vais sûrement retourner jaser avec elle pour savoir ce qu'elle m'a caché.

— Ensuite, on est allés voir l'entraîneur, poursuivit McEwen. Je voulais que Gilbert Cloutier nous dise avec qui Cristelle Bouchard parlait plus volontiers quand elle assistait aux parties. À côté de qui elle s'assoyait. Et qui elle évitait. D'après ce qu'il m'a dit, elle arrivait toujours à la dernière minute, jetait un coup d'œil dans les gradins avant de se décider à aller s'asseoir. En dérangeant tout le monde.

Bouthillier consulta ses notes, lut à haute voix les propos qu'il avait recueillis.

— Cloutier nous a dit : « Il fallait toujours qu'elle se fasse remarquer. » Il a ajouté que c'était triste pour ses enfants, qu'il devrait être plus respectueux de sa mémoire, mais qu'il ne la regretterait pas. Et qu'il n'était pas le seul : elle agaçait les autres parents avec ses constantes récriminations. Et elle ne rendait pas service à son fils en le surprotégeant. Quand j'ai insisté pour savoir avec qui elle discutait davantage, Cloutier a évoqué Mary White et son mari. « Parce qu'ils emmenaient les garçons à tour de rôle, je suppose. » Et Nathalie Hervieux pour les mêmes raisons. Tout comme Jean-René Frappier qui jouait aussi les chauffeurs avant l'incident avec Cristelle Bouchard. On a laissé des messages chez Mary White et Nathalie Hervieux. Je devrais voir Mme Hervieux en fin de journée.

— Je me chargerai de Mary White, dit Graham. Et il faut qu'on parle à son amie Josée et à Francine Mathieu. Et qu'on retrace les membres de la famille de Cristelle Bouchard au plus vite. On ne peut pas tellement compter sur David Lenoir pour nous y aider. Tout ce qu'il a pu nous dire, c'est que les parents de Cristelle étaient morts et que ses sœurs vivaient loin de Québec. C'est à peine s'il se souvenait de leurs noms. Il ne les a jamais rencontrées. C'est bizarre, non ? Il semble plutôt conformiste, traditionnel et il a épousé une femme sans connaître sa famille. Cristelle Bouchard devait avoir une sacrée bonne raison pour avoir coupé ainsi les ponts.

— Avec leurs noms, je vais vous trouver rapidement des informations, promit Andy Nguyen.

— Oui, ce serait bien qu'on avance au moins sur un dossier, soupira Graham.

— C'est peut-être le cas, dit Bouthillier. J'ai bien fait de rester ici hier soir.

— Pourquoi? fit aussitôt Maud Graham. Qu'est-ce que tu as trouvé?

Bouthillier sourit, satisfait de constater que tous le regardaient. Il avait passé beaucoup de temps au téléphone, mais il avait été récompensé.

— Au téléphone avec qui? demanda McEwen.

— Avec les victimes de viol à Montréal et à Ottawa. J'ai relu les dossiers concernant les viols qui présentaient un modus operandi semblable à ceux d'ici: par-derrière, une victime plutôt jeune, à la sortie d'un bar.

— Cela représente un paquet d'appels! dit Joubert.

— Oui, mais j'ai fini par découvrir que notre Jeannot Lapin a probablement commencé ses agressions l'an dernier.

— Comment?

— J'avais en tête sa signature, expliqua Bouthillier.

— Dans les dossiers qui viennent de l'extérieur, objecta Joubert, on ne mentionne pas de lapins en peluche.

— C'est vrai, mais j'ai pensé que notre suspect pouvait avoir donné des lapins en peluche à ses victimes dans d'autres circonstances. Les enquêteurs ne les ont pas trouvés sur les lieux des agressions. Ils n'ont pas pu demander aux victimes si elles avaient vu ces maudits lapins au moment des crimes, parce qu'ils ignoraient que ces peluches existaient. Mais ça ne coûtait rien d'essayer de savoir si certaines victimes avaient reçu un petit lapin. Bingo!

— Où?

— Ottawa. Trois femmes. Qui ont trouvé un lapin en peluche devant leur porte.

— Devant leur porte ? répéta Graham. Cela signifie qu'il les suit, qu'il les choisit. Qu'il n'agit pas sur un coup de tête, qu'il ne croise pas ses proies dans un bar pour leur sauter dessus quand elles en sortent. C'est ce qui est arrivé à Jessica. Il l'a observée.

— Et à Marie-Pier et Emmanuelle, ajouta McEwen.

— Et si on était dans l'erreur ? Si Jeannot Lapin avait déjà vu Jessica, Marie-Pier, Emmanuelle avant ? S'il les a regardées entrer dans un bar et y est allé aussi ? Juste pour le plaisir de renifler l'odeur de ses proies ?

— Ou de vérifier si elles le tentent vraiment ? suggéra Tiffany McEwen. Il semble très sûr de lui ! Pourquoi est-il si peu inquiet ?

— Parce qu'il est certain d'être protégé s'il a des problèmes, laissa tomber Joubert.

— On a déjà évoqué la possibilité d'un diplomate, fit Graham. On a même fait des vérifications sur certaines personnes.

— Il est peut-être haut placé dans le gouvernement et pense qu'il peut tout faire, avança Bouthillier. Ou il est très riche et croit que son argent le sortira du pétrin.

— Non, dit Graham. Nos victimes pensent que leur agresseur est jeune. Je crois plutôt que c'est le fils d'un homme d'affaires très prospère ou d'un dignitaire. Qui le suit de poste en poste. Ou celui d'un magistrat. Ou d'un policier. D'une juge ? Le violeur est certain que son père ou sa mère étouffera l'affaire si jamais on l'arrête.

— On peut toujours revoir la liste des gens qui occupent des postes diplomatiques, dit Joubert, mais ce sera plus long de vérifier quels sont les magistrats ou les policiers qui ont des fils d'une vingtaine d'années. Et pour ce qui est des millionnaires, ce sera encore plus complexe.

— Ils ne sont pas des centaines à Québec, protesta Graham.

— Si notre violeur vient d'ailleurs ? Rappelle-toi que les viols ont tous eu lieu durant la fin de semaine.

— Parce que les gens sortent davantage le week-end, avança Graham. Mais c'est vrai qu'il est possible que Jeannot Lapin vienne ici pour satisfaire ses fantasmes. Du côté des restaurants du quartier, on a du nouveau ?

— Au Lézard, une des serveuses est certaine d'avoir déjà servi notre suspect, mais il n'avait pas les cheveux clairs. Même témoignage à La Chope. On a aussi un sommelier de La Planque qui croit l'avoir reconnu.

— Il a payé avec une carte de crédit ?

— Tu penses bien que je vous l'aurais dit ! fit Nguyen. Non, il a payé comptant. Et le patron a remarqué qu'il avait une grosse liasse de billets. Il s'est même demandé comment quelqu'un d'aussi jeune pouvait se promener avec autant de cash.

— Pas discret, notre Jeannot Lapin, nota Graham avec satisfaction. Et du côté des peluches ?

McEwen secoua la tête : ces maudits lapins étaient en vente depuis plus d'un an.

— Un peu partout au Québec. Le violeur peut les avoir achetés n'importe où.

— On ne se décourage pas, fit Graham en s'efforçant de prendre un ton dynamique. Bouthillier nous a apporté un élément important, c'est un début. Et on sait que notre type est de moins en moins prudent. On va le coincer !

— Il a tout de même pris soin de payer en liquide, dit McEwen.

— On va l'arrêter, promit Graham avant de récupérer son crayon, son calepin et les dossiers ouverts devant elle. Je vais voir Mary White. Qui veut s'occuper de son époux ?

— Je m'en charge, dit Joubert.

— Je verrai Nathalie Hervieux, dit McEwen. Ensuite, j'irai rencontrer le sommelier de La Planque. J'espère obtenir plus de détails. Je vais en profiter pour souper, cela fait longtemps que je veux essayer ce resto. Émile aime bien cet endroit.

— Est-ce qu'il va te rejoindre ? demanda Maud Graham.

— Non, il est à Montréal cette semaine.

— Veux-tu de la compagnie ?

Tiffany McEwen acquiesça en souriant, puis jeta un coup d'œil interrogatif à ses collègues : est-ce que d'autres joueurs se joindraient à elles ?

— Sans moi, dit Nguyen. Ma femme rentre tôt ce soir. On installe les décorations de Noël.

— Moi, je vous confirme ça en fin d'après-midi, fit Joubert.

Il avait envie de découvrir le resto, mais il voulait perdre du poids. Grégoire et lui s'envoleraient bientôt pour la Guadeloupe et il n'aimait pas s'imaginer en maillot avec ces trois kilos superflus. Surtout avec Grégoire à ses côtés, toujours aussi mince, aussi souple que le jour où il l'avait rencontré. Graham avait eu raison de le comparer à un chat de gouttière. Un irrésistible félin. Peut-être qu'il pourrait souper avec eux ?

::

Mary White, qui replaçait une robe sur un cintre, se retourna pour accueillir la femme qui venait de pousser la porte de sa boutique. Elle allait lui sourire quand elle reconnut Maud Graham.

— Qu'est-ce qui se passe encore ?

— Rien, répondit Graham.

— Rien ?

— C'est tout le problème. Nous avons peu d'éléments qui nous permettent de mieux cerner la personnalité de Cristelle Bouchard.

— La personnalité de Cristelle ? répéta Mary White qui s'était dirigée vers le comptoir comme si elle voulait s'y retrancher.

Maud Graham la suivit, se pencha pour regarder les bijoux qui étaient exposés sous la vitre du long comptoir en orme.

— Votre boutique me rappelle un commerce que j'aime beaucoup à Montréal, Les Hauts et les Bas. Les bijoux y sont aussi placés sous une vitre. Je peux voir ce collier ?

Maud Graham désignait un sautoir en argent où des billes de tailles différentes retenaient des chaînes très fines.

Mary White ouvrit le présentoir, tendit le sautoir à Graham qui le soupesa, s'étonna qu'il soit aussi lourd.

— Essayez-le, suggéra Mary. Enlevez votre manteau, laissez-le sur le comptoir.

— Ce n'est pas nécessaire, c'est pour un cadeau. Vous devez être très occupée avec les fêtes qui approchent…

— C'est une bonne période pour nous, reconnut Mary. Toujours bienvenue après novembre qui est un mois creux.

— Et avant janvier où les clientes ont moins d'argent à dépenser, je suppose.

— En effet, répondit Mary White.

— Je suppose aussi que ce n'était pas un souci pour Cristelle Bouchard.

— En effet.

— Elle venait souvent ici ?

— Je l'appelais quand je recevais un vêtement qui pouvait lui plaire.

— Vous connaissez bien ses goûts. Qu'est-ce que vous savez de plus à son sujet ? Vous vous voyiez souvent ?

— Parce que nos enfants pratiquent les mêmes sports. Notre Jasmine est très amie avec Mylène Lenoir.

— Et vous avec Cristelle Bouchard ? C'est pour cette raison que vous n'avez pas voulu porter plainte contre elle quand elle a menacé les garçons ?

Mary White secoua la tête : elle n'était pas proche de Cristelle.

— Dans ce cas, vous auriez pu vous plaindre qu'elle ait agressé Mathis, dit Graham.

Mary tourna la tête vers la porte, comme si elle l'avait entendue s'ouvrir, alors que Graham n'avait perçu aucun bruit. Pourquoi Mary White fuyait-elle toujours son regard ?

— Vous trouviez que ce n'était pas assez grave ? insista Graham. Qu'il n'y avait qu'Étienne qui avait vraiment fait les frais de la colère de Cristelle ? Vous en aviez discuté avec les Frappier ?

Mary White fixait le bout du comptoir sans répondre et finit par répéter « en effet » avant de soupirer. Pourquoi Maud Graham posait-elle des questions dont elle savait la réponse ?

— Pour mieux connaître Cristelle Bouchard.

— Mais pourquoi ? Quel rapport avec le chauffard qui l'a renversée ?

— On ne croit pas à un accident, plutôt à un meurtre.

Mary White s'appuya contre le comptoir.

— Quand une personne est assassinée, reprit Graham, on réunit le maximum d'informations sur elle pour retrouver son meurtrier. On essaie de savoir à quel moment, dans sa vie, elle a gêné quelqu'un au point de le pousser à la tuer. Parlez-moi d'elle, de ses rapports avec les gens.

— Je ne sais pas quoi vous dire, bredouilla Mary, visiblement choquée. Moi, je n'avais pas de problème avec elle.

— Ce qui suppose que d'autres en avaient ? Nathalie Hervieux ne nous a pas caché qu'elle appréciait peu Cristelle Bouchard.

— Avant l'histoire avec les garçons, il n'y avait pas de conflit entre elles. Elles se croisaient quand Nathalie emmenait son fils au centre sportif.

— J'imagine qu'Evelyne et Jean-René Frappier voyaient les choses différemment.

Mary White se raidit et replaça un bracelet dans le présentoir pour échapper au regard de Maud Graham.

— Probablement, finit-elle par murmurer. Après ce qui est arrivé à Étienne.

— Comment les parents ont-ils réagi après l'engueulade de Jean-René Frappier à l'aréna ?

Mary White haussa les épaules : elle l'ignorait, elle n'était pas présente. Elle glissa sa main dans le présentoir, prit une bague en argent, jeta un coup d'œil à l'étiquette comme si elle voulait en vérifier le prix.

— Et votre mari?

— Ian?

— Quel était son rapport avec Mme Bouchard?

— Son rapport? dit Mary avec une note d'étonnement. Ian a évidemment trouvé que Cristelle avait eu un comportement déplacé avec les garçons, mais il ne voulait pas aller jusqu'à porter plainte contre elle. C'était disproportionné. Elle a été vraiment agressive avec Étienne, mais beaucoup moins avec Matis. C'est lui-même qui nous l'a dit.

— Votre mari n'a pas voulu faire de vagues…

— De toute manière, Matis et Lucas se voyaient moins ces dernières semaines.

— Est-ce que Cristelle Bouchard était aussi une cliente de votre mari?

— En effet, confirma Mary White. Je suppose que c'est Nathalie qui vous a dit qu'on n'a pas voulu porter plainte à cause de ça. Mais la vraie raison, c'est que nos filles sont de grandes amies.

— Ah oui, j'oubliais que vous êtes allées chez les Lenoir tout de suite après avoir appris la nouvelle. David Lenoir ne vous aurait pas appelées si vous aviez porté plainte.

— Mylène voulait avoir Jasmine auprès d'elle. On peut la comprendre.

— C'est vrai qu'elle ne s'entendait pas avec sa mère?

— Comme beaucoup d'adolescentes, dit Mary. Mais elle l'aimait.

— Avait-elle des reproches précis envers elle?

— Je crois… je crois que Mylène trouvait que Cristelle lui mettait trop de pression sur les épaules. Elles étaient vraiment différentes. Mylène a un côté bohème, alors que Cristelle vivait pour son apparence. Soins de beauté, entraînement, jogging, c'était son quotidien. Mylène est plus cérébrale, tout en ayant un côté artistique. Elle fait d'excellentes photos, étonnantes. Elle est mature pour son âge.

— A-t-elle pris sa mère en photo ? s'enquit Graham.

— Oui, l'an dernier, quand elle a reçu son appareil en cadeau. Un très bel appareil, cher ! Elle prenait des photos de tout le monde pour s'exercer. Elle en a réussi plusieurs de Cristelle.

Mary observa un instant de silence avant de murmurer que David choisirait sûrement une image de Mylène pour l'avis de décès dans *Le Soleil*.

— C'était une belle femme, dit Graham. Qui prenait soin d'elle comme vous me l'avez dit. Qui dépensait pour s'habiller. Que vous racontait Cristelle quand elle venait ici ?

— Elle me parlait de ses enfants. Ou de la mode.

— Et de sa famille ? De ses sœurs ?

— Jamais.

— De son époux ?

— Elle était très fière de sa nomination.

— On dirait que vos conversations n'étaient pas très personnelles.

Mary White eut un soupir d'exaspération : elle n'était pas thérapeute. Cristelle était une bonne cliente et la mère de Mylène, mais leur relation n'avait rien d'intime.

— Avez-vous d'autres questions ?

— Oui. Voyez-vous qui pourrait avoir tué Cristelle Bou… ?

Mary secoua la tête avant même que Graham ait terminé sa phrase.

— Évidemment pas ! Je… je veux dire… elle était agaçante, mais de là à la tuer ? Je ne comprends pas comment vous pouvez croire ça !

— Toutes sortes d'indices, fit Graham.

— Je pensais que c'était un chauffard qui avait renversé Cristelle, redit Mary White en continuant à jouer avec la bague.

— À première vue. Mais c'est notre métier de douter des apparences. Elles sont parfois trompeuses, vous comprenez sûrement ce que je veux dire.

Mary fronça les sourcils.

— Non ? dit Graham. Vous faites pourtant ce qu'il faut pour que les femmes se sentent belles lorsqu'elles essaient une robe.

Graham désigna les lampes, puis les murs de la boutique.

— Tout ce charme, cet éclairage, ces miroirs flattent les clientes, non ? On a l'impression d'être dans un cocon, un écrin accueillant. Votre boutique est vraiment agréable…

— Merci, fit Mary, désarçonnée : à quoi rimaient ces compliments ?

— Est-ce qu'Evelyne Marchand achète ses vêtements ici ?

— Evelyne ?

La bague que Mary venait d'échapper roula sur le bois verni du plancher. Graham se pencha pour la ramasser, la déposa sur le comptoir en se demandant pourquoi Mary White était si nerveuse.

Elle vient à l'occasion, oui, bien sûr.

— Vous vous voyez aussi au centre sportif, j'imagine. Vos garçons sont amis… enfin, l'étaient. Gilbert Cloutier m'a dit que Jean-René Frappier assistait souvent aux entraînements et qu'il ne manquait pas un match. C'est vrai ? Evelyne y allait aussi ?

— Parfois.

Mary replaça la bague dans le présentoir, expliqua que cela dépendait des semaines. Qu'il y avait des parents qui étaient toujours là et d'autres qui venaient à l'occasion.

— Avant l'incident avec Étienne, est-ce que Jean-René Frappier et Cristelle Bouchard s'entendaient bien ?

— Je… oui, je suppose que oui.

— Après l'incident, il vous a parlé d'elle ?

Mary White haussa les épaules.

— Je ne m'en souviens pas.

— Vous avez bien discuté de Cristelle Bouchard avec les Frappier.

— C'est plutôt Ian qui a jasé avec eux.

Un bruit à l'extérieur fit pivoter Mary White, ravie d'accueillir une cliente. Son soulagement ne put échapper au regard de Maud Graham, qui se dirigea vers la sortie en promettant de revenir.

— En dehors du travail, précisa-t-elle. Pour me gâter un peu.

Mary White esquissa un sourire en lui disant qu'elle serait toujours la bienvenue, puis referma la porte derrière elle. Graham attendit quelques secondes avant de la rouvrir. L'expression inquiète de Mary White confirma son hypothèse : cette femme redoutait qu'elle lui pose de nouvelles questions. Pourquoi ? Que lui avait-elle caché ?

— Que faisiez-vous vendredi soir ?

— Vendredi soir ? répéta Mary White.

— Durant la soirée ? C'est une question de routine. On la pose à tous ceux qui ont pu être en relation avec la victime.

— J'étais à la maison. J'étais crevée. J'ai commencé à regarder une série, puis je me suis endormie.

— Vous étiez seule ?

— Non, mon mari était là. Jasmine était au cinéma et Matis chez un de ses amis.

— Il va bien ?

— Matis ?

— La mort d'Étienne l'a beaucoup secoué ?

Mary White dévisagea Maud Graham avant de hocher la tête.

— J'espère que ça ira mieux pour lui, fit celle-ci avant de refermer la porte derrière elle.

En se dirigeant vers sa voiture, Graham était décidée à demander à Nguyen de faire une recherche sur Mary White et Ian Boisvert.

: :

Ian Boisvert sortit de sa voiture pour signaler sa présence à Matis qui lui jeta un regard inquiet : pourquoi venait-il le chercher au collège ? Qu'est-ce qui se passait encore ?

— Rien, dit Ian en souriant. Lucas et Mylène viendront souper à la maison, ce soir. David doit s'absenter quelques heures. J'ai envoyé un texto à Jasmine, mais elle ne m'a pas répondu.

— Elle ne doit pas être loin, dit Matis. Elle traînait avec Éléonore quand je suis sorti. Mais Lucas et Mylène sont chez eux.

— Je le sais, on va les chercher.

Comme Matis gardait le silence, Ian lui tapota l'épaule.

— Je sais que tu ne t'entends pas bien avec Lucas, mais on doit les aider, Mylène et lui. Ils vivent des moments très difficiles.

— Tu penses vraiment qu'ils vont vouloir passer la soirée chez nous?

— Leur père ne veut pas qu'ils restent seuls. J'ai promis qu'on ferait notre possible pour qu'ils soient à l'aise à la maison. Ce n'est que pour quelques heures. Tu trouveras sûrement un film pour vous distraire.

Ian sourit à son fils d'un air assuré, alors qu'il avait douté que cette stratégie fonctionne jusqu'à ce qu'il se rende chez les Lenoir. Mais avait-il le choix? Il devait absolument obtenir des informations sur les progrès de l'enquête! L'appel de Mary, en début d'après-midi, l'avait alarmé. Pourquoi cette policière était-elle allée l'interroger à la boutique au lieu de se présenter chez les Frappier? Est-ce qu'il avait commis une erreur? Quand?

Il était donc allé sonner chez David Lenoir qui lui avait ouvert après un long moment. Malgré son veston Armani, sa chemise lavande, sa montre Cartier, ses mocassins italiens, le juge avait perdu cette assurance que confèrent des vêtements de prix; il était blême, cerné, décoiffé. Ian lui avait pourtant demandé comment il se sentait.

— C'est compliqué, avait fini par répondre David Lenoir devant la porte grande ouverte.

Il avait regardé Ian sans vraiment le voir, restant sans bouger comme s'il attendait qu'on lui dise ce qu'il devait faire.

— On devrait rentrer, avait suggéré Ian. Ce n'est pas le moment d'attraper un rhume.

— Cristelle était sortie juste avec sa veste de sport. Elle disait que le froid la stimulait, lui donnait de l'énergie, qu'elle avait toujours trop chaud. Je n'ai pas pensé que ça pouvait être les premiers symptômes de la ménopause, elle était encore jeune. Mais il paraît qu'elle en avait parlé avec une des détectives, Maud Graham. J'aurais mieux compris ses changements d'humeur… je regrette que…

La voix de David s'était cassée. Il s'était mordu les lèvres, s'était ressaisi en se demandant subitement pourquoi Ian s'était présenté chez lui.

— Pour voir comment vous allez, toi, Mylène et Lucas. J'ai pensé que ça leur ferait peut-être du bien de passer la soirée chez nous avec Jasmine et Matis. Tu dois avoir tant de choses à régler.

— Je ne suis pas certain qu'ils vont vouloir sortir de la maison. Lucas passe ses journées devant son ordinateur, Mylène s'enferme dans sa chambre. Je… je ne sais pas m'en occuper.

— Je ne saurais pas quoi faire, moi non plus, l'avait assuré Ian en refermant la porte derrière lui.

— Je me rends compte que Cristelle s'occupait de tout, avait murmuré David.

— C'est normal d'être sous le choc.

— Si j'avais su qu'elle se ferait tuer…

— Tu ne pouvais pas deviner qu'elle aurait un accident.

— Les détectives ont l'air de penser que ce n'est pas un accident, avait révélé David Lenoir.

— Qu'est-ce que tu veux dire ?

— Je ne comprends pas trop, avait répondu David, planté au milieu du grand salon.

Ian avait eu envie de le secouer : il savait pourtant quelque chose ! Les policiers lui avaient parlé !

— C'est certain que tout est difficile à comprendre, avait dit Ian Boisvert d'une voix qu'il voulait compatissante. Mais si ce n'est pas un accident…

— Ils ont vérifié mon emploi du temps, l'avait interrompu David. Parce qu'ils s'imaginent peut-être que c'est moi qui ai tué Cristelle. C'est normal, le mari est toujours soupçonné.

— Je pensais que c'était un ivrogne qui avait renversé ta femme.

— Le type a bougé le corps. Un chauffard poursuit sa route. Maud Graham ne croit pas que c'est un *hit and run*. Pourquoi quelqu'un s'en serait-il pris à Cristelle? Je n'y comprends rien.

— Les policiers ont-ils des indices? Une piste sérieuse?

David Lenoir avait soupiré. On lui avait posé des dizaines de questions auxquelles il n'avait aucune réponse.

— Je ne suis pas habitué à cela, avait-il ajouté.

Évidemment, avait songé Ian: David menait une existence bétonnée de certitudes. Et maintenant que tout basculait, il n'avait pas la souplesse pour s'adapter à la situation.

— Mes collègues sont très prévenants, avait poursuivi David, mais je préfère les tenir à l'écart de tout ça. Ne pas les mêler à ce qui est déjà trop compliqué. Maud Graham m'a dit qu'elle parlerait aux amies de Cristelle. Je lui ai donné le nom de Mary, de Nathalie. De Josée, avec qui elle court parfois. Et celui de son amie à Vancouver.

À Vancouver?

Ian Boisvert avait cessé de respirer: Cristelle avait une amie à Vancouver? C'est de cette façon qu'elle avait découvert sa véritable identité?

— On n'a pas retrouvé le téléphone de Cristelle, avait poursuivi David. C'est là qu'elle gardait les coordonnées de ses amis. Je n'arrive pas à me souvenir de tout le monde. Elle connaissait tant de personnes! Elle était tellement active.

— Elle débordait d'énergie, avait dit Ian avec sincérité.

Si elle s'était moins démenée pour l'embêter, si elle était restée tranquille à se mêler de ses affaires, il n'aurait pas été obligé de la tuer. Vancouver ! Qui était cette amie de Vancouver ?

— D'après ce que tu me dis, Cristelle avait des copines un peu partout. Jusqu'à Vancouver…

— Son amie Francine, avait précisé David. J'ai dit Vancouver, mais c'est faux, elle habite maintenant à Toronto. Elles se voient chaque automne. Leur amitié ne s'est jamais démentie. Alors qu'elles sont… qu'elles étaient tellement différentes !

— Vraiment ?

— Francine est petite, un peu ronde, une vraie intellectuelle, brillante, mais la tête dans les nuages, alors que Cristelle était une organisatrice-née. Rappelle-toi toutes les fêtes… Le dernier party d'Halloween…

— Est-ce que son amie Francine était à Québec à ce moment-là ? Je ne me souviens pas qu'on me l'ait présentée au party.

— Non, elle était repartie chez elle. Elle n'est restée que deux jours. C'est à peine si je l'ai entrevue.

— Je pense que je l'ai vue avec Cristelle, avait dit Ian. Elles sortaient du Métropolitain.

— C'est possible, Cristelle adore… adorait les sushis. Je ne peux pas croire qu'elle est morte. Francine ne le croira pas non plus. Il faut que je récupère son numéro de téléphone…

— Francine qui ? Avec son nom de famille, tu peux la trouver rapidement.

— Je sais. J'ai retardé le moment de faire cet appel, avait avoué David, mais je vais essayer de la joindre ce soir.

David avait fermé les yeux quelques secondes avant de déclarer qu'il appellerait aussi Maud Graham.

— Elle t'a dit pourquoi elle tient à parler à ses amis ? avait demandé Ian Boisvert.

— C'est la procédure quand il y a une mort violente. Les enquêteurs discutent avec les proches des victimes. J'ai parlé à

Maud Graham de Nathalie, Josée et Mary évidemment. Dans le cas de Francine qui vit à Toronto, je ne vois pas ce qu'elle pourrait leur dire qui les aiderait dans leur enquête, mais bon…

Ian Boisvert avait acquiescé en rageant intérieurement : que raconterait cette Francine aux policiers ? Il fallait les diriger au plus vite vers Jean-René Frappier !

— As-tu parlé de Jean-René Frappier à cette policière ?

David Lenoir avait semblé surpris par cette question.

— Évidemment, il a menacé ma femme devant tout le monde ! De toute façon, si je n'avais rien dit, quelqu'un d'autre s'en serait chargé.

— Tu as eu entièrement raison. Je n'étais pas à l'aréna, mais, d'après ce que Soldevilla m'a dit, Frappier était déchaîné. Soldevilla et Gilbert Cloutier ont été obligés de le retenir pour l'empêcher d'attaquer ta femme. As-tu pensé qu'il est peut-être vraiment fou ? Que tu as rendu service à Evelyne en parlant de lui aux enquêteurs ? Si c'est lui qui a renversé Cristelle, il peut faire n'importe quoi. Se tuer ou tuer Evelyne ? Attaquer d'autres personnes ? Il en veut à la terre entière de la mort d'Étienne. On ne sait pas ce qu'il a dans la tête. Tu devrais t'assurer que Maud Graham t'a pris au sérieux.

David avait acquiescé. De toute façon, il rappellerait la policière.

— Elle a l'air consciencieuse. Elle est venue plus d'une fois depuis samedi. J'ai parlé d'elle à un ami qui est avocat au criminel. Il paraît qu'elle est très tenace. Je le crois. Elle m'a semblé déterminée à trouver la vérité.

Ian Boisvert s'était efforcé de sourire avant de dire que c'était une bonne chose que Maud Graham soit compétente : elle saurait faire avouer son crime à Jean-René Frappier.

13

Lundi 19 décembre, soir

Maud Graham relisait le menu pour la troisième fois, se décidant enfin à faire un choix: les *cavatelli* aux épinards et œuf mollet, puis les ris de veau préparés avec une sauce au romarin.

— Et toi?

— Le foie gras m'inspire. Dommage que Joubert ne nous ait pas rejointes, dit Tiffany McEwen en lorgnant les plats de leurs voisins.

— Oui, il aurait apprécié La Planque[1]. Mais je le soupçonne d'avoir renoncé à souper avec nous parce qu'il surveille son poids.

— Michel? s'étonna Tiffany.

— Il part bientôt en voyage avec Grégoire. Dans le Sud. Les plages. La piscine de l'hôtel. Il fait attention à son apparence. Tu n'as pas remarqué qu'il n'a pas touché aux muffins que j'avais apportés? Je devrais l'imiter, mais je n'y arrive pas. Tu es chanceuse de ne pas avoir à surveiller ta ligne. Je voudrais être comme toi.

— Et moi, je voudrais avoir tes seins.

Maud Graham dévisagea Tiffany McEwen qui se mit à rire devant sa stupéfaction.

---

1. Note au lecteur: le restaurant La Planque est fermé le lundi. Mais pour les besoins de l'intrigue, et au grand plaisir de Maud Graham, l'auteure se permet de faire une petite entorse à la réalité.

— C'est vrai, j'aimerais ça avoir plus de poitrine. Je me sentirais plus féminine. Toi, tu peux porter n'importe quel soutien-gorge, alors que je choisis entre ceux qui me désavantagent le moins. C'est pénible.

— Ça te gêne vraiment?

— Émile dit qu'il aime mes seins comme ils sont, mais ça doit être pour me faire plaisir.

Graham but une gorgée de sancerre, abasourdie par l'aveu de Tiffany dont elle avait toujours envié la longue silhouette.

— Est-ce qu'il existe des femmes qui sont contentes de ce qu'elles ont? soupira-t-elle.

— C'est plutôt rare. Pourquoi est-ce qu'on est aussi exigeantes envers…

— Cristelle Bouchard, la coupa Graham. Elle, elle devait être fière de son corps. Elle avait été mannequin et se tenait en forme, jogging, entraînement, pas une once de graisse.

— Non, elle devait s'inquiéter de vieillir, la contredit McEwen. Elle a évoqué sa ménopause quand nous l'avons rencontrée.

— Pour établir une complicité avec moi, fit Graham.

— Même si c'était faux, elle y pensait…

— Tu as raison. J'ai visité la maison quand je suis retournée chez David Lenoir après ma rencontre avec Mary White. Il y a des crèmes rajeunissantes de toutes les marques dans la salle de bain. Et beaucoup de miroirs. J'espérais parler aux enfants, mais ils partaient avec Ian Boisvert quand je suis arrivée. Je ne pouvais pas vraiment les retenir, leur poser des questions devant Jasmine et Matis. Cela m'a surprise de voir Ian Boisvert chez les Lenoir. D'après ce que m'a dit sa femme, ils ne sont pas amis. Ils se voient seulement parce que leurs enfants pratiquent les mêmes sports.

— Ils veulent rendre service…

— David Lenoir m'a confié qu'il était étonné par la prévenance des Boisvert. «On connaît mal les gens», a-t-il dit. Il m'a reparlé de Frappier. Il affirme qu'il est imprévisible.

— Imprévisible? releva McEwen. Il t'a donné des exemples?

— Non, mais l'appel de sa belle-sœur à Bouthillier nous fait réfléchir…

Maud Graham contempla la robe du vin d'un jaune clair qui tirait sur le vert.

— Je crois qu'Elizabeth Marchand a eu raison de ne pas aimer qu'il y ait une arme dans la maison. Qu'elle a bien fait d'avouer à Bouthillier qu'elle l'avait découverte. Il nous avait dit qu'il sentait qu'elle lui cachait quelque chose.

— Pour l'instant, on n'a pas encore vérifié ce que lui a raconté Frappier, confia McEwen. Il a dit à Bouthillier qu'il avait acheté le pistolet quand Étienne s'est suicidé, qu'il voulait le suivre dans la mort, mais Bouthillier pense qu'il projetait plutôt d'abattre Cristelle Bouchard.

— David Lenoir aussi, a marmonné Graham. Il m'a répété trois fois que Frappier était le seul à pouvoir souhaiter la mort de sa femme. «Toutes ses amies l'aimaient», selon lui. C'est la culpabilité qui le fait parler ainsi. Il a admis qu'il vivait des conflits avec son épouse, la première fois que je l'ai vu. Il veut se racheter en donnant la meilleure image possible de Cristelle Bouchard. Il m'a parlé des obsèques, m'a dit que Francine Mathieu, sa plus vieille amie, viendrait de Toronto pour y assister. Elle venait voir Cristelle chaque année, même quand elle habitait à Vancouver. J'ai essayé de la joindre en sortant de chez Lenoir, mais elle n'était pas chez elle. Si elle connaissait Cristelle depuis toujours, elle devrait pouvoir nous renseigner sur sa famille.

— Nous dire pourquoi elle a rompu avec ses sœurs, souhaita McEwen. Des secrets du passé ont pu refaire surface…

— On ne sait pas grand-chose de la vie de Cristelle Bouchard à part les albums de photos que nous a remis David Lenoir. C'est peut-être Frappier qui l'a tuée, mais c'est peut-être quelqu'un qui avait des comptes à régler avec elle depuis longtemps.

— Je ne crois pas que c'est Frappier, dit Tiffany. Même si on a trouvé un pistolet chez lui.

— C'est possible que Frappier ait songé au suicide comme il l'a expliqué, fit Graham. Mais, étonnamment, malgré l'incroyable épreuve que représente le deuil d'un enfant, les parents ne sont pas nombreux à s'enlever la vie et…

Elle s'interrompit en entendant la vibration de son portable. Elle ne reconnut pas le numéro du correspondant, mais fronça les sourcils dès qu'elle comprit qu'il s'agissait de Jessica. Elle l'écouta durant quelques secondes avant de lui dire d'essayer de se calmer, de tout lui répéter lentement.

— Je me rends immédiatement aux Brûleries, promit-elle à la jeune femme. Je suis tout près, je serai là dans quelques minutes. Toi, tu ne bouges pas de La Chope. J'envoie un agent auprès de toi. Il te raccompagnera à ton appartement.

Graham s'inquiéta, n'entendant aucune réponse. Jessica était-elle toujours en ligne ?

— Je… j'aimerais mieux que ce soit vous.

— Bien sûr, Jessica, fit aussitôt Graham.

Elle se maudit de ne pas avoir pensé que Jessica pouvait être angoissée à l'idée de partir avec un inconnu. Même si c'était un agent qu'elle lui envoyait pour sa sécurité. Elle devait se méfier de tous les hommes, mettrait du temps à faire à nouveau confiance à un étranger. Et peut-être même à un proche.

— Je te rejoins très vite, je te le jure. Le patrouilleur restera avec toi jusqu'à ce que j'arrive, dit-elle.

Elle glissa son téléphone dans la poche de son jean et expliqua à McEwen que Jessica venait d'apercevoir son agresseur aux Brûleries et s'était réfugiée dans un bar voisin.

— Elle est certaine que c'est lui ? demanda McEwen tandis que Graham enfilait son manteau à la hâte.

— Elle est terrorisée, c'est à peine si je comprenais ce qu'elle me disait. J'espère qu'elle ne s'est pas trompée ! Que le violeur

sera encore aux Brûleries ! Je lance tout de suite un appel. Peux-tu
t'occuper de payer et nous rejoindre là-bas ?

: :

— Ariane, Dotty et Éléonore m'ont demandé de tes nouvelles,
dit Jasmine en refermant la porte de la chambre. Elles s'inquiètent
pour toi ! Elles t'ont envoyé des textos…

— Je ne sais pas quoi leur répondre, murmura Mylène. Elles
ont pitié de moi et je…

— Ce n'est pas de la pitié, la coupa Jasmine. C'est de l'affection.

— Je suis trop mêlée. Il n'y a plus rien qui est pareil.

— Ça te ferait peut-être du bien de voir les filles, insista Jasmine
en s'assoyant sur le lit. Au lieu de rester ici, on pourrait aller les
retrouver.

— Maintenant ? Ma mère ne voudrait pas que…

— Il n'est pas si tard, ta mère dirait oui.

— Qu'est-ce que tu en sais ? rétorqua Mylène. On ne peut pas
le lui demander.

— Ça te ferait du bien, l'encouragea Jasmine.

Elle se sentait un peu coupable de pousser Mylène à voir leurs
copines, mais elle était lasse de répéter les mêmes choses. Et Dotty
avait toujours fait rire Mylène, non ? Ça ne pouvait pas être pire.

— Tu es tannée de m'entendre brailler, marmonna Mylène.
C'est pour ça que tu veux qu'on retrouve les filles.

Jasmine la fixa durant quelques secondes, Mylène avait deviné
son embarras. Comme toujours. Même bouleversée, rien ne lui
échappait. Elle n'avait pas sauté une année scolaire sans raison.
Elle était brillante, l'avait toujours été.

— Je ne suis pas tannée, protesta-t-elle. Je suis impuissante. Je
ne sais pas quoi faire pour que tu ailles mieux. C'est pour ça que
j'ai proposé qu'on voie les filles. Et parce que c'est vrai qu'elles
ont demandé de tes nouvelles.

— Même Éléonore ? Elle ne me parlait plus depuis un moment.

— À cause de Toby. Mais elle s'intéresse à Boris maintenant.

— Boris Pépin ? s'étonna Mylène. Qui sort avec Francesca ?

— Qui sortait…

— Il suffit que je m'absente pour qu'il se passe quelque chose d'intéressant, commença Mylène. J'ai manqué ça !

— Imagine la crise de Francesca. Elle était tellement enragée ! dit Jasmine avec entrain, désireuse que Mylène lui demande des détails sur cette rupture, comme elle l'aurait fait avant.

— Ça me surprend qu'Éléonore soit avec Boris, souleva Mylène. Ce n'est pas son genre.

— C'est sûr que non.

— Moi, je pense que Boris Pépin sort avec elle pour se débarrasser de Francesca. Elle est tellement collante.

— Elle ne le lâchait pas d'un pouce, approuva Jasmine.

— J'ai entendu Kevin le niaiser avec ça, lui dire qu'il ne manquait qu'une laisse entre lui et Francesca.

— Pour vrai ?

Mylène hocha la tête avant d'éclater de rire, imitée aussitôt par Jasmine qui ne trouvait pas la réplique si drôle, mais qui était trop contente de rire avec Mylène.

Elle s'apprêtait à décrire la réaction de Boris quand son amie redevint subitement grave.

— Qu'est-ce qu'il y a ?

— C'est juste des niaiseries. Les histoires de Francesca, Boris, Kevin, Éléonore, toute la gang. Qu'est-ce que tu veux que ça me fasse ?

— Je pensais que…

— Vos petites histoires… Toi qui vérifies toutes les cinq minutes si Tom ne t'a pas texté. Tu penses que je n'ai rien remarqué ?

— Je… je regarde toujours si j'ai des messages. Comme tout le monde.

— Toutes les cinq minutes ? répéta Mylène d'un ton moqueur.

— Écoute, si ça te dérange…

— Pourquoi ça me dérangerait ?

Jasmine serra les dents. Elle ne méritait pas l'animosité subite de Mylène, alors qu'elle faisait de son mieux pour la soutenir depuis la mort de sa mère. Elle ne pouvait pas vraiment la gêner en vérifiant si Tom se décidait à lui écrire. Elle esquissa un geste pour se relever, mais Mylène tendit une main pour la retenir.

— Excuse-moi. Qu'est-ce que Tom t'a écrit ? dit-elle d'une voix radoucie.

— Quand ?

— Aujourd'hui.

Jasmine soupira. Elle n'avait pas eu de nouvelles de Thomas depuis samedi. Ils avaient pourtant parlé de se voir le lendemain.

— Je pense que je ne l'intéresse plus. Il doit me trouver trop jeune et…

— Ça ne se peut pas ! fit Mylène avec conviction. Tu as toujours eu l'air plus vieille que ton âge. Tu es belle. Tu peux rentrer dans les bars quand tu veux. Il doit avoir une bonne raison…

— Tu dis ça parce que tu es ma meilleure amie, murmura Jasmine.

— Je te jure que non, dit Mylène.

— Tu n'es pas ma meilleure amie ?

— Je ne sais pas.

— Qu'est-ce que tu racontes ? s'étonna Jasmine. De quoi tu parles ?

— Je ne sais plus rien, avoua Mylène. Je capote. J'ai tout le temps l'impression que maman va revenir. Je voudrais retourner dans mon ancienne vie, lui dire que je regrette, que…

Elle secoua la tête comme si ce mouvement allait replacer ses pensées, inspira profondément.

— Tu es certaine que les filles veulent me voir ?

— Ça te changerait les idées. Et ça me fera du bien. C'est bizarre, chez nous aussi. Mon père est étrange.

— Le mien nous fixe tout le temps, confia Mylène. Comme si on allait disparaître sous ses yeux. Je ne sais pas quoi faire avec lui.

— C'est plate que vous n'ayez pas vraiment de famille, constata Jasmine.

— Son frère va arriver du Japon cette semaine. Je l'ai seulement vu deux fois en dix ans, mais on se parle sur Skype, c'est mon parrain.

— Moi, je n'ai jamais rencontré mes oncles. Mon père s'est disputé avec eux alors que je n'étais pas encore née. Je n'ai même jamais vu de photos d'eux.

— Ma mère aussi s'était chicanée avec sa famille. Pas de photos non plus. C'est *weird*.

— Oui, convint Jasmine. Matis me tape souvent sur les nerfs, mais je n'imagine pas ne plus jamais lui parler.

— Lucas aussi m'énerve, mais c'est mon frère. Il me fait pitié depuis que… Il est encore plus perdu que moi.

: :

Mardi 20 décembre, matin

Maud Graham entendit la voix de Gaétan Péloquin qui dominait celles de tous ses collègues avant même de pousser la porte de la salle de réunion. Même lorsqu'elle ignorait qu'il chantait dans une chorale, elle aimait les graves sonorités de sa voix, avait pensé dès la première enquête qu'ils avaient vécue ensemble que cette voix lui conférait une autorité naturelle qui devait lui être très utile sur le terrain. Vingt ans plus tard, elle y était toujours sensible et songea que les fidèles qui se réuniraient pour la messe de minuit à la Basilique seraient heureux de l'entendre. Elle eut un moment d'effarement. Se pouvait-il qu'il reste si peu de jours avant le réveillon? Il fallait décorer la maison. Décorer le sapin. Sans mettre de glaçons, Églantine pourrait s'étouffer en les avalant. Pourquoi les siamois mangeaient-ils n'importe quoi? Ils étaient pourtant intelligents. Mais l'intelligence n'allait pas toujours de pair avec le bon sens. Combien de brillants criminels avait-elle arrêtés dans sa carrière? Elle se rappela distinctement la stupéfaction qu'elle avait lue sur le visage de Donald Pelletier quand elle l'avait appréhendé. Il se croyait à l'abri, pensait que le meurtre qu'il avait commis était relégué aux oubliettes. Vive l'ADN.

Aurait-elle bientôt la confirmation qu'il s'agissait de l'ADN de Cristelle Bouchard sur la voiture de Jean-René Frappier?

Elle aurait bien voulu boire un thé durant le meeting, mais elle avait déjà bu un Bocha avant de quitter la maison et elle avait lu que le thé, le café, l'alcool étaient déconseillés aux femmes qui souffraient de bouffées de chaleur. Non seulement elle devait les endurer, mais elle était en plus pénalisée dans ses petits plaisirs quotidiens! Elle donna un coup sec du bout du pied pour ouvrir la porte, s'étonna que Nguyen ne soit pas encore arrivé. Il était toujours le premier arrivé.

— Il ne viendra pas, dit Bouthillier. Sa femme s'est cassé le poignet, hier soir. Elle a glissé sur la glace en rentrant chez eux. Il s'en veut tellement.

— Pourquoi?

— Il devait déneiger l'entrée, mettre du sel. Il reste avec son épouse aujourd'hui, mais il travaillera de chez lui.

— Tant mieux parce que j'ai besoin qu'il fasse des recherches sur Mary White et Ian Boisvert, dit Maud Graham.

— Qu'est-ce que tu veux savoir? s'enquit Michel Joubert.

— Tout ce que Nguyen pourra trouver. Mary White était vraiment mal à l'aise quand je suis allée à sa boutique. Chaque fois que je mentionnais Jean-René et Evelyne Frappier.

— À cause du suicide d'Étienne, supposa McEwen. Elle doit se sentir coupable de ne pas avoir porté plainte contre Cristelle.

— Ce serait plutôt le contraire, non? dit Bouthillier. Maintenant que Cristelle Bouchard est morte, elle doit être contente de ne pas l'avoir accusée.

— Je l'embêtais quand je lui parlais de Cristelle Bouchard, mais elle ne fuyait pas mon regard, alors qu'elle était embarrassée quand je faisais allusion aux Frappier.

— Aux Frappier? Ou à Evelyne? Ou à Jean-René? souleva Joubert.

Graham lui sourit. Il posait toujours les bonnes questions. Elle tenta de se remémorer plus précisément leur entretien pour pouvoir répondre à Joubert.

— Elle est peut-être contente de ne pas avoir accusé Cristelle Bouchard tout en se sentant mal vis-à-vis des Frappier, fit Bouthillier. Parce qu'elle et son mari n'ont pas porté plainte contre Mme Bouchard.

— Les Frappier eux-mêmes n'ont pas voulu accuser Cristelle Bouchard, rappela Graham. Non, c'est autre chose. En plus, Mary White m'a dit qu'elle n'était pas proche des Bouchard-Lenoir, alors que Ian et elle ont été les premières personnes à aller chez eux après l'annonce de la mort de Cristelle. Juste parce que leurs enfants sont amis?

— Il me semble que j'appellerais plutôt ma famille si un proche mourait, dit Bouthillier.

— Cristelle Bouchard ne voyait plus sa famille, fit McEwen. On a fini par joindre son amie Francine Mathieu, qui nous a dit que le frère de Cristelle avait été tué par la SQ, qu'il faisait partie d'une gang de motards.

— Pourquoi son mari ne nous en a pas parlé? s'écria Joubert. Ce n'est pas un détail!

— Et les autres membres de sa famille? ajouta Bouthillier. Dans le même genre?

— Selon Francine Mathieu, Cristelle avait caché le passé peu reluisant de son frère à son époux. Elle lui a raconté qu'elle ne voyait plus sa famille depuis qu'elle avait quitté la maison, très jeune, pour devenir mannequin, parce qu'ils s'étaient tous disputés pour une histoire d'héritage.

— Le mari n'a pas cherché à en savoir davantage? s'étonna Péloquin.

— Il paraît que non. Que David était obnubilé par Cristelle quand ils se sont rencontrés. Ils se sont mariés très vite.

— Que sait-elle des autres membres de la famille Bouchard?

— Pas grand-chose, dit McEwen. Cristelle avait deux sœurs. Elles vivent à Baie-Saint-Paul. Je les ai jointes aussi, elles n'assisteront pas aux funérailles. Il paraît que Cristelle les a toujours snobées. Qu'elles ne se sont pas vues depuis des années. Je peux leur reparler, mais je ne pense pas qu'il y ait quelque chose à découvrir de ce côté-là. Elles ont confirmé le passé de leur frère sans émotion. Pour elles, il menait sa vie en marge de la leur. Comme pour Cristelle, c'est de l'histoire ancienne.

— Est-ce que Cristelle avait parlé de Jean-René Frappier avec Francine?

Tiffany McEwen secoua la tête. Francine Mathieu n'avait jamais entendu ce nom.

— J'ai dû le lui répéter plus d'une fois, elle était vraiment bouleversée. David Lenoir lui avait dit que sa femme était morte dans un accident, mais j'ai eu l'impression de lui apprendre que Cristelle n'avait pas été tuée par hasard. Mme Mathieu n'avait pas l'air de comprendre ce que je lui disais. En plus, elle était à l'hôpital, son mari a fait une crise cardiaque hier. Elle était dépassée par les événements. Je vais la rappeler un peu plus tard, la laisser absorber la nouvelle. Et lui reposer les mêmes questions.

— Et l'arme de Jean-René Frappier? demanda Joubert. Des détails supplémentaires?

— Frappier l'a achetée à un certain Mike Boily, dit Bouthillier. Il aurait dû être condamné pour trafic de *dope*, mais il fait partie des chanceux qui s'en sont tirés à cause d'un procès qui n'avançait pas. Ça lui permet de continuer à vendre ses cochonneries.

— Comment Frappier connaît-il Boily ? s'étonna McEwen. Je l'imagine mal frayer avec les motards…

— Boily était passé à deux reprises à son magasin. Il avait payé cash son équipement de moto et celui d'un autre gars. Frappier avait conservé son numéro de cellulaire. Boily lui a évidemment fait payer trop cher pour le morceau. Qui ne lui aura servi à rien.

— C'est mieux comme ça, dit Joubert.

Bouthillier hocha la tête. Frappier lui avait carrément avoué qu'il ne savait pas s'il voulait se tuer ou tuer Cristelle Bouchard.

— Il est vraiment déconnecté. Il m'a donné sans sourciller le nom de Mike Boily, son numéro de téléphone, l'endroit où il l'a rencontré. Je n'ai même pas eu besoin d'insister. Comme si Frappier se foutait d'attirer des ennuis à un motard. Comme si c'était le dernier de ses soucis. J'ai pensé durant un moment qu'il avait peut-être fait affaire avec le motard pour régler son compte à Cristelle Bouchard, mais franchement, je n'y crois plus.

— Rappelle-toi, il n'a pas eu de réaction quand on a saisi son véhicule, ajouta McEwen.

— Il ne m'en a même pas reparlé quand je l'ai questionné sur le pistolet. Je lui ai dit qu'il y avait une bosse sur la grille de sa voiture. Il s'est contenté de me regarder d'un air égaré et il a fini par me demander s'il allait la récupérer bientôt. J'ai failli lui parler des traces de sang pour voir sa réaction…

— Chose certaine, elles ne proviennent pas du chevreuil, dit McEwen.

— Quel chevreuil ? s'enquit Joubert.

— Frappier est allé à la chasse cet automne et il a heurté un chevreuil. Mais il s'est souvenu qu'il a fait laver son véhicule chez Boisvert Autos par la suite.

— Toujours pas d'ADN ? dit Bouthillier. Parce que…

— Boisvert Autos ? le coupa Maud Graham. Frappier est allé chez Ian Boisvert ?

— Oui, c'est normal, ils se connaissent.

— Je vous ai dit que Mary White était mal à l'aise quand je parlais des Frappier. Est-ce qu'ils sont amis ou non ?

— Quel est le rapport avec Cristelle Bouchard ?

— Je l'ignore, admit Graham, mais tout ce monde-là se connaît. Et on dirait que leurs relations sont très complexes… Il faut que Nguyen nous en apprenne un peu plus sur chacun d'eux. Je veux aller chez Ian Boisvert. Entendre ce qu'il peut nous raconter, s'il se souvient que Frappier a fait nettoyer son véhicule.

— Pourquoi s'en souviendrait-il ? dit Bouthillier. C'est le grand boss, il ne s'occupe sûrement pas du lavage des voitures.

— On va tout de même aller le voir, décida Graham. Parler des Lenoir, des Frappier avec lui.

— En tout cas, Frappier n'est pas retourné au garage ni au lave-auto récemment, sinon on n'aurait pas vu les traces de sang sur sa voiture.

— Elles ont été essuyées, rappela McEwen.

— Mal essuyées, corrigea Graham. C'est ça qui est curieux. Si Frappier a vraiment heurté Cristelle Bouchard avec son véhicule, s'il a essuyé les dégâts, il aurait dû être stressé quand vous avez saisi sa voiture. Mais Bouthillier dit qu'il ne lui en a même pas reparlé.

— Je vous ai dit qu'il se fout de tout.

— Dans ce cas, il n'aurait pas nettoyé son véhicule. C'est l'idée que tout a été fait à moitié qui me dérange.

— Je pourrais passer chez lui, suggéra Joubert. Pour lui dire qu'on a trouvé du sang sur son véhicule. Je verrai bien sa réaction.

— Ce n'est pas *casher*… fit Graham tout en approuvant l'idée d'un hochement de la tête.

Elle garda le silence durant quelques secondes avant de relater les événements de la veille : Jessica avait vu son agresseur dans un café, mais il avait malheureusement quitté les lieux quand les patrouilleurs sont arrivés.

— C'est dommage, mais on sait au moins que ce type traîne dans Limoilou. Et qu'il n'a pas l'air sur ses gardes.

— C'est bon ou mauvais signe ? fit Gaétan Péloquin sans obtenir de réponse.

— Est-ce que quelqu'un a pu vous dire quelque chose sur lui au café ? Les employés le connaissent ?

— Une des serveuses croit l'avoir vu une fois, répondit McEwen.

— On avait laissé un portrait-robot dans ce commerce, dit Péloquin. Pourquoi ne nous a-t-elle pas appelés dès qu'il est arrivé ?

— Parce qu'il a sûrement changé de look, maugréa Graham. Un vrai caméléon...

::

Mary White s'escrimait à séparer les glaçons qui devaient orner le sapin de Noël. Elle les avait pourtant rangés l'année précédente en les disposant soigneusement sur un carton : comment pouvaient-ils s'être entremêlés ? Elle tira d'un coup sec sur un de ces serpents argentés, l'enroula autour de son index, le déroula, l'étira jusqu'à ce qu'il se rompe. Elle serra un moment le carton, finit par le relâcher, décida de boire un verre de vin. Elle mettrait un cd et décorerait le sapin dans un climat plus décontracté. Il fallait qu'elle fasse ce sapin. Les enfants ne devaient pas être pénalisés par les événements des derniers jours. Ni deviner le désarroi qui l'habitait. Elle poussa la porte de la cuisine et ouvrit le réfrigérateur, sortit le bourgogne aligoté et remplit un verre, même si elle se sentait un peu coupable de boire de l'alcool avant 17 h. Mais qui dérangeait-elle ? Au moment où elle retournait vers le salon, elle entendit Jasmine entrer. Celle-ci sursauta en voyant sa mère.

— Tu n'es pas à la boutique ?

— Tu n'es pas au collège ?

— Je vais voir Mylène. J'ai pu manquer le dernier cours, j'ai fini nos travaux. Les profs aiment mieux que je m'occupe de Mylène. Éléonore et Dotty viendront nous retrouver. On va essayer de lui changer les idées.

Mary approuva d'un signe de la tête et demanda à Jasmine si elle voulait manger une bouchée avant de repartir.

— J'ai acheté des brioches aux framboises.

— En quel honneur ? s'étonna l'adolescente.

— Comme ça. J'ai quitté la boutique tôt pour m'occuper du sapin. Je suis passée devant la pâtisserie. Tu peux en apporter à Mylène, si tu veux. Et à Lucas. Est-ce que la date des funérailles est décidée ?

— Je... je ne pense pas. Mylène ne m'a rien dit, fit Jasmine en se ruant vers la cuisine pour échapper aux questions de sa mère.

Pourquoi était-elle revenue si tôt à la maison ? Comment pouvait-elle maintenant se changer et se maquiller ? Elle hésita un moment, puis composa le numéro de Mylène. Lui dit qu'elle avait envie d'aller faire un petit tour chez elle. Elle lui expliquerait sur place qu'elle devait s'arranger un peu avant de retrouver Tom au café. Son amie mit du temps à répondre, mais finit par lui dire qu'elle l'attendait. Elle lui apporterait des brioches.

: :

Est-ce que les photos seraient bonnes malgré le manque de lumière ? Maudit mois de décembre aux jours trop courts ! Mylène avait les doigts gelés. Comment prendre des photos avec des gants ? Comment faisaient les gens qui réalisaient des reportages dans l'Arctique ? Elle regrettait d'avoir décidé de suivre Jasmine. Elle ne savait même pas pourquoi elle avait eu cette idée. Parce qu'elles en avaient parlé plus tôt, probablement. Avant que sa mère meure. Non, ne pas penser à sa mère. C'est pour cette raison qu'elle était sortie pour suivre Jasmine. Pour oublier Cristelle quelques instants. Mais elle avait négligé de prendre son bonnet et entendit Cristelle lui dire qu'elle attraperait le rhume. Sa mère lui parlait souvent depuis qu'elle était morte, sans jamais lui dire ce qu'elle voulait entendre. Elle aurait voulu qu'elle la laisse tranquille tout en craignant qu'elle ne lui adresse plus jamais la parole. C'était fou. Elle était en train de devenir folle à penser que sa mère n'allait plus lui parler. Elle crispa ses doigts sur le téléobjectif en voyant la porte du café s'ouvrir. Elle pria pour que ce soit Jasmine et Tom, qu'elle puisse les prendre en photo et remettre ses gants. Elle s'étonna encore une fois de la puissance du téléobjectif et s'activa. Elle prit une photo de Tom tandis qu'il passait sa main dans les cheveux de Jasmine. Jasmine qui se collait contre lui. Lui qui l'enlaçait. Elle qui riait. Il ouvrait son manteau, en sortait un truc blanc. Qu'est-ce que c'était ?

Un animal en peluche ? Cadeau quétaine. Mais Jasmine le pressait contre son cœur, le glissait à son tour dans son manteau. Puis elle secouait la tête, puis Tom l'embrassait, puis ils se regardaient, puis ils s'embrassaient, puis elle s'éloignait de lui. Mylène hésita : Jasmine se rendait sûrement à l'arrêt du bus. Devait-elle courir vers elle et lui dire qu'elle avait réussi de bonnes photos de Tom ou attendre ? Attendre quoi ?

Et si elle suivait Tom ? Juste pour voir où il habitait. Jasmine donnerait cher pour avoir le maximum d'informations sur lui.

Elle aurait fait un excellent détective. Sa mère aurait trouvé ça ridicule. Non. Elle ne voulait pas penser à sa mère. Pas maintenant. Encore dix minutes. Puis elle rentrerait à la maison. Retrouverait son frère. Son père. Radio-Classique en sourdine. Son père refusait qu'ils regardent la télé, qu'ils voient le nom de leur mère se détacher sur l'image des lieux où elle avait perdu la vie. Mais Lucas et elle l'avaient vu, bien sûr. Et fait semblant de ne pas l'avoir vu. Son père ouvrirait la porte du congélateur, hésiterait entre la quiche ou le poulet chasseur. Mylène se dirait qu'elle ne mangerait plus jamais la cuisine de sa mère quand ils auraient dévoré tous les plats congelés. Elle suggérerait plutôt à son père de commander des mets chinois.

Où allait Tom ?

: :

Mercredi 21 décembre

— Je n'y crois pas, déclara Tiffany McEwen. Bouthillier non plus.

— Frappier a admis sa culpabilité, dit Nguyen.

— Les résultats du labo sont formels, confirma Joubert. C'est bien le sang de Cristelle Bouchard qui a été prélevé sur le véhicule de Jean-René Frappier, même si...

— Je n'y crois pas, le coupa McEwen.

— Moi non plus, dit Maud Graham. Ça manque de naturel.

Les agents assis dans la salle de réunion dévisagèrent Graham : qu'essayait-elle de leur communiquer ? Qu'est-ce qui manquait de naturel ? Le meurtre ? L'arrestation de Frappier ? Ses aveux ?

— Pas naturel ? répéta Gaétan Péloquin.

— C'est trop simple, expliqua Graham. On trouve du sang sur le véhicule. C'est celui de Cristelle Bouchard. Joubert se présente chez Jean-René Frappier pour lui poser des questions et il avoue aussitôt être l'auteur du meurtre.

— Il détestait cette femme, avança Alexandre Charlebois, et son alibi n'a pas pu être confirmé. Il a dit qu'il dormait. Sa femme et sa belle-sœur aussi. Personne ne sait où il était vraiment quand Cristelle Bouchard a été frappée. Et on ignore à quoi correspond le kilométrage relevé sur son véhicule. C'est quand même le sang de Cristelle Bouchard qu'il a tenté d'effacer !

— Il ne veut pas d'avocat, dit Graham.

— Il n'est pas le premier à refuser un avocat.

— Il avait l'air vraiment surpris quand je lui ai dit qu'on avait analysé du sang trouvé sur son véhicule. Alors que, jusqu'à maintenant, il se foutait qu'on l'ait embarqué.

— Parce qu'il pensait avoir fait une bonne job de nettoyage, rétorqua Charlebois. Je me demande pourquoi vous cherchez midi à quatorze heures, alors que vous avez un homme qui est passé aux aveux. Qui avait de bonnes raisons de tuer Cristelle Bouchard. Et pas d'alibi.

— Tout ce que tu dis est logique, mais Graham trouve que c'est trop facile, expliqua Bouthillier.

— Calvaire ! Vous devriez être contents…

— Oui, si c'était bien Frappier, le coupable.

— Si ce n'est pas lui, c'est qui alors ? demanda Charlebois.

— On l'ignore pour le moment. Mais on a des zones d'ombre autour de Mary White et Ian Boisvert.

Maud Graham se tourna vers Nguyen.

— Rapporte-leur ce que tu m'as appris au téléphone hier soir.

Elle enleva le papier du muffin au son et raisins qu'elle avait acheté, en route vers le poste. Songea qu'elle en avait mangé trois fois en moins d'une semaine. Au lieu de choisir des tartines de pain complet. Mais elle avait des envies de sucre auxquelles elle n'arrivait pas à résister. Parce qu'elle manquait d'énergie. Parce qu'elle dormait mal. Mais tout rentrerait dans l'ordre, les hormones commenceraient à faire effet, les bouffées de chaleur s'espaceraient. Elle avait déjà l'impression d'être un peu plus concentrée et son intuition au sujet de Ian Boisvert se précisait : cet homme l'intéressait de plus en plus. Elle adressa un signe de tête à Nguyen qui déclara que Ian Boisvert n'existait pas avant 1996.

— Qu'est-ce que tu racontes ? dit Michel Joubert.

— Rien. Il n'y a absolument aucune trace de la vie de Ian Boisvert avant 1996. Carte d'assurance maladie, assurance sociale, permis de conduire : sa réalité en société existe à partir de 1997.

— Et avant ?

— Je continue de chercher, dit Nguyen.

— Il aurait changé d'identité ? avança Bouthillier. Avec ses empreintes, on pourra savoir s'il est fiché dans les dossiers de la SQ ou de la GRC. Ou ailleurs et...

— J'ai demandé un mandat, l'interrompit Graham. Mais en attendant, nous irons le rencontrer.

— Pour une simple enquête de routine, compléta Joubert.

— Mais pourquoi aurait-il tué Cristelle Bouchard ? questionna Péloquin.

— C'était une vraie belle femme, répondit Charlebois. Même morte. Quand je suis arrivé sur les lieux, ça m'a frappé. Ses cheveux dans la neige... Ils brillaient.

— C'était ta première victime ? devina Michel Joubert.

Charlebois acquiesça ; en tant que patrouilleur, il avait déjà vu des victimes d'accident, mais il n'était jamais arrivé le premier sur les lieux d'un accident mortel.

— Et si Cristelle Bouchard était la maîtresse de Boisvert ? suggéra McEwen. Si elle l'avait menacé de tout raconter à Mary ? David Lenoir ne vous a pas avoué que leur couple vivait une crise ?

— La peur est un bon motif pour assassiner quelqu'un, approuva Joubert.

— La peur, la jalousie, la perversité, l'envie, précisa Graham qui marqua une pause avant d'ajouter que bien des gens avaient été tués pour s'assurer de leur silence.

— Dans ce cas-là, Cristelle Bouchard pouvait tout aussi bien être la maîtresse de Jean-René Frappier ! s'écria Charlebois. Elle lui dit qu'elle racontera tout à sa femme, il la tue pour la faire taire. Peut-être qu'il ne veut pas divorcer, qu'il perdrait trop pour une histoire de cul ? Mais Cristelle Bouchard s'entêtait. Vous avez dit l'autre jour qu'elle se pensait supérieure à tout le monde. Frappier a eu peur qu'elle parle à sa femme.

— Ou Boisvert. Qui a pu la faire taire pour un autre motif, murmura Graham.

— Comme quoi ?

— Le trou dans son passé. Admettons que Cristelle Bouchard a connu Ian Boisvert avant 1997. Qu'elle sait pourquoi nous n'avons rien sur lui avant cette année-là.

— Elle l'aurait fait chanter ? demanda Charlebois, incrédule. Durant des années ?

— Il a de l'argent. C'est le plus gros concessionnaire de la région.

— Mais elle aussi, fit McEwen. Leur maison doit valoir tous nos salaires réunis.

— C'est peut-être l'argent de son mari, suggéra Joubert. Pas le sien. Elle ne travaillait pas.

— Pourquoi Ian Boisvert aurait-il accepté qu'elle le fasse chanter tout ce temps-là ? réfléchit Graham. Mary White m'a dit que leurs filles étaient amies depuis toujours. Elle voyait Cristelle régulièrement au centre sportif. Elles n'étaient pas proches l'une de l'autre, mais avaient de bonnes relations. C'était une de ses clientes.

— Je suis sûr qu'elle était la maîtresse de Frappier ! répéta Charlebois.

— Elle n'aurait pas agressé son fils, voyons ! dit McEwen.

— Peut-être qu'ils avaient rompu, s'entêta Charlebois. C'est sur son X3 qu'on a trouvé du sang, pas sur la voiture de Boisvert.

Maud Graham qui avait cru qu'Alexandre Charlebois était encore sous le choc de la découverte du corps de Cristelle Bouchard se demandait maintenant s'il ne transposait pas plutôt une histoire personnelle. Est-ce qu'il trompait sa femme et craignait que sa maîtresse lui révèle tout ? Elle croyait se rappeler qu'il avait deux enfants en bas âge.

— Moi, c'est l'absence de passé de Boisvert qui m'intéresse le plus pour le moment, déclara-t-elle.

Elle demanda à Nguyen de faire le maximum pour en apprendre plus sur Boisvert. Et sur Mary White.

— J'ai déjà vérifié, dit Nguyen. Je peux vous retracer toute sa vie depuis sa première année. Où elle est née, où elle a étudié. Elle a épousé Boisvert en 1998. Leur fille Jasmine est née en 2000, suivie de Matis trois ans plus tard.

— Elle doit savoir pour quelle raison nous ne trouvons rien sur les premières années de son mari, supposa Joubert.

— À moins qu'il lui ait caché son passé, fit remarquer Graham. Ça vaut vraiment la peine qu'on lui rende visite. Un point avant qu'on parte. Nous n'avons rien de nouveau à propos de Jeannot Lapin, mais il demeure une de nos priorités. Il faut que nos patrouilleurs soient à l'affût, vigilants. Ce violeur n'est pas loin…

— Et moi, je rappelle Francine Mathieu, dit McEwen. Elle était une amie de Cristelle depuis longtemps, peut-être que celle-ci lui a déjà parlé de Ian Boisvert. Peut-être que Francine aussi le connaissait avant 1997.

— Cristelle Bouchard lui aurait confié qu'elle faisait chanter Boisvert? s'étonna Bouthillier. Il me semble que ce n'est pas le genre de choses dont on se vante. À moins que Ian Boisvert ait commis une faute que Francine Mathieu trouvait aussi punissable?

— Après tant d'années? répéta Graham.

— Je verrai bien ce que Francine Mathieu me racontera, fit McEwen.

— Et si Boisvert avait plutôt commis cette faute récemment? souleva Graham. Si Cristelle Bouchard l'avait su et avait voulu le faire chanter? Si elle avait de quoi ruiner sa réputation? Ou sa vie familiale? J'ai hâte de le rencontrer.

14

Mercredi 21 décembre

Joubert émit un sifflement admiratif en regardant la douzaine de voitures exposées dans le hall d'entrée de Boisvert Autos.

— C'est grand! dit Maud Graham. Toutes ces autos ici, et celles à l'extérieur. Ça doit rapporter beaucoup d'argent. Boisvert avait les moyens de payer Cristelle Bouchard...

— Mais il en avait peut-être marre, fit Joubert avant de sourire à une jeune femme qui s'avançait vers eux.

— Je peux vous aider? Vous désirez voir un modèle en particulier? On s'occupe de vous tout de suite...

— Nous voulons parler à M. Boisvert, répondit Graham en faisant semblant de vérifier le nom sur son carnet. C'est pour une enquête de routine.

— À propos de Mme Bouchard? s'enquit l'employée. C'est épouvantable ce qui lui est arrivé!

— Vous la connaissiez bien? demanda Joubert.

— Bien sûr, tout le monde la connaît ici. C'est une bonne cliente, son mari aussi. Et elle aime... aimait les belles voitures. Elle a acheté un VUS à cause de ses enfants, même si elle aurait préféré un modèle plus élégant, plus racé. Mais c'est certain qu'avec les équipements de hockey à trimbaler, les skis, les patins, c'est plus pratique qu'un coupé sport.

— Il me semble que son mari m'a dit que leurs fils jouaient dans la même équipe.

— Oui. Et leurs filles jouent ensemble au tennis. Et font de la danse irlandaise.

— Vous êtes au courant de tout, nota Graham.

— C'est une grande famille, ici. Je suis là depuis toujours.

— Vous êtes pourtant bien jeune, s'étonna Joubert.

— Ma mère travaille ici, mon père travaille ici. Julien Faucher, mon oncle, est l'associé de Ian, dit Fiona. Je les appelle tout de suite. Ils sont dans le bureau de mon oncle.

Elle échangea quelques mots avec Ian Boisvert, puis proposa à Joubert et Graham de se rendre dans le bureau des ventes. Elle salua un couple qui venait d'acheter une nouvelle voiture et le suivit du regard en souriant.

— Ils ont l'air vraiment contents, constata-t-elle avec plaisir. Je vous sers un cappuccino ? Ou un expresso ?

— Pourquoi pas ? dit Graham en enlevant son manteau. C'est très gentil.

— C'est mon oncle Julien qui a initié Ian au bon café.

— Ils sont associés depuis longtemps ?

— Dix ans. Julien a commencé par travailler pour Ian, puis Ian lui a offert de s'associer quand il a décidé d'agrandir. Regardez les photos sur le mur du fond, vous verrez les transformations.

— Mais le nom n'a pas changé. C'est resté Boisvert Autos.

— C'était moins compliqué, dit Fiona avant de s'éclipser.

Joubert se débarrassait à son tour de son manteau lorsque Ian Boisvert fit son entrée dans le bureau, suivi de Julien Faucher qui ne cachait pas sa perplexité. Les deux hommes tendirent la main aux enquêteurs et Joubert les assura qu'ils ne les dérangeraient pas longtemps.

— En fait, c'est M. Boisvert qu'on est venus rencontrer, dit-il. Mais votre nièce nous a dit que vous connaissiez aussi Cristelle Bouchard. Tout ce qu'on peut apprendre sur elle nous servira peut-être…

— Je ne vois pas trop ce que je pourrais vous raconter, commença Julien Faucher. C'était une cliente particulière.

— Particulière?

— Elle connaissait vraiment les voitures. Elle a posé un paquet de questions avant d'acheter son dernier véhicule. Des questions très précises sur la puissance, le réservoir, le coffre, les freins, le diamètre de braquage. Elle a critiqué la visibilité arrière, mais a fini par se décider après l'avoir essayé. Elle était bien renseignée avant d'arriver ici.

Faucher échangea un regard de connivence avec Boisvert qui hocha la tête. Oui, Cristelle savait ce qu'elle voulait.

— Vous la connaissiez depuis longtemps?

— Depuis que nos enfants sont petits.

— C'est vrai, se rappela Graham, votre femme me l'a dit. Ça remonte à au moins quinze, seize ans, puisque c'est l'âge de votre fille Jasmine, c'est ça?

Ian Boisvert esquissa un signe de tête affirmatif, s'efforça de ne pas quitter Graham des yeux. Pourquoi voulait-elle savoir depuis quand il connaissait Cristelle Bouchard? Pourquoi débarquait-elle maintenant avec cet autre enquêteur?

— Vous vous êtes connus à Québec?

Boisvert acquiesça: à quoi rimait cette question? Que vérifiait cette enquêtrice dans son calepin? Voilà qu'elle relevait la tête, lui souriait. Disait que Québec était une ville qui attirait les gens. Qu'est-ce qu'elle racontait?

— Ne l'écoutez pas, dit Michel Joubert sur un ton complice. Il n'y a personne de plus chauvin que ma patronne.

— C'est tout de même amusant de songer que vous veniez tous d'ailleurs, Mary d'Ottawa, Cristelle Bouchard et son mari de Montréal. Et vous…

Graham attendit la réponse de Boisvert qui mit quelques secondes de trop à arriver.

— J'ai beaucoup bougé avant de m'installer à Québec. Mais vous avez raison, c'est une très belle ville.

— Vous êtes originaire de quel coin ?

— Le nord. Un trou perdu.

— En Abitibi ? demanda Joubert.

— Qu'est-ce que je peux faire pour vous ? le coupa Ian Boisvert. Je ne veux pas être désagréable, mais le travail…

— On voulait seulement vous parler de Jean-René Frappier.

— De Jean-René Frappier ? répéta Boisvert.

Cette enquêtrice lui apportait-elle la nouvelle de son arrestation ? Non, elle n'avait aucune raison de venir lui faire cette annonce. Que voulait-elle savoir au sujet de Frappier ? Elle avait vu Mary, mais c'était impossible que celle-ci lui ait parlé de sa relation adultère. Et c'était impossible que le type qui cherchait son maudit chat devant la demeure des Frappier l'ait identifié. Il n'était pas sorti de son véhicule. Il ne le connaissait même pas. Il fallait chasser immédiatement cette attaque de paranoïa. Cette enquêtrice devait lui poser des questions de routine, parler à tous les gens qui connaissaient Cristelle. Elle s'était entretenue avec Mary, c'était normal qu'elle s'adresse maintenant à lui. C'était sa question sur ses origines qui l'avait agacé, mais elle n'avait pas insisté pour savoir dans quelle ville il était né ni où il vivait précisément avant de s'installer à Québec.

— M. Frappier nous a dit qu'on avait lavé son véhicule ici, cet automne, expliqua Maud Graham.

— Lavé son véhicule ?

Graham fixa Boisvert durant un instant avant de faire semblant de vérifier ce qu'elle avait noté dans son calepin.

— En novembre, après être allé à la chasse. Vous saviez qu'il chassait ?

— Oui.

— Vous chassez aussi ? demanda Joubert. Vous avez des armes ?

Ian Boisvert acquiesça, il avait un vieux fusil, mais n'était pas allé à la chasse depuis des années.

— Je m'étais dit que j'y emmènerais Matis, mais finalement... Quel est le lien avec Jean-René Frappier?

— Il serait venu ici après avoir heurté un animal. Pour faire installer ses pneus d'hiver.

— Oui, affirma Fiona Faucher qui revenait avec les cafés. M. Frappier a fait poser ses pneus d'hiver ici en novembre dernier.

— Si Fiona le dit, c'est que c'est vrai, approuva Ian Boisvert. Elle a une mémoire incroyable! Elle se souvient de tout.

— Vous confirmez que sa voiture a bien été nettoyée la même journée, dit Graham en ouvrant son calepin pour noter cette information.

— J'en suis certaine. C'est systématique: il n'y a pas une voiture qui sort du garage sans être brillante comme une neuve.

— Est-ce que Jean-René Frappier est revenu ici depuis ce rendez-vous?

— Non, répondit Fiona.

— Nous ne l'avons revu qu'aux obsèques de son fils, compléta Ian Boisvert.

— Est-ce qu'il vous a parlé de Cristelle Bouchard?

— De Cristelle? À propos de l'incident avec les garçons? Graham hocha la tête.

— Il n'y avait pas grand-chose à discuter. Ma position était claire. Il était hors de question qu'on porte plainte contre Cristelle. C'était une idée de Nathalie, mais ça n'avait pas de bon sens. C'était exagéré.

— Et vous ne deviez pas avoir envie de perdre la clientèle des Bouchard-Lenoir, avança Joubert.

Ian Boisvert fixa Joubert durant un moment avant de répondre qu'il leur avait déjà expliqué que les enfants étaient amis.

— Pas tant que ça, si Lucas Lenoir s'est plaint que Simon, Étienne et Matis se moquaient de lui, le contredit Graham.

— Ce sont des histoires de gamins, fit Boisvert d'une voix plus tendue qui réjouit Graham.

Il commençait à s'impatienter. Serait peut-être moins réfléchi dans ses réponses. Il inspira profondément avant de dire qu'il était heureux, vu les derniers événements, de ne pas s'être brouillé avec la famille Lenoir.

— David vit des moments difficiles, tout comme ses enfants…

— Vous auriez pu aussi perdre la clientèle des Frappier, l'interrompit Joubert.

— Vous croyez vraiment que j'ai pensé à tout ça ? se rebiffa Boisvert. De toute manière, Jean-René Frappier ne pouvait pas porter plainte contre Cristelle. Vous savez aussi bien que moi qu'il l'a menacée. Tout le monde est au courant. David aurait pu réagir avec beaucoup moins d'élégance. Jean-René Frappier a toujours été trop impulsif…

— Vraiment ? fit Graham avec intérêt.

— Personne n'a été étonné qu'il engueule Cristelle. Il est très virulent lors des parties de hockey. Il contrôle mal ses émotions. Je ne devrais pas parler de lui ainsi, après ce qu'il a vécu avec le suicide d'Étienne, mais bon…

— Est-ce qu'on peut voir le modèle que Frappier a acheté ici ? s'enquit Michel Joubert.

— Le X3 ? s'étonna Julien Faucher. Pourquoi ?

— On a saisi le véhicule de M. Frappier, répondit Graham.

— Saisi ? s'écria Boisvert. Comment ça ?

— Pour fins d'analyse, expliqua Joubert. C'est la procédure.

— La procédure ? demanda Fiona Faucher.

— M. Frappier a menacé Mme Bouchard. Elle a été tuée. C'est normal qu'il soit sur la liste des suspects. On peut voir le modèle ?

— Les X3 sont dans l'aile gauche, au bout de la rangée, indiqua Faucher. Mais je ne comprends toujours pas pourquoi vous voulez voir le modèle que Jean-René a acheté ici.

— Nous n'étions pas là quand il a été saisi, dit Graham. J'ai vu les photos prises par les techniciens, mais il paraît qu'on se fera une meilleure idée devant le véhicule. Ce n'est pas mon opinion, mais je dois obéir à…

— Une meilleure idée?

— De sa hauteur. De l'endroit où un corps peut être heurté. Pour voir si le sang peut se retrouver là. C'est ce qu'on nous a demandé et…

— Un corps? s'écria Fiona.

— Qu'est-ce que vous racontez? fit Julien Faucher. Vous pensez vraiment que c'est Jean-René qui a tué…

— Ça ne se peut pas, gémit Fiona. Il était bouleversé d'avoir heurté le chevreuil! Jean-René n'est pas…

— On peut voir les véhicules? insista Joubert. On prend deux ou trois photos, puis on vous laisse travailler.

Ian Boisvert haussa les épaules et passa devant Graham et Joubert, se répétant qu'il était impossible qu'ils remarquent quoi que ce soit de suspect sur le X3 qu'il avait utilisé. Il avait tout nettoyé avant de le garer avec les modèles de la même série.

Maud Graham remonta le col de son manteau, tandis que Joubert enfilait ses gants pour suivre Ian Boisvert et Julien Faucher. Elle posa la main sur l'épaule de ce dernier, lui dit qu'il pouvait retourner à ses occupations, qu'ils n'avaient pas besoin de se déranger tous les deux pour leur montrer les véhicules.

— Nous n'en avons que pour une minute. Ce n'est pas la peine de vous habiller pour nous suivre.

— On revient tout de suite, renchérit Joubert. Je prends des photos pour notre *boss* et on repart.

Elle jeta un coup d'œil à Ian Boisvert qui haussa à nouveau les épaules avant de récupérer son anorak dans le petit bureau du hall d'entrée. Il ouvrit la porte du fond, se tourna à demi pour vérifier que les enquêteurs le suivaient, entendit Maud Graham pester contre le froid. Tant mieux, elle n'aurait pas envie de rester trop longtemps dehors. Il s'avança jusqu'à l'extrémité de l'aile gauche du terrain de stationnement, désigna les véhicules utilitaires d'un geste large.

— C'est le modèle qu'a acheté Jean-René Frappier.

— En gris ? C'est ça ? C'est ce que m'ont dit les agents.

Graham se dirigea vers la rangée de véhicules, se tourna vers Joubert.

— Tu les photographies.

— Les cinq ?

— Les cinq gris. C'est ce qu'on nous a demandé. Tu étais là quand Gagné nous en a parlé. Pour moi, ils se ressemblent tous, mais fais ce que nous a dit notre *boss* pour qu'on puisse rentrer, j'ai froid. Pas besoin de faire des photos d'artiste, c'est juste la hauteur qui m'intéresse.

Comme ils l'avaient convenu entre eux avant d'arriver chez Boisvert Autos, Michel Joubert mit du temps pour récupérer son téléphone.

— Dépêche-toi, on gèle, répéta Graham avec impatience. Ce n'est pas si compliqué de prendre des photos.

— Il faut que je les déneige un peu. J'en ai pour deux minutes, plaida-t-il.

— Fais ça vite.

Graham poussa un soupir avant de se tourner vers Ian Boisvert.

— On a arrêté Jean-René Frappier, ce matin.

Lut-elle un soulagement sur le visage de Boisvert entre deux cillements de paupières ?

— Quoi ?

— On ne voulait pas vous l'annoncer devant votre associé et votre employée, expliqua Graham, mais David Lenoir m'a parlé de votre relation…

— Ma relation avec Frappier ?

Maud Graham notait encore une fois que Boisvert ne désignait jamais Jean-René Frappier par son prénom, alors qu'il le faisait pour Cristelle, Nathalie, Evelyne et David.

— Je ne sais pas quoi vous répondre, commença Boisvert. Je connais Frappier parce que…

Graham eut un geste pour l'interrompre : elle parlait plutôt de sa relation avec David Lenoir. Qui lui avait dit qu'il était très présent pour lui et les enfants.

— C'est normal.

— Quand on lui a appris qu'on avait arrêté Jean-René Frappier, il nous a dit que vous en aviez discuté ensemble. Que vous lui aviez rappelé à quel point il était impulsif. Et vous venez de me le dire aussi.

— Ce n'était pas sorcier d'imaginer qu'il pouvait s'en être pris à Cristelle, fit Boisvert.

Il tentait de suivre les mouvements de Joubert, partiellement caché par Maud Graham. Que cherchait-il au juste ?

— J'avoue que nous n'avons pas été étonnés que David Lenoir mentionne Jean-René Frappier…

— C'était une évidence.

— Vous avez pourtant eu l'air surpris quand j'ai dit qu'on avait saisi son véhicule ? l'interrompit Graham.

— Même si j'avais des soupçons, c'est toujours étonnant.

— Mais David Lenoir vous a dit hier que des techniciens avaient embarqué le véhicule pour l'envoyer au laboratoire.

Ian Boisvert plissa les yeux, secoua la tête. David se trompait, il avait dû raconter ça à quelqu'un d'autre.

— C'est un homme bouleversé, c'est compréhensible.

— Bien sûr, approuva Graham.

Elle s'approcha de Joubert et lui glissa quelques mots à voix basse. Il hocha la tête, prit en photo les deux derniers véhicules de couleur grise avant de ranger l'appareil dans la poche de son manteau.

— On ne vous dérange pas plus longtemps, dit-il à Ian Boisvert.

Ils longeaient les rangées de voitures et allaient se diriger vers leur propre véhicule lorsque Graham se tourna vers Boisvert.

— Une dernière question. Où étiez-vous quand Cristelle Bouchard a été tuée ?

Ian Boisvert la dévisagea une fraction de seconde avant de répondre qu'il était chez lui, en famille.

Graham ôta ses gants, sortit son calepin, son crayon comme si elle allait noter cette information, se ravisa, feuilleta le carnet et esquissa un sourire pour s'excuser.

— J'aurais dû m'en souvenir, votre femme me l'avait dit. On finit par ne plus savoir à qui on a posé telle ou telle question.

— J'imagine, fit poliment Ian Boisvert tandis que Graham continuait à farfouiller dans son calepin.

— Ce qui complique les choses, c'est que tout le monde nous raconte la même histoire. Vous étiez chez vous devant la télé, David Lenoir également, tout comme Jean-René Frappier qui s'est endormi avant la fin du match de hockey. Regardiez-vous aussi la partie ?

Ian Boisvert cligna à nouveau des yeux avant de secouer la tête. Cette policière lui tendait-elle un piège ou était-ce Jean-René Frappier qui lui avait menti ?

— Ça ne se peut pas. Il n'y avait pas de partie vendredi soir.

— Qu'avez-vous regardé ?

— Je n'étais pas devant la télé, je bricolais. Je fabrique un cellier.

— Ah bon ? C'est compliqué ? fit Graham tout en consultant son calepin, relevant la tête pour lire à haute voix. « Ian et moi avons regardé la télé ensemble, je me suis endormie. » C'est ce que votre femme m'a dit.

— J'ai bricolé pendant qu'elle dormait.

— Toute la soirée ? demanda Joubert.

Ian Boisvert fit signe que oui.

Graham fronça les sourcils.

— J'ai cru comprendre que vous étiez allé chercher Jasmine au cinéma.

Boisvert haussa les épaules. Oui, effectivement, il avait joué les chauffeurs de taxi pour Jasmine et Mylène.

— La fille de David Lenoir, précisa Graham en s'adressant à Joubert. Elles sont amies, de grandes amies, comme moi et Léa. Bon, on y va ?

Elle referma son calepin, tendit la main à Ian Boisvert, lui redit que c'était formidable que lui et sa famille soient si présents pour les Lenoir.

— David Lenoir m'a même dit qu'il n'avait jamais imaginé que vous seriez aussi proche de lui.

— C'est normal, répéta platement Boisvert en se demandant si les enquêteurs allaient finir par lever le camp, se retenant de soupirer quand Maud Graham ressortit son maudit calepin.

— Je vous lis ce qu'il a dit : « Ian m'a surpris. Nous n'étions pas du tout intimes, mais il se comporte comme un frère. Le mien arrivera du Japon demain et c'est une chance que je puisse compter sur lui. » Vous saviez qu'il avait un frère au Japon ?

Ian Boisvert secoua la tête : où voulait-elle en venir ? Elle lui rappelait le lieutenant Columbo qui lassait ses suspects avec toutes ses questions stupides. David lui avait dit qu'elle était méticuleuse : soit elle l'était vraiment, soit elle faisait semblant d'être tatillonne pour l'exaspérer. Il n'allait certainement pas perdre patience et commettre une erreur.

— Non, j'ignorais qu'il a un frère qui vit au loin.

— Vous-même avez un frère qui ne vit pas ici ?

Qu'avait raconté Mary à Maud Graham ? Elle lui avait relaté sa visite à la boutique, mais elle n'avait jamais dit que la policière l'avait interrogée à propos de sa famille. Que devait-il répondre ?

— On y va ? demanda Michel Joubert en tapotant sa montre. On a une réunion dans vingt minutes.

— Merde ! J'avais oublié, mentit Graham en remettant aussitôt ses gants. On file !

Elle salua Ian Boisvert en le remerciant de sa collaboration et allait revenir vers le hall d'entrée quand Boisvert lui dit qu'elle pouvait se rendre plus vite au stationnement en bifurquant vers la droite.

Dès qu'ils démarrèrent, Graham jeta un coup d'œil au rétroviseur. Comme elle l'avait prévu, Ian Boisvert les regardait s'éloigner.

— Il a eu peur qu'on reste là.

— Il était trop en contrôle pour être honnête.

— J'espère que McEwen obtiendra des infos du côté de Francine Mathieu.

— On s'arrête pour dîner ? proposa Joubert.

— Ça nous fait faire un détour, mais on pourrait luncher au resto de l'hôtel PUR. C'était vraiment bon, la dernière fois. On aura le temps de tout revoir avant le briefing.

: :

— Qu'est-ce qu'on fait avec Frappier ? s'informa McEwen avant même que tous les enquêteurs soient assis dans la salle pour la réunion de 15 h.

— On le garde au chaud, répondit Graham. Pour rassurer Boisvert.

— De toute manière, c'est ce qu'il veut, marmonna Charlebois.

— Non, protesta McEwen, il ne sait pas ce qu'il veut.

— Il nous fait perdre notre temps !

— Au contraire, dit Graham d'un ton sec, il nous permet d'en gagner avec Boisvert.

Alexandre Charlebois était-il aussi buté qu'il le paraissait ? Ou paresseux ? Prêt à se contenter des aveux de Frappier pour l'envoyer au pénitencier. Est-ce que toute l'équipe devait subir son mauvais esprit ? Elle s'apprêtait à le remettre à sa place quand une sonnerie retentit. McEwen jeta un coup d'œil à son appareil.

— C'est Francine Mathieu.

Le silence se fit aussitôt dans la pièce tandis que Tiffany McEwen lui répondait.

Elle la remercia de l'avoir rappelée, s'enquit de la santé de son mari avant de lui demander si elle avait réfléchi à ses derniers entretiens avec Cristelle Bouchard.

Tout en l'écoutant, elle prenait des notes, mais son visage s'éclaira d'un large sourire lorsque Francine Mathieu lui apprit qu'elle avait croisé Ian Boisvert avec son amie en octobre et que sa ressemblance avec un étudiant qu'elle avait connu à l'université avait intrigué Cristelle.

— J'avais retrouvé sa photo dans le journal de la faculté. Je ne sais pas si c'est le Ian Boisvert que connaissait Cristelle. À l'époque, il s'appelait plutôt Yvan Nelson et il a été arrêté pour trafic de stéroïdes. C'est ce que j'ai raconté à Cristelle, mais nous n'en avons pas reparlé. C'est tout ce que je peux vous dire. J'aurais voulu vous envoyer la photo, mais en ce moment, avec mon mari malade, je ne sais plus où j'ai rangé le journal.

Tiffany McEwen rassura Francine Mathieu: ils effectueraient facilement les recherches sur ce Yvan Nelson.

— Il est lié à la mort de Cristelle? soupira Francine Mathieu. Si je ne l'avais pas reconnu, il ne s'en serait pas pris à elle.

— Je vous arrête tout de suite, protesta McEwen. Le seul coupable, c'est celui qui a renversé Mme Bouchard. Et je vous rappellerai quand nous le trouverons.

Au moment où McEwen terminait cet entretien, Graham répondait à Nguyen à qui Joubert avait relayé le nom de Yvan Nelson.

— Trafic de stéroïdes, deux ans de pénitencier à Vancouver. Je continue mes recherches pour savoir ce qu'il a fait en sortant de prison.

— On le tient! s'écria Maud Graham en se moquant de sentir une bouffée de chaleur l'envahir.

Les regards de ses collègues brillaient de curiosité. Tous s'étaient redressés sur leur chaise.

— Nguyen va nous envoyer une photo de Yvan Nelson dès qu'il aura communiqué avec les autorités de Vancouver. Ou avec la GRC.

— On a un motif! exulta McEwen. Je savais que Frappier n'était pas coupable!

Elle se tourna à demi vers Alexandre Charlebois qui évita son regard, puis elle revint vers Maud Graham.

— On garde Frappier ici, dit celle-ci. Et il faut que Boisvert le sache.

Elle réfléchit durant quelques secondes, puis s'adressa à Joubert.

— Appelle Boisvert. Dis-lui qu'on n'aurait pas dû lui apprendre l'arrestation de Frappier, qu'il ne faut surtout pas qu'il en parle ni que les médias soient au courant, sinon un bon avocat saura tirer avantage de la situation pour le sauver. Ça devrait le rassurer pour les prochaines heures, le temps qu'on obtienne un mandat.

— Pour fouiller chez Boisvert Autos? s'enquit Gaétan Péloquin.

— Souviens-toi du rapport des techniciens. On aurait dû avoir une trace d'impact sur le devant du véhicule, à côté de la grille. Il y a une légère déformation sur la grille, mais la bosse sur le véhicule est décalée. Ils l'expliquent d'une seule manière: changement de grille. C'est pour ça que Joubert a pris des photos tantôt.

— Je les ai prises pour que Boisvert se demande si je pouvais voir des marques et aussi pour savoir s'il déplace ses véhicules. Je les ai à peine effleurés pour les déblayer. S'il y touche pour vérifier quoi que ce soit, cela paraîtra.

— Tu as dû inquiéter Boisvert en prenant des photos, souleva Bouthillier. Tu viens de dire qu'il fallait le rassurer.

— Il faut plutôt le troubler, précisa Graham. Souffler le chaud et le froid. Si on a de la chance, un des véhicules portera une marque.

— Pourquoi n'a-t-il pas caché ce véhicule ailleurs ? demanda Charlebois.

— Pour ne pas attirer l'attention de son associé ou de leurs employés. Si quelqu'un s'était aperçu qu'il manquait un X3 ?

— Il aurait pu dire qu'il l'avait prêté à un client, un futur client, insista Charlebois.

— Boisvert aurait dû répondre à trop de questions, fit McEwen. Et il manquait de temps. C'était plus simple de garer le véhicule parmi d'autres véhicules identiques et de faire la réparation plus tard.

— S'il y a vraiment une bosse sur le capot, ajouta Graham. On ne le sait pas encore. En attendant, je veux une surveillance discrète de notre suspect. Et savoir où sont les caméras chez Boisvert Autos.

— On en a repéré plusieurs, dit Michel Joubert. Et par un drôle de hasard, les BMW X3 sont tout au fond du terrain de stationnement, hors de leur champ…

::

Que le lapin était doux, songea Jasmine en glissant sa main dans son fourre-tout pour caresser la peluche. Elle aurait dû se concentrer sur le cours d'histoire, mais elle ne pouvait s'empêcher de penser à Thomas. Il était tellement adorable de le lui avoir offert ! C'était le signe qu'il tenait à elle, qu'il avait vraiment eu envie de la revoir, même si elle l'avait agacé en reportant leur rencontre. Heureusement, hier après-midi, tout s'était bien passé. Ils avaient traîné au café et Tom l'avait questionnée sur sa vie, ses amis, ses projets. Il l'avait encouragée à vivre ailleurs. « C'est inspirant, lui avait-il confié, et on fait de belles découvertes. Je ne t'aurais pas connue si je n'étais pas venu étudier à Québec. » Comme elle n'en revenait pas qu'il ait préféré Québec à Montréal, il lui avait expliqué qu'il en avait marre des grosses villes après avoir fréquenté un lycée parisien, avoir dû prendre le métro et le train tous les jours pour rentrer à Versailles. Versailles ! C'était incroyable qu'il soit né dans cette ville qu'elle avait toujours eu envie de visiter. Tom l'avait prévenue, elle serait un peu déçue quand elle la verrait : si le palais et les jardins de Versailles étaient impressionnants, le reste de la ville n'avait rien d'exceptionnel. C'était une ville bourgeoise comme on en voyait tant. Jasmine ne savait pas ce que Tom voulait dire exactement par « bourgeoise », mais n'avait pas demandé d'éclaircissements, s'était contentée de répéter que c'était son rêve de vivre en France. Quand elle lui avait fait remarquer qu'il n'avait pas un accent français très prononcé, il lui avait expliqué qu'il prenait naturellement l'accent du lieu où il s'installait. « Tu es un genre de caméléon », lui avait-elle dit. Il avait souri, visiblement amusé par cette image, l'avait comparée à son tour à une gazelle, longue, fine, racée. Elle s'était sentie rougir, n'avait pas su quoi répondre. Il avait posé la main sur son épaule, avait suivi l'os de la clavicule jusqu'à son cou, avait dit qu'elle pourrait être mannequin. Elle avait protesté. Il avait répété qu'elle était belle. Qu'il serait très fier de l'emmener au Lézard. Il avait ajouté qu'il avait pensé durant un moment qu'elle le faisait marcher, qu'il ne l'intéressait pas puisqu'elle avait repoussé tous leurs rendez-vous. Elle s'était à nouveau récriée, avait reparlé du meurtre de la mère de Mylène. Il s'était informé des obsèques ; avaient-elles lieu cette semaine ? Non, plus tard. C'était donc parfait, ils pourraient se revoir demain. Demain ? Il voulait l'inviter à souper chez Les Fistons. Peut-être prendre un apéro chez lui avant ? « Si tu n'es pas allergique aux chats. » Non, elle les adorait ! Elle et Mylène auraient aimé en avoir, mais leurs frères étaient tous les deux allergiques. Ils étaient sortis du café, Tom lui avait alors offert le petit lapin. « Pour que tu penses à moi ce soir. » Ils s'étaient donné rendez-vous devant ce café.

Jasmine regarda l'horloge murale : elle retrouverait Tom dans trois heures. Elle avait apporté son corsage noir qu'elle porterait avec son jean. Avait prévenu ses parents qu'elle ne viendrait pas souper, qu'elle passerait la soirée chez Dotty. Elle avait hâte que Tom l'embrasse à nouveau, qu'il la caresse. Elle était certaine qu'il était bien plus doué qu'Éloi ou Antonin. Ils étaient trop jeunes pour elle. Alors que Thomas...

::

Maud Graham regardait les visages réjouis de ses collègues qui avaient écouté Nguyen leur relater son entretien avec un officier de la GRC, qui était persuadé comme lui que Yvan Nelson et Ian Boisvert n'étaient qu'un seul et même individu.

— La photo du journal étudiant est floue, mais pas celle de son casier judiciaire. Il y est plus jeune, mais c'est bien lui quand il a été arrêté à Vancouver.

— Comment se fait-il qu'il se soit évanoui dans la nature sans que personne s'en aperçoive ?

— Il s'est trouvé un boulot au Yukon en sortant du pénitencier. Les autorités ont vérifié à l'époque s'il s'était bien rendu là, s'il y travaillait vraiment. Tout était OK. Après un an, il a quitté le Yukon, on a perdu sa trace. C'était un petit délinquant. Son trafic de stéroïdes n'était pas énorme. Je suppose que la GRC n'a pas dépensé des sommes folles pour savoir ce qu'il était devenu.

— Puis il a ressuscité ici ? fit McEwen.

Nguyen projeta sur l'écran mural la photo de Yvan Nelson, puis celle de Ian Boisvert qu'il avait retouchée : il avait ajouté des lunettes et modifié la coupe de cheveux.

— Il ne pourra pas nier que c'est lui quand vous l'arrêterez, fit Nguyen avec une note de satisfaction.

— Qu'est-ce qu'on attend ?

— Un mandat, dit Joubert.

— Même s'il reconnaît avoir une double identité, rappela Graham, cela n'en fait pas le meurtrier de Cristelle Bouchard. Je ne veux pas refroidir votre enthousiasme, mais on doit garder en tête que nous n'avons pour l'instant que des hypothèses. On a besoin d'éléments concrets, ce qu'on trouvera peut-être chez Boisvert Autos.

— Ou d'aveux, dit Bouthillier, mais…

— Mais si ce type a pu garder son secret durant vingt ans, reprit Graham, il doit savoir se taire.

— Qu'est-ce qu'on raconte à David Lenoir ? fit Bouthillier. À propos de Jean-René Frappier ?

— La vérité. Que nous n'avons pas encore de preuves formelles qu'il est l'auteur de l'accident qui a coûté la vie à son épouse. Qu'on attend des résultats d'analyse.

— Tu crois qu'il s'en contentera ?

— Il va être très pris ce soir. Son frère arrive du Japon pour l'aider à organiser les funérailles. Qui s'occupe de la surveillance de Boisvert ?

Bouthillier se proposa en même temps que Charlebois.

— Vous restez très discrets, c'est clair ?

: :

David Lenoir regardait son frère serrer Mylène contre lui avec émotion. Sa fille semblait si contente de le voir malgré les circonstances. Elle s'était jetée dans ses bras dès que la porte s'était ouverte sur le voyageur.

— Tu as tellement grandi ! dit Jean-Philippe. Tu es devenue une belle fille ! Et toi, un vrai jeune homme.

Lucas avait eu un sourire hésitant, ne sachant que répondre à cet oncle dont il se souvenait à peine. Il n'était pas venu au Québec depuis sept ans. Si Mylène s'était entretenue avec lui régulièrement, car il était son parrain, lui n'avait pas grand-chose à lui dire. Il était cependant content qu'il vienne habiter chez eux pour quelques jours, peut-être que cela les aiderait. Il ignorait comment cet étranger pouvait améliorer leur quotidien, mais il l'espérait, même s'il ne voulait pas entendre son père et son oncle parler des obsèques de sa mère. Tout était abstrait depuis qu'elle était disparue et cela devait rester comme ça. Il s'anima lorsque Jean-Philippe ouvrit son sac de voyage pour en tirer un boîtier qu'il lui tendit.

— C'est le jeu le plus à la mode au Japon maintenant.

Il se tourna vers Mylène. Son cadeau était dans sa valise. Il le lui donnerait après l'avoir vidée. Pouvait-elle lui indiquer où il dormirait?

— Veux-tu te coucher tout de suite? s'inquiéta-t-elle.

— Bien sûr que non!

— On va souper tous ensemble, dit David, et te laisser te reposer ensuite.

Jean-Philippe posa une main sur l'épaule de son frère en lui disant que lui aussi avait bien besoin d'une longue nuit. Il vit briller les yeux de David qui retint son souffle, refusant de se laisser aller, de pleurer de nouveau devant ses enfants.

— C'est bien que tu sois là, murmura-t-il.

— Je resterai le temps qu'il faudra, l'assura Jean-Philippe.

Il suivit sa filleule vers la plus spacieuse des chambres d'amis. Il déposa sa valise sur le lit, l'ouvrit immédiatement pour en tirer un kimono de soie bleu qu'il offrit à Mylène.

— Pour moi?

— Tu n'es plus une petite fille, maintenant. Toutes les femmes japonaises ont leur kimono. Mais les jeunes de ton âge aiment tout ce qui est *kawaï*.

— *Kawaï*? répéta Mylène.

— Mignon, *cute*. Les petites poupées, les peluches minuscules ou drôles. Je te montrerai tantôt. Je prends une douche et je vous rejoins dans dix minutes.

— J'allume la lumière, fit Mylène en entrant dans la salle de bain.

Elle appuya sur le commutateur et vit quelque chose scintiller sur le carrelage. Elle se pencha pour distinguer l'objet et reconnut la boucle d'oreille que Cristelle avait perdue. Elle serra la boucle, poussa un petit cri quand la tige pénétra dans la paume de sa main et se mit à sangloter. Jean-Philippe se précipita vers elle.

— Qu'est-ce qui se passe ? Tu saignes ?

— C'était à maman. Elle la cherchait. Je l'ai trouvée trop tard. Tout est trop tard.

Jean-Philippe caressa les cheveux de Mylène jusqu'à ce qu'elle s'apaise en se demandant comment il pourrait aider sa nièce, son neveu, son frère. Mylène finit par essuyer ses larmes et lui dit que son père avait acheté le souper chez un traiteur.

— Un bon. Celui que maman trouvait le meilleur. Elle l'avait engagé pour notre fête d'Halloween.

Jean-Philippe crut que Mylène se remettrait à pleurer, mais elle lui dit qu'elle lui montrerait les photos qu'elle avait prises durant la soirée avec son Nikon.

— C'est un super appareil que tu m'as donné ! dit-elle.

— Pas trop compliqué à apprivoiser ? C'est sûr que c'est plus simple de faire des photos avec un iPhone, mais on ne peut pas vivre au Japon sans penser que c'est mieux d'avoir un vrai appareil. Tu t'en sers souvent ?

— Tout le temps ! J'aimerais devenir photographe. En biologie sous-marine.

— C'est précis, s'étonna Jean-Philippe.

— On devait aller en Floride… commença Mylène qui ne termina pas sa phrase.

Elle se contenta d'essayer de sourire à son oncle avant de s'éclipser.

: :

— J'espère qu'on va avoir une bonne bordée, dit Charlebois à Bouthillier alors qu'ils suivaient la voiture de Ian Boisvert. J'ai acheté de nouveaux skis. Chez Frappier Tout Équipé. Drôle de hasard.

— C'est là que j'ai acheté mon casque de vélo, répondit Pascal Bouthillier. Il a de bons prix.

— Les filles sont vraiment certaines que ce n'est pas lui qui a tué Cristelle Bouchard. Et toi?

Bouthillier faillit s'étouffer en entendant Charlebois nommer ainsi Graham et McEwen. *Les filles*? Maud Graham? À qui il vouait une totale admiration? Qui était leur capitaine, leur phare, celle qui savait insuffler du sens à n'importe quelle enquête? Pourquoi avaient-ils hérité d'Alexandre Charlebois? Ils manquaient peut-être d'effectifs, mais c'était tout de même mieux sans lui au sein de l'équipe.

— Il a avoué, poursuivait Charlebois. Pourquoi un type avouerait-il un crime qu'il n'a pas commis? Un meurtre avec préméditation, ça peut aller chercher dans les quinze ou vingt ans de pénitencier. Ça n'a aucun sens d'avouer ça.

— Tu n'as pas trouvé qu'il se résignait trop vite?

Charlebois poussa un soupir avant de répéter qu'il espérait une vraie tempête.

— Toi, fais-tu du ski?

Bouthillier allait lui mentir et prétendre que non, mais il vit la voiture de Boisvert obliquer vers la droite et pesta.

— Il se rend au centre commercial!

— Je vais descendre et le suivre dès qu'il aura stationné. Tu me rejoindras.

— On ferait mieux d'être plus nombreux, commença Bouthillier, parce que…

— On n'a pas le temps d'attendre, protesta Charlebois. De toute manière, ça ferme bientôt. Il ne pourra pas traîner longtemps à Place Laurier.

— Il y a trop de monde avec les fêtes qui approchent. On risque de le perdre.

— As-tu une autre idée?

— Appeler la sécurité du centre, il y a des agents qui…

— Ce qui compte pour le moment, c'est de le suivre sur le terrain de stationnement, fit Charlebois en se débarrassant de sa ceinture de sécurité.

— Appelle au poste, insista Bouthillier.

— Pour leur dire quoi ? Il vient de trouver une place. Continue un peu plus loin, arrête-toi près de l'escalier.

Bouthillier pesta, mais ralentit pour permettre à Charlebois de descendre de la voiture. Il le vit se glisser entre les véhicules et emboîter le pas à Ian Boisvert qui se dirigeait vers la porte B. Tout en cherchant à se garer, Bouthillier lança un appel radio : y avait-il des agents à proximité ? Il entendit grésiller la radio, puis on l'informa que deux patrouilleurs étaient déjà sur les lieux. Où devaient-ils le rejoindre ?

Bouthillier précisa sa position tout en poussant à son tour la porte B, s'apprêtant à rejoindre Charlebois. Est-ce que Ian Boisvert avait vraiment un achat à faire au centre commercial ou avait-il détecté leur présence et choisi de leur filer entre les pattes en se noyant dans la foule de clients ? Est-ce que la visite de Graham et Joubert l'avait vraiment inquiété ? D'un autre côté, ils lui avaient bien dit que Jean-René Frappier avait été arrêté : pourquoi Boisvert aurait-il voulu les embrouiller ?

Il quitta Charlebois des yeux quelques secondes pour repérer Boisvert, mais il ne le vit pas. Il devait être entré dans un des commerces puisque Charlebois avait ralenti le pas. Il sentit vibrer son téléphone, répondit au patrouilleur qui se mettait à leur disposition, lui indiqua le commerce le plus près avant de voir Charlebois tourner la tête d'un côté, puis de l'autre. Comme s'il cherchait quelqu'un. Comme s'il avait perdu quelqu'un.

15

Mercredi 21 décembre

Mylène eut une exclamation de surprise quand son oncle lui tendit un petit lapin en peluche rose pâle.

— Il est comme celui de Jasmine, dit-elle. Mais en plus petit.

— Jasmine, c'est cette amie dont tu m'as déjà parlé ? demanda Jean-Philippe.

— Elle en a reçu un en cadeau, hier. Le sien est blanc.

— Un lapin blanc ? fit David Lenoir en fronçant les sourcils.

Il avait entendu récemment parler d'un lapin blanc. Mais dans quel contexte ? Un lapin blanc ? Pourquoi lui aurait-on parlé d'une peluche ? C'était avant la mort de Cristelle. Un lapin blanc. Il sursauta lorsque le souvenir se précisa. Il avait parlé d'un lapin blanc avec sa femme. Un lapin qui avait été retrouvé sur une scène de viol.

— Qui lui a donné ce lapin ? Quand ? interrogea-t-il.

— Pourquoi tu veux savoir ça ? s'étonna Mylène.

Le ton de David alarma son frère.

— Qui lui a donné le lapin ? Étais-tu là ?

— Je… je l'ai vu de loin.

— Quand ? Où ?

— Dans Limoilou. Jasmine a pris un café avec un gars. C'est lui qui lui a donné le lapin.

— Où est-elle maintenant ?

— Chez elle, je suppose... Qu'est-ce que...

— Appelle-la pour vérifier !

— Vérifier quoi... commença Mylène.

Le regard inquiet de son père la poussa à téléphoner à Jasmine sans demander d'explications. C'est Matis qui répondit et lui apprit qu'il pensait que sa sœur était partie chez Dotty. Mylène eut à peine le temps de le remercier, son père insistant pour qu'elle appelle Jasmine sur son portable. Mylène appuya sur une touche, reconnut les premiers mots du message enregistré.

— C'est sa boîte vocale.

— Appelle chez Dotty !

Dotty parut surprise d'entendre Mylène. Jasmine n'était pas avec elle. Elle n'avait aucune idée de l'endroit où elle pouvait être.

— Tu connais le gars qui lui a donné le lapin ? demanda David.

— Non. Je ne le connais pas. Je sais seulement que Jasmine en est folle.

— Comment sais-tu qu'il lui a donné le lapin ?

— J'étais... loin... je l'ai pris en photo. Pour faire plaisir à Jasmine qui voulait une photo de Tom.

— Tom qui ?

— Je ne sais pas. Je t'ai dit que je ne le connais pas. Qu'est-ce qui se passe ?

— Il faut que je parle à la police, s'écria David Lenoir. Je peux me tromper, mais... on ne peut pas prendre le risque. Tout est trop étrange, ces derniers jours. Je dois...

— La police ? fit Mylène.

David se dirigea vers son bureau pour récupérer la carte que lui avait laissée Maud Graham. Il dut s'y prendre à deux fois pour composer son numéro de téléphone, bafouilla en se présentant.

— Que se passe-t-il, monsieur Lenoir? s'enquit Maud Graham. Pouvez-vous parler plus lentement? Il est arrivé quoi à qui?

— C'est Jasmine, l'amie de Mylène. Il y a un type qui lui a offert un lapin blanc. Un lapin comme celui qu'on a donné à la victime de viol.

— Quoi?

Comment David Lenoir avait-il appris l'existence de cet élément dans leur enquête sur les agressions? Rien n'avait filtré dans les médias. Au palais de justice? Qui s'était ouvert la trappe? C'était censé rester secret.

— À Limoilou, fit David Lenoir, il y a deux mois, la voisine de ma greffière a été agressée. Le violeur lui a laissé un lapin en peluche. Je dois me tromper, je veux me tromper, mais quand Mylène m'a parlé de cette peluche, je n'ai pas pu m'empêcher de faire le lien. À moins que, avec tout ce qui s'est passé, je sois devenu trop méfiant…

Il reprit son souffle avant d'ajouter que Jasmine n'était pas chez elle. Ni chez l'amie où elle avait dit qu'elle passait la soirée.

— Ma fille a tenté de l'appeler, mais elle ne répond pas.

— Vous avez fait ce qu'il fallait, monsieur Lenoir, dit Graham en sentant monter une bouffée de chaleur.

— Qu'est-ce que je peux faire de plus? Ses parents ne sont pas chez eux, on vient d'appeler, il y a seulement son frère. Je peux tenter de joindre Ian sur son cellulaire?

— Oui. D'accord. Maintenant, je dois parler à votre fille, monsieur Lenoir.

Malgré l'anxiété qui la gagnait, Maud Graham interrogea Mylène d'un ton posé. Elle ne put toutefois retenir une exclamation en apprenant que l'adolescente avait photographié le fameux Tom alors qu'il remettait le lapin à son amie.

— Tu peux relayer cette photo de ton cellulaire au mien?

— Je l'ai prise avec mon Nikon au téléobjectif. Je n'ai pas la fonction pour transférer…

— Je t'envoie un agent pour récupérer ton appareil, dit aussitôt Graham.

— Qu'est-ce qui se passe ? répéta Mylène.

— Quel âge a Tom, selon toi ?

— Vingt ans ? Je ne sais pas, il est plus vieux que nous. Il doit étudier au cégep de Limoilou, parce que Jasmine l'a rencontré aux Brûleries sur la 3e Avenue.

Le café où Jessica avait revu son agresseur ? Graham pouvait sentir les pulsations rapides de son cœur. Elle répéta à Mylène qu'un agent passerait chez eux, qu'il lui rapporterait son Nikon dès que la photo de Tom serait saisie.

— Est-ce que c'est Tiffany qui viendra ? demanda Mylène.

— Bien sûr, tu lui raconteras ce que tu as vu.

Tout en parlant avec Mylène, Graham avait fait demi-tour pour revenir au poste. Elle s'adressait maintenant à Joubert qui lancerait un message d'alerte, tandis qu'elle tenterait de joindre Mary White.

— Elle doit être à sa boutique.

— Et Ian Boisvert ?

— David Lenoir va le prévenir. Et sa femme l'appellera sûrement dès que je lui aurai appris la disparition de Jasmine. S'il a semé sciemment Charlebois et Bouthillier...

— Que décidera-t-il ? dit Joubert.

— Je me le demande.

— Tu penses que la photo correspond à notre portrait-robot ?

— Oui, dit Graham. Le lieu, le lapin, une jeune femme.

— Par contre, habituellement, il agresse ses proies sans leur avoir parlé avant. D'après ces informations, on dirait qu'il drague Jasmine Boisvert.

— Je t'avais dit qu'il serait de plus en plus sûr de lui. Il a envie de s'amuser plus longtemps.

Il y eut un silence, puis Joubert jura qu'ils l'arrêteraient.

Graham coupa la communication sans répondre. Où était Jasmine? Dans quel état? Quand la retrouverait-on? Que devait-elle dire à sa mère?

::

Morgan se servit un verre de scotch qu'il vida d'un trait. Rien ne se passait comme prévu. Rien. Pourtant, s'il regardait par la fenêtre du salon, tout semblait normal: Ismaël, un des rares voisins avec lesquels il échangeait parfois, flattait sa chienne, une belle bête au pelage fauve. Il lui présenta une balle rouge avant de la lancer dans la neige. La chienne se rua sur la balle qu'elle rapporta à son maître. Ismaël répéta son manège à plusieurs reprises et cette scène si quotidienne calma Morgan. Son voisin caressait le museau de sa chienne quand celle-ci se retourna subitement: un homme venait vers eux en gesticulant, en désignant l'animal d'un geste menaçant. Morgan reconnut un homme qu'il croisait souvent au dépanneur.

— Il devrait être en laisse. Attache-le!

— On ne dérange personne, monsieur, dit le voisin. On joue dans la neige.

— C'est le règlement.

— Ma chienne n'est pas dangereuse…

— Tu ne comprends pas le français? Peut-être que dans ton pays on ne suit pas les règles, mais ici les lois sont les mêmes pour tout le monde.

— Qu'est-ce que vous sous-entendez?

— Tu ne veux pas comprendre? Mets-lui sa laisse, sinon ça va mal finir.

— On veut juste jouer un peu, répéta le jeune Marocain. Boréale est douce…

— Là, c'est avec mes nerfs que tu joues! Ça ne se passera pas comme ça.

— Vous me menacez ?

Morgan se demanda si la chienne qui s'était immobilisée près de son maître allait se jeter sur le gros homme, mais son voisin lança la balle à nouveau en lui disant d'aller la chercher.

— Tu le fais exprès, mon hostie !

L'homme hurla qu'il lui apprendrait à respecter le règlement. Morgan le vit traverser la rue, se diriger vers l'immeuble où il habitait. Il entendit Ismaël crier à sa chienne de rapporter la balle. Un aboiement joyeux lui répondit. Morgan s'éloigna de la fenêtre, déçu. Il aurait aimé que la bête se jette sur l'homme. Il soupira, se retourna pour regarder Jasmine. Qu'est-ce qu'il devait faire d'elle, maintenant ? Était-elle dans le coma ? Elle aurait dû être droguée, plus ou moins consentante, mais rien ne s'était déroulé comme il l'avait envisagé. Il avait fini par l'assommer.

: :

Ian Boisvert roulait vers son domicile quand la sonnerie de son portable le tira de ses réflexions. Il vit le numéro de David Lenoir s'afficher à l'écran : allait-il lui en apprendre plus sur l'arrestation de Frappier ? Ou est-ce que cette maudite enquêtrice lui avait parlé de sa visite matinale ?

— Qu'est-ce que je peux faire pour toi, David ?

— Où es-tu ?

— En route vers la maison.

— Gare-toi et écoute-moi.

— Qu'est-ce que…

— Fais ce que je te dis. C'est important.

Important pour qui ? se demanda Ian en se rangeant sur le bas-côté. David avait vraiment l'air surexcité. Qu'est-ce que les policiers lui avaient dit ? Mais s'ils le soupçonnaient, David ne l'aurait pas appelé. Que se passait-il ?

— C'est Jasmine, Ian.

— Jasmine ?

— Mylène n'arrive pas à la joindre.

David l'appelait parce que sa fille n'arrivait pas joindre la sienne ?

— Elle a dit qu'elle passait la soirée chez leur copine Dotty, mais elle n'y est pas. Elle était hier avec un étudiant qui lui a donné un lapin en peluche.

— Oui, je l'ai vu dans son sac, mais que…

— Écoute-moi, Ian, le coupa David. Il est possible qu'elle soit avec ce type maintenant au lieu d'être chez Dotty. Il faut la retrouver.

— Je ne comprends rien à ce que tu me racontes.

— Ta fille est en danger ! Une jeune femme a été violée le mois dernier dans Limoilou et l'agresseur lui avait donné un lapin en peluche. Je peux me tromper, mais il faut que tu appelles la police tout de suite. Et Mary. Essayez de joindre Jasmine. Mylène l'a vue avec cet homme.

— Mais quand ? Passe-moi Mylène !

Ian fixait les phares des voitures qui venaient sur la gauche en tentant de comprendre ce qui se passait. David avait-il vraiment dit que Jasmine était en danger ?

— Mylène ?

— Je ne sais pas quoi faire, dit l'adolescente d'une voix cassée. J'ai…

— Jasmine sort avec quelqu'un ? la coupa Ian Boisvert.

— Non. Oui. Elle vient juste de le rencontrer. Je les ai vus hier quand ils sortaient du café.

— Quel café ?

— Dans la 3ᵉ Avenue.

— Et ensuite ? la pressa Boisvert. Qu'est-ce que tu peux me dire de plus ?

— Je… je l'ai suivi.

Ian entendit une exclamation de David. « Es-tu folle ? »

— J'étais loin. Je voulais voir où il habitait. Et le prendre en photo pour faire plaisir à Jasmine.

— Donne-moi l'adresse.

Mylène s'exécuta. Puis David s'empara du téléphone pour parler à Ian.

— Les policiers vont vous aider. Je les ai…

— C'est mieux que ce soit moi qui les appelle, l'interrompit Ian. Je vous redonne des nouvelles. Mais téléphone à Mary.

Il raccrocha sans attendre la réponse de David Lenoir et fit aussitôt demi-tour, déclenchant les coups de klaxon du chauffeur qui avait réussi à l'éviter de justesse. Après avoir bifurqué vers la droite, il accéléra dans un crissement de pneus pour ralentir l'instant d'après. Il ne devait pas se faire arrêter pour excès de vitesse. Il ne fallait pas mêler la police à ça. Il savait qu'il aurait dû appeler Mary lui-même, mais il ne voulait pas perdre de précieuses secondes à parler à cette salope qui ne s'était pas rendu compte que leur fille s'était amourachée du mauvais gars. Parce qu'elle avait fait la même chose. L'égocentrisme de Mary mettait maintenant leur fille en péril ! Pendant qu'elle se morfondait certainement pour Jean-René Frappier. Evelyne devait l'avoir appelée pour lui apprendre son arrestation. Ou Nathalie. Ou n'importe qui. Ou peut-être même Frappier. Pour lui dire un dernier adieu ? C'était pathétique !

Jasmine. Il devait se concentrer sur Jasmine. Oublier Mary pour l'instant. Il lui réglerait son compte plus tard. Jasmine. Il serait bientôt arrivé au Vieux-Port. La sonnerie de son téléphone le fit sursauter. Il reconnut le numéro de Mary. David devait l'avoir jointe. Elle devait paniquer autant que lui. Imaginer le pire. Non. Se concentrer, se rendre au quai Saint-André, c'était ça, l'important. Rien d'autre ne comptait pour l'instant.

::

Tiffany McEwen poussa une exclamation en scrutant de nouveau les images qu'avait prises Mylène Bouchard-Lenoir, en découvrant la photo d'un immeuble dont on voyait clairement l'adresse.

— C'est où? C'est quoi? demanda Maud Graham.

— Je ne sais pas. Je rappelle la gamine.

McEwen composa le numéro des Lenoir en se fustigeant. Elle n'avait regardé que la photo du présumé suspect, quand elle avait récupéré le Nikon chez les Lenoir, et elle avait immédiatement confirmé l'information dès qu'elle était revenue à sa voiture. Mais l'angoisse l'avait poussée à agir avec trop de précipitation. Elle aurait dû discuter plus longuement avec Mylène. C'est David qui lui répondit.

— Vous avez retrouvé Jasmine?

— Pas encore. Je dois reparler à Mylène.

— Je vous la passe.

Dès qu'elle eut Mylène au bout du fil, McEwen l'interrogea sur les photos de l'immeuble. Était-ce l'endroit où elle avait suivi le fameux Tom? Où il habitait? Pourquoi ne lui en avait-elle pas parlé?

Mylène s'excusa auprès de Tiffany McEwen. Elle avait peur que ce soit un délit d'espionner quelqu'un.

— Je le suivais juste pour faire plaisir à Jasmine.

— C'est où? Quelle rue?

— Dans le Vieux-Port.

McEwen raccrocha et se tourna vers ses collègues: leur suspect résidait quai Saint-André.

— Quai Saint-André? dit Péloquin. Il me semble que Bouthillier vient de partir au Vieux-Port.

— Comment ça?

— C'est Joubert qui l'a envoyé là. Une plainte à propos d'un chien dangereux près de l'édifice du 400ᵉ.

— Bouthillier?

— Il voulait se rendre utile. Il se sentait piteux d'avoir perdu Boisvert au centre commercial. Tu es sûre que le suspect habite là ?

— La petite Mylène l'a suivi.

— J'appelle Bouthillier, dit Graham avant d'avouer qu'elle ne comprenait pas ce qu'un chien venait faire dans cette histoire.

Elle donna ses indications à Bouthillier après l'avoir avisé que des renforts le rejoindraient au Vieux-Port.

— Mais je ne suis pas encore sur place. C'était bloqué sur le boulevard Charest...

— Tu ne bouges pas quand tu y seras, répéta Graham. Tu attends l'arrivée des agents. Tu sécurises le bâtiment. Vous devez agir avec la plus grande prudence. Si Jasmine Boisvert est avec ce Tom et s'il se sent menacé, il peut réagir n'importe comment, se servir d'elle comme otage. Il ne doit pas se rendre compte qu'il y a du mouvement autour de l'immeuble. On vous rejoint rapidement.

— J'étais parti là pour une histoire de chien, dit Bouthillier. On cherche le violeur depuis des semaines et, là, tout déboule en même temps.

Oui, tout se déroulait trop vite, songea Graham. Elle s'essuya le front, se dirigea vers la fontaine, remplit sa tasse d'eau avant de revenir vers Joubert qui enfilait son manteau tout en répondant à un appel.

— On a le mandat, annonça-t-il à Graham.

— Boisvert ne nous a pas appelés.

— Comme tu l'avais prédit. Leur fille est en danger et il ne nous prévient pas. Ce n'est pas normal.

— Non. N'importe quel père, n'importe quel citoyen nous demanderait de l'aide, mais pas lui...

— Je... Mon Dieu ! s'exclama Graham. Il faut que je rappelle David Lenoir ! Mylène a oublié de nous dire qu'elle avait l'adresse de notre suspect. Mais elle en a peut-être parlé avec son père, qui peut l'avoir donnée à Ian Boisvert. Il faut qu'on sache s'il a cette adresse! Transmets le signalement de son véhicule aux agents. Préviens Bouthillier.

— Il a un fusil, dit Joubert. Il nous a dit qu'il a déjà chassé…

Maud Graham chercha le numéro des Lenoir dans ses contacts et, tandis que Mylène lui confirmait qu'elle avait donné l'adresse au père de Jasmine, Joubert mettait Bouthillier en garde contre Ian Boisvert qui venait de se garer au Bassin Louise.

— Ne fais rien avant l'arrivée des renforts. Le problème, c'est que les voitures de patrouille sont identifiées. Je ne veux pas que notre suspect les aperçoive de son appartement. Ni Ian Boisvert.

: :

Boréale fixait son maître: Ismaël allait-il lui lancer de nouveau la balle? Ou rentrait-on déjà à la maison? Elle secouait la queue, prête à courir dans un sens ou dans l'autre, lorsque des cris lui firent dresser les oreilles. Ils provenaient de la gauche, de cet homme qu'elle avait senti plus tôt. Mélange d'alcool et de transpiration. Elle leva la tête vers Ismaël qui sortait la laisse de la poche de sa veste.

— Trop tard, mon petit maudit, cria le gros homme. J'ai appelé la police. Si tu penses que tu vas faire ce que tu veux avec ton chien, tu te trompes.

L'homme s'approcha d'eux lentement. Ismaël vit alors qu'il cachait un bâton de baseball derrière son dos. Il se mit à reculer, tirant la chienne par son collier.

— Non, non, tu ne rentres pas chez vous. On va attendre la police ensemble.

— Mais monsieur…

— Y a pas de monsieur qui tienne! dit l'homme en levant le bâton. Tu ne me…

— Hé! Vous, là!

L'homme se retourna, un type d'une trentaine d'années sortait de sa voiture et l'interpellait.

— De quoi tu te mêles ?

— Laissez tomber ce bâton par terre, monsieur, dit Bouthillier. Tout de suite !

— T'es qui, toi ?

— La police ! Laissez tomber ce bâton.

— La police ? C'est moi qui vous ai appelé ! À cause du chien !

— Laissez ce bâton, répéta Pascal Bouthillier. On va parler tranquillement.

— C'est ce maudit-là, vociféra l'homme en désignant Ismaël de son bâton.

— Je vous ai demandé de laisser tomber votre bâton, dit Bouthillier. C'est dangereux.

— Non ! hurla l'homme. Ce qui est dangereux, c'est sa bête qui saute sur n'importe qui ! Il ne l'attache pas ! Arrêtez-le !

Bouthillier leva les mains en signe d'apaisement. Il devait raisonner ce fou furieux, lui faire quitter les lieux au plus vite.

— OK. Je l'arrête, dit-il. À condition que vous jetiez ce bâton par terre.

Il se tourna vers Ismaël et s'adressa à lui d'un ton uni, rassurant.

— Le plus simple, c'est que vous me suiviez. On va faire les choses en règle.

— C'est ça que je disais, cria l'homme. En règle ! Les règles sont faites pour être respectées !

Ismaël allait répliquer quand Bouthillier lui indiqua sa voiture d'un signe de tête tout en esquissant un sourire afin qu'il comprenne qu'il souhaitait juste calmer le jeu.

— Vous m'attendez devant mon véhicule, pendant que je prends aussi les coordonnées de ce monsieur.

Il fallait à tout prix que ce type cesse de hurler ! S'il attirait l'attention du ravisseur de Jasmine ? Bouthillier avait perçu des mouvements derrière les fenêtres des immeubles des alentours.

Est-ce que Tom était derrière une de ces fenêtres? Il vit une femme ouvrir la porte d'un balcon, l'interpeller pour savoir ce qui se passait.

— Tout va bien, madame, s'empressa de dire Bouthillier. Rentrez chez vous.

Elle sembla hésiter, puis tourna la tête en entendant s'entrouvrir la porte d'un autre voisin.

— C'est quoi, ce bordel?

— Ce n'est rien, dit Bouthillier en voyant enfin arriver les patrouilleurs. Rentrez chez vous. Tout va bien.

Il s'approcha des patrouilleurs, résuma la situation en quelques mots. Il fallait que l'homme qui avait porté plainte rentre chez lui au plus vite. Il avait déjà trop attiré l'attention des voisins.

— Neutralisez-le pendant que je m'occupe du jeune et de son chien. Il faut qu'on rentre dans l'immeuble du suspect au plus vite et qu'on…

Un bruit de moteur l'interrompit. Il vit une voiture foncer vers eux, s'arrêter près du trottoir. Un homme en sortit, regarda autour de lui avant de se diriger vers la porte d'entrée de l'immeuble du suspect.

— Eh! Monsieur! s'écria Bouthillier. Monsieur?

Ian Boisvert le dévisagea durant trois secondes avant d'ouvrir la porte de l'immeuble. Bouthillier avait eu le temps de voir son fusil.

— C'est lui! dit-il aux patrouilleurs. C'est Ian Boisvert. Il faut qu'on l'empêche d'entrer dans l'appartement du suspect, sinon ça va être le carnage!

— J'appelle des renforts, dit un agent. Les gens ne doivent pas sortir de leur appartement.

— Il… il ne peut pas entrer comme ça, bredouilla Ismaël en tenant Boréale contre lui pour la rassurer, pour se rassurer. Il faut que les gens sonnent, après on leur ouvre. À moins qu'il ait le code.

Bouthillier qui fixait l'entrée de l'immeuble constata que Boisvert y était toujours.

— Connais-tu un Tom ? Un gars d'une vingtaine d'années, les cheveux *bleachés* ?

— Il ne s'appelle pas Tom, mais Morgan.

— Quel étage ? Son appartement ?

— Quatrième. On se parle parfois.

Bouthillier ne quittait pas l'immeuble des yeux, vit Boisvert gesticuler. Comme il ignorait le nom de celui qu'il cherchait, il devait appuyer sur toutes les sonnettes dans l'espoir que quelqu'un lui ouvre. Mais il n'attendrait pas longtemps. Tirerait-il sur la serrure, grimperait-il les escaliers, frapperait-il à toutes les portes pour trouver sa fille ? Il fallait le convaincre qu'il mettait Jasmine en danger, arriver avant lui devant la bonne porte.

— Tu es à quel étage ?

— Troisième, avec la chienne, c'est…

— Tu me fais entrer par la sortie de secours, dit Bouthillier à Ismaël. Puis tu t'enfermes chez toi.

Ils coururent ensemble vers l'arrière de l'immeuble, Ismaël sortit son trousseau de clés tandis que la chienne tournait autour d'eux, flairant le drame sans en deviner l'origine.

— Donne-moi tes clés, dit Bouthillier.

Dix secondes plus tard, il traversait l'appartement d'Ismaël et ouvrait lentement la porte avant. Des coups provenant du rez-de-chaussée le rassurèrent : Ian Boisvert n'avait pas encore fracassé la porte pour gagner les étages. Bouthillier indiqua par radio sa position aux patrouilleurs quand il entendit des portes s'ouvrir au-dessus. À quel étage ? Quelqu'un demanda ce que signifiait ce bruit. Bouthillier répondit que ce n'était rien.

— Quoi, rien ?

— Je viens voir un ami, mentit Bouthillier. J'ai échappé la lampe que je lui apporte. Ce n'est rien.

Il tendit l'oreille dans l'espoir d'entendre les portes des voisins se refermer, mais il vit apparaître la tête d'une femme en haut de l'escalier intérieur, puis celle d'un homme. Un homme aux cheveux clairs. Le type du portrait-robot. Qui le dévisagea, jura et remonta aussitôt chez lui. Il avait certainement deviné qu'il était policier. Bouthillier entendit une porte claquer, puis le tonnerre d'un coup de feu. Boisvert devait avoir fait sauter la serrure de la porte d'entrée. Il l'entendit hurler le nom de Jasmine, lui cria à son tour de se taire tout en dégainant son arme.

— Monsieur Boisvert, calmez-vous. Vous mettez votre fille en danger.

Bouthillier entendit encore une porte s'ouvrir : comment les gens pouvaient-ils être aussi stupides ? N'avaient-ils pas perçu le coup de feu ? Il entendit un cri de stupéfaction, puis une porte claquer. Puis le silence. Puis grésiller la radio : les patrouilleurs l'avertissaient qu'il y avait des hommes devant les issues de secours de chaque étage.

— Boisvert est entré dans un appartement du rez-de-chaussée, leur apprit Bouthillier. Il faut l'arrêter quand…

— Un homme vient de sortir par l'arrière. Il monte dans l'escalier de secours, dit Gaétan Péloquin.

— Péloquin ? C'est toi ? dit Bouthillier.

— Oui, je pense que c'est Ian Boisvert, je vais…

La fin de la réponse fut couverte par une déflagration, puis des cris. Qu'est-ce qui se passait dans l'escalier de secours ?

— Répondez-moi ! hurla Bouthillier dans son appareil radio.

Mais personne ne lui répondit. Il entendit d'autres cris, puis une porte qui s'ouvrait à l'étage. On lui cria de dégager le passage, il leva la tête, reconnut l'agresseur, comment s'appelait-il ? Morgan, Morgan. Qui portait Jasmine, bâillonnée, les mains liées sur son épaule.

— Morgan ?

— Si vous bougez, je la tue.

— On peut discuter, commença-t-il. Ça ne sert à rien de s'énerver.

— Jetez votre arme et sortez de l'immeuble, ordonna Morgan Bachelet.

— Si vous laissez Jasmine maintenant, ce sera mieux pour tout le monde. Les juges vont en tenir compte.

— Jetez votre arme, répéta Morgan.

— Qu'est-ce que vous voulez, Morgan ? On pourrait…

— Ne perdez pas votre temps à essayer de me manipuler en m'appelant par mon prénom. Je veux voir votre arme par terre. Puis vous descendez devant moi, vous sortez de l'immeuble, vous tenez la porte ouverte, vous me donnez les clés de votre voiture, vous dites à vos copains de rester tranquilles. Tout de suite !

Les gémissements de Jasmine poussèrent Bouthillier à obéir à son agresseur. Avait-il le choix ? Il répéta les ordres qu'il venait de recevoir en espérant que tous les patrouilleurs l'entendaient bien, puis il se défit de son arme, la posa sur le palier. Morgan Bachelet fit passer Jasmine d'une épaule à l'autre pour l'appuyer contre un mur tandis qu'il se baissait pour ramasser l'arme tout en criant à Bouthillier de descendre devant lui. Ils étaient à mi-chemin dans l'escalier quand un coup de feu les tétanisa. Morgan jura en tirant à son tour vers l'étage au-dessus, relâchant sa prise sur Jasmine qui glissa sur le sol. Bouthillier tenta de s'approcher d'elle en s'efforçant de comprendre ce qui se passait. Qui tirait ? Les aboiements de la chienne, les cris d'Ismaël qui lui ordonnait de se taire l'empêchaient de percevoir d'où venaient les coups de feu. Comment les agents pouvaient-ils intervenir sans qu'aucun des résidents de l'immeuble ne soit pris en otage ni blessé ? Lui-même aurait voulu utiliser l'autre arme qu'il portait à la cheville, mais il n'avait pas assez d'espace pour viser Morgan sans mettre Jasmine en danger, car Morgan se penchait à son tour vers elle pour la soulever. Tout ce qu'il pouvait faire, c'était de tenter de le raisonner encore une fois.

— Descends au plus vite, sinon tu vas te faire tuer.

— J'ai la fille avec moi, l'as-tu oublié? Tes gars ne vont pas me tirer dessus.

— Ce ne sont pas mes gars, c'est…

Bouthillier ne put terminer sa phrase. Un coup de feu résonna dans la cage d'escalier, il entendit Morgan hurler, puis vit apparaître Boisvert. Du palier du quatrième étage, il pointait son fusil vers Morgan. Morgan qui avait échappé son arme, mais qui tenait maintenant Jasmine par le cou.

— Lâchez votre fusil, dit Bouthillier.

— Qu'il lâche ma fille! répondit Boisvert.

— Vous la mettez en danger! Lâchez votre fusil!

— Ce n'est pas ta fille. Et moi, je sais quoi faire!

Bouthillier allait répliquer quand les aboiements de la chienne reprirent, les faisant tous sursauter. Bouthillier profita de cette infime seconde de diversion pour viser Boisvert à l'épaule. Il hurla en tombant sur Morgan qui bascula contre la rambarde de l'escalier, relâchant Jasmine pour tenter de se retenir sans y parvenir.

Bouthillier sut qu'il n'oublierait jamais le bruit de l'impact du corps contre le plancher de béton. Puis les cris. Les voix des patrouilleurs.

Il hurla dans la radio qu'il avait besoin d'une ambulance. Trois blessés. Puis il se demanda s'il y en avait d'autres. Si Boisvert avait atteint quelqu'un d'autre. Si Péloquin s'était tu parce qu'il était touché.

: :

— Je ne sais pas ce que je ressens face à la mort de Morgan Bachelet, confessa Maud Graham avant de héler la serveuse du bar, lui signifiant qu'elle payait une tournée à toute son équipe.

— Qu'est-ce que tu veux dire? demanda McEwen. S'il n'avait pas chuté du troisième étage, il serait reparti en France. Je suis certaine qu'il s'en serait tiré malgré tous ses viols.

— Ce n'est pas garanti.

— Fils de diplomate ?

— Moi, je regrette quasiment qu'il n'ait pas tué Ian Boisvert avant de tomber, dit Éloi Brodeur, un des patrouilleurs. Quand j'ai vu Péloquin basculer dans l'escalier de secours…

— Il va s'en sortir, dit Graham. La balle est passée près du foie, mais les médecins m'ont assurée qu'il n'était pas en danger.

Elle espérait que sa voix était ferme, que personne ne devine à quel point elle avait eu peur lorsqu'elle avait vu les ambulanciers soulever Gaétan Péloquin pour le déposer sur la civière. Il y avait tellement de sang !

— Chose certaine, dit Joubert, Boisvert devra se trouver un maudit bon avocat. David Lenoir va s'intéresser de près à son procès…

— Il n'est pas juge au criminel, rappela Graham.

— On a le droit d'espérer qu'il fera jouer ses contacts, la coupa McEwen. Je voudrais que Boisvert prenne le maximum. Je ne veux pas qu'on pense qu'il a juste voulu protéger sa fille. Il a tiré sur Péloquin ! Il aurait tiré sur Bouthillier, s'il en avait eu le temps !

— Il va écoper d'une lourde sentence, promit Joubert. Ne serait-ce que pour le meurtre de Cristelle Bouchard.

McEwen sourit, tandis que Bouthillier se contenta de hocher la tête. Il n'avait pas envie de commenter ces événements qu'il avait dû relater à plusieurs reprises à ses supérieurs. Même si c'était faux, il dit qu'il avait faim. Est-ce qu'on allait se décider à commander ?

— Tout ce que tu veux, fit Graham en posant la main sur son épaule.

Il lui semblait si jeune. Il aurait pu mourir. Elle pensa à Jasmine, à son air égaré lorsqu'elle s'était assise près d'elle dans l'ambulance. Se remettrait-elle d'un tel traumatisme ? Et comment Mary avait-elle pu la réconforter, alors qu'elle-même était sous le choc d'apprendre que son mari était un meurtrier ? Comment avait-elle pu annoncer cette nouvelle à Matis qui venait de perdre son ami Étienne? Graham songea aux parents de ce dernier sans beaucoup d'illusions: savoir qui avait assassiné Cristelle Bouchard les mettait hors de tout soupçon, mais ne changerait absolument rien à leur douleur. Graham ferma les yeux, étourdie en voyant défiler les visages de tous ces enfants qui payaient pour les errements des adultes.

Elle se ressaisit pour annoncer qu'elle allait chercher des menus.

— Je vais demander tout de suite des ailes de poulet piquantes, pour grignoter en attendant nos plats.

— Bonne idée, l'appuya Joubert en levant son verre.

— À la santé de Péloquin! dit Maud Graham.

Les verres tintèrent. Ils répétèrent tous le nom de Péloquin, puis McEwen proposa un toast à la santé de Pascal Bouthillier qui protesta. Mais personne ne l'écouta et Graham fut la première à choquer son verre contre le sien. Elle lui sourit en se demandant si Maxime vivrait de tels événements. S'il serait entouré d'aussi bons partenaires. Si elle saurait l'aider.

REMERCIEMENTS

L'auteure tient à remercier chaleureusement :

Martine Boulet qui m'a pilotée dans le quartier Limoilou avec beaucoup de patience.
François Julien qui répond avec autant d'amabilité que de pertinence à mes nombreuses questions.
Alexandre Dubé qui m'a indiqué avec gentillesse les véhicules qui pouvaient convenir à mes personnages.
Mon agent et surtout ami Patrick Leimgruber qui facilite tout pour moi.
Anne-Marie Villeneuve, avec qui travailler est un vrai cadeau, un bonheur total.
Luc Roberge, André d'Orsonnens et toute l'équipe de Druide qui savent si bien choyer Maud Graham.
Lise Duquette, pour sa si attentive révision.

CHRYSTINE BROUILLET

———

J'ai assisté, il y a plusieurs années, à un entraînement au hockey. Les sportifs avaient six ou sept ans. Des gamins. Mais plus matures que ces deux adultes qui s'agitaient, tempêtaient contre l'arbitre, hurlaient à leurs fils qu'ils devaient être plus performants, évacuant totalement la notion de plaisir. Une seule option était valable à leurs yeux : la victoire. Mais quelle victoire ? Celle qu'ils n'avaient pas vécue quand ils étaient jeunes ? Qu'ils voulaient vivre par procuration sans s'interroger sur les besoins de leurs enfants ? Parce que leur propre existence ne correspondait pas à leurs rêves ? Comment pouvaient-ils croire que leurs fils étaient responsables de combler cette insatisfaction ? Je les regardais lever les poings vers la patinoire en songeant qu'aucun de ces deux adultes ne semblait éprouver de culpabilité à imposer ainsi leurs désirs de gloire. Et que c'était probablement leurs fils qui se sentaient fautifs de ne pas être à la hauteur de leurs attentes. J'avais devant moi toutes les manifestations de la frustration et de l'humiliation, terreau fertile pour la colère, l'agressivité et la tristesse.

J'ai tenté ici d'imaginer la vie de ces parents et de leurs enfants. Du point de vue de celui qui pense n'avoir jamais tort à celui qui croit que c'est toujours sa faute. Jusqu'où peut mener la désillusion ? Et la culpabilité ?

Et si, de surcroît, il y avait des secrets dans ces familles ? Des secrets qui pouvaient tout détruire s'ils étaient découverts ?

ACHEVÉ D'IMPRIMER EN MAI 2017
SUR DU PAPIER 100 % RECYCLÉ
SUR LES PRESSES DE MARQUIS IMPRIMEUR,
QUÉBEC (CANADA).

Éditions Druide
1435, rue Saint-Alexandre, bureau 1040
Montréal (Québec)   H3A 2G4

www.editionsdruide.com